LA REVOLUCIÓN MEXICANA

D1507015

LA REVOLUCIÓN MEXICANA

Mario Ojeda

Universidad Nacional Autónoma de México

CRÓNICA DEL SIGLO XX

Dirección editorial
Rebeca Gómez

Director de colección
Jorge Saborido

Editor
José María Fernández

Diseño
Luis Jover

Producción
José María Fernández

© Dastin, S.L.
Parque Empresarial Európolis
c/ M, n.º 9   28232 Las Rozas
Madrid - España
www.dastin.es
info@dastin.es

ISBN 978-84-96410-44-2
Depósito Legal: M-22.414-2006

Reservados todos los derechos. No se
permite reproducir, almacenar en sistema
de recuperación de la información ni
transmitir alguna parte de esta publicación,
cualquiera que sea el medio empleado
(electrónico, mecánico, fotocopia,
grabación, etc.), sin el permiso previo y por
escrito de los titulares de los derechos de la
propiedad intelectual.

IMPRESO EN ESPAÑA - PRINTED IN SPAIN

Al llegar a México (capital) tuve la impresión de que los mexicanos se dedicaban con frenesí a derruir y a levantar edificios. ¿Será esto un reflejo de la revolución política? —me pregunté.

JOSÉ MORENO VILLA, *Cornucopia de México.*

ÍNDICE

INTRODUCCIÓN

La Revolución Mexicana es un proceso histórico complejo e intrincado. Iniciada como un movimiento cívico-democrático-legalista, muy pronto adquiriría un carácter social que no había poseído en sus orígenes, y que fue gestándose sobre la marcha de los acontecimientos. Interrumpida de manera violenta por el embate contrarrevolucionario lanzado por el antiguo régimen, la Revolución Mexicana cambiaría de rumbo, incorporando, a pesar de la voluntad en sentido contrario de algunos de sus dirigentes, el empuje de las masas populares y, por ende, sus reivindicaciones más sentidas.

Una vez depuesta la tentativa de contrarrevolución, encarnada en una breve pero sangrienta dictadura militar, la diversidad de facciones enfrentadas, reflejo de diferencias regionales, ideológicas, y de mentalidades diversas, e incluso antagónicas entre sí, habrían de precipitarse a una guerra civil, en la que, de manera darviniana y descarnada, el grupo más fuerte y apto prevalecería adueñándose del poder, y por consecuencia imponiendo su propia perspectiva de las cosas.

No obstante, a fin de legitimar su nueva hegemonía, el grupo ganador debió incorporar muchas de las aspiraciones originales de los grupos derrotados, particularmente aquellas del movimiento agrarista de Emiliano Zapata.

El presente es un trabajo de divulgación. Aspira a transmitir ciertos hechos concretos y verificables, sin adentrarse en todas las posibles interpretaciones. Propone, en cambio, la noción de que después de 1910-1920 hubo un cambio social profundo en México, gracias a,

contra de o a pesar de la revolución mexicana. Postula que el movimiento social mexicano implicó, no obstante sus muchas contradicciones y limitaciones, una amplia transformación, tangible y comprobable en la sociedad mexicana actual[1]. Si algo propone éste trabajo, en sus limitados alcances, es proponer la hipótesis de que bajo la Revolución se operó un cambio de mentalidad en México, que acreditaría, por sí solo, y contra la opinión de sus detractores, el carácter de auténtica transformación social para el movimiento armado mexicano de principios del siglo XX.

Durante varias décadas, la Revolución Mexicana sirvió de fuente de legitimidad para la existencia de un régimen de partido virtualmente único, hasta que la persistencia misma de ese sistema acabó por deslegitimarla a los ojos de muchos. En este «desprestigio» de la Revolución Mexicana mucho tuvo que ver la historiografía generada por los apologistas del régimen de ella emanado, quienes propagaron una interpretación mecanicista y necesaria que poco, o más bien nada, tuvo que ver con su compleja y a menudo enredada realidad. En efecto la versión oficial de la historia de la Revolución Mexicana, en un afán imposible por encontrarle coherencia, acabó por fijarla en piedra, dando por resultado una versión caricaturesca de los hechos.

De este modo, muchas hagiografías oficiales hicieron auténticos malabarismos para ocultar las diferencias entre las distintas facciones en pugna y presentaron al movimiento como un proceso homogéneo, lineal y unitario. La expresión más extrema de tales esfuerzos es el propio «Monumento a la Revolución» en

---

[1] Eric Hobsbawm, *Historia del Siglo XX*, Barcelona, Crítica, 1995. P. 90.

la Ciudad de México, donde, hasta la fecha, yacen yuxtapuestos los restos de enemigos tan irreconciliables como fueron en su día Madero y Emiliano Zapata, Venustiano Carranza, Obregón y Pancho Villa, e incluso Plutarco Elías Calles y Lázaro Cárdenas.

¿Fue la revolución mexicana el resultado de la existencia de un movimiento agrario y popular auténtico, o más bien, como afirman sus detractores, un instrumento que manipularon a su conveniencia caciques, caudillos y políticos? Es cierto que la Revolución Mexicana falló en su intento por producir un partido de vanguardia y una ideología coherente, pero eso significaría adherir a una visión marxista de la historia como única.

No obstante, es discutible tal ausencia de ideología; lejos de representar un defecto o demérito de la Revolución Mexicana, bien podría verse como una cualidad que habría de permitirle no sólo una mayor flexibilidad y capacidad de adaptación a los tiempos del movimiento social mexicano. En ese sentido, bien observa Octavio Paz cuando afirma que en México, el partido oficial procreado por la Revolución Mexicana se caracterizó por ser:

(…) una agrupación abierta a la que pueden pertenecer prácticamente todos los que deseen intervenir en la cosa pública y que abarca a vastos sectores de la izquierda y de la derecha. (…) Y aquí conviene decir que uno de los rasgos más saludables de la Revolución Mexicana —debido, sin duda, tanto a la ausencia de una ortodoxia política como al carácter abierto del partido— es la ausencia de terror organizado. Nuestra falta de «ideología» nos ha preservado de caer en esa tortuosa cacería humana en que se ha convertido el ejercicio de la «virtud» política en otras partes[2].

Desde los años 60 una corriente revisionista ha intentado quitar mérito a la Revolución Mexicana; varias décadas antes el movimiento social mexicano había sido cuestionado, por sus «magros logros» y por sus supuestas «desviaciones». En ello no poco tendría que ver el hecho de que a unos escasos años de iniciada haya estallado la revolución bolchevique, mucho más ambiciosa y radical en sus designios y metas, amparada además por una ideología y una doctrina de perfiles más nítidos. El triunfo de la revolución cubana en 1959 dio nuevos impulsos a tales esfuerzos. La larga permanencia en el poder del partido que se proclamaba como su heredero aumentó aún más su descrédito.

Muchos dirán que la Revolución Mexicana no fue siquiera una revolución. Hay quien afirma, en un vano ejercicio de historia contrafáctica, que la Revolución fue un desafortunado y estéril traspié, que habría de retrasar varias décadas el desarrollo natural del país. Otros hablan de los gobiernos de la Revolución como de un neoporfirismo, en donde lo único que cambió fue una sucesión de personalidades en la presidencia frente a la perpetuación de Díaz en el poder.

En un extremo, Ramón E. Ruiz argumenta que no hubo revolución en México, sino más bien una «gran rebelión» entre 1905 y 1924 que llevó a cabo en el capitalismo mexicano una «cirugía plástica»; de acuerdo con su visión, el único revolucionario auténtico fue Zapata, y su muerte acabó con cualquier esperanza de un cambio social verdadero en México[3].

Por su parte, en la obra de Octavio Paz *El laberinto de la soledad*, encon-

---

[2] Octavio Paz, *El laberinto de la soledad*. México, Cuadernos Americanos, 1950, pp. 228-229.

[3] Ramón E. Ruiz, *The Great Rebellion: Mexico, 1905-1924*, Nueva York: W. W. Norton, 1980.

tramos algunos ensayos que han merecido menor atención por parte de la crítica, pero que también aportan ideas sugerentes y novedosas. Al hacer su propio balance de la Revolución Mexicana, Paz la compara con la revolución bolchevique y la revolución china de Mao Tse-tung, y nota afinidades entre todos esos procesos en cuanto que constituyeron manifestaciones inequívocas de la irrupción de países periféricos al protagonismo de la historia moderna de Occidente[4]. Esta intuición ha sido trabajada después por historiadores profesionales que casi seguramente desconocían la obra de Paz.

Desde una perspectiva marxista de la historia, se habla de una revolución interrumpida o traicionada[5]. Según esta visión, sectores de la propia burguesía nacional habrían de erigirse como los liquidadores de la Revolución Mexicana. Dentro de ese esquema, la facción pequeño-burguesa radical dentro del constitucionalismo, cuya influencia fue dominante ante la situación revolucionaria, buscó impulsar la revolución «desde arriba», manteniendo bajo su control a obreros y campesinos.

De este modo quienes van a asumir el gobierno de la Revolución no van a ser finalmente ni Villa ni Zapata, sino la pequeña burguesía de la convención. Los campesinos no tenían programa ni política nacional, y la clase obrera era muy débil, y aunque estaba presente en los movimientos villista y zapatista, lo estaba sólo en forma de individuos, pero no como organización.

El poder quedó entonces en manos de la pequeña burguesía, mientras los dirigentes campesinos se retiraban a continuar estérilmente la lucha en sus regiones. De esta manera, las limitaciones de clase habrían impuesto al movimiento campesino su primera gran derrota política y el germen de su derrota militar: al no existir un poder campesino centralizado, no había tampoco un ejército centralizado. Predominaron dentro del agrarismo las tendencias localistas y la lucha por la tierra, pero se abandonó la lucha por el poder político y económico.

Para combatir a Villa y a Zapata, el programa del *carrancismo*, bajo la influencia de Obregón, haría suyas las reivindicaciones campesinas, que giraban alrededor de la tierra, dándoles una expresión más limitada, al tiempo que incorporaban las reivindicaciones obreras, ausentes en el Plan de Ayala y en los decretos zapatistas. De esta manera, la facción pequeño-burguesa radical dentro del constitucionalismo, cuya influencia fue dominante ante la situación revolucionaria, buscaba controlar la situación forjando una alianza obrera y campesina bajo su hegemonía, que era precisamente lo que le faltaba al otro bando.

Un ejemplo del éxito de esta política fue el pacto de Carranza con la Casa del Obrero Mundial, en donde estos últimos dieron su apoyo al constitucionalismo para combatir al villismo, formando los famosos «batallones rojos». Este acuerdo mostraba, por un lado, la subordinación de los obreros al programa de la pequeña burguesía, pero por el otro mostraba la debilidad de la propia burguesía, que necesitaba recurrir a los obreros, haciéndoles concesiones, para derrotar a los campesinos. Una vez derrotado militarmente el villismo, a principios de 1916, Carranza le dio la espalda al movimiento obrero, disolviendo los «batallones rojos», encarcelando a sus dirigentes y olvidándose de sus promesas originales, en la típica actitud de la burguesía temerosa de perder el control del proceso.

---

[4] Octavio Paz, *ob., cit.*

[5] Adolfo Gilly, *La revolución interrumpida*, México, Editorial Era, 1994.

Pese a sus muchas y muy grandes contradicciones, la Revolución Mexicana supuso una enorme transformación cultural, que aparejó, entre muchas otras cosas, la redención del indio, la incorporación de la mujer, dando lugar al fortalecimiento de un Estado laico, y medianamente benefactor. Las metas fundamentales de la Revolución fueron incorporadas en la Constitución de 1917, aunque la lucha generalizada entre facciones continuaría hasta 1920. Es preciso puntualizar, además, que habrían de transcurrir todavía por lo menos otras dos décadas para poner en marcha muchas de las reformas contenidas en la carta magna mexicana.

Como se verá a continuación, la sociedad mexicana, más allá de adjetivaciones, se transformó de un modo radical. Entre 1910 y 1920 hubo un cambio cultural y de mentalidades que, entre sus aspectos más destacables, reivindicó al obrero, al campesino, al indio, al marginado y a la mujer. Al tiempo que, como bien señala Octavio Paz, la Revolución elevó a México desde el silencio de la periferia colonial a la autonomía relativa de las naciones independientes.

Capítulo 1

EL PORFIRIATO. 1877-1911

Al despuntar el siglo XX, México era un país que podía ser visto de dos maneras: ya sea como un país pobre, rezagado, que seguía, no obstante, un modelo de desarrollo parsimonioso pero seguro e inexorable hacia la modernidad con la ayuda de un gobierno experto y de esforzados inversores extranjeros, o bien como una nación que languidecía bajo un dictador corrupto y represivo, que además había vendido a su propio pueblo a rapaces explotadores, tanto domésticos como extranjeros, y que hacía muy poco, si es que acaso hacía algo, por su bienestar y felicidad.

Ambas versiones de la realidad son parcialmente ciertas, y es esencial a ambas interpretaciones de la realidad que la estabilidad de México haya dependido de un solo hombre, el presidente y general Porfirio Díaz (1830-1915), quien celebró su septuagésimo cumpleaños en 1900. Con Díaz, comienza nuestra historia.

Porfirio Díaz fue gobernante absoluto de México durante cerca de treinta y cinco años, al ejercer el cargo de presidente por un primer periodo entre 1876 y 1880, y más tarde de 1884 a 1911, aunque no haya augurado desde el principio que habría de convertirse en un dictador. En realidad, al poco tiempo después de su llegada al poder, en 1878, Díaz hizo reformar la Constitución, en el sentido proclamado por el Plan de Tuxtepec, al prohibir la reelección del presidente y de los gobernadores de los estados. Con el tiempo abjuraría de sus creencias y demandas originales, al

perpetuarse en el poder y convertirse en un autócrata.

En 1867 Díaz era el héroe militar indiscutido de México, el que había expulsado a los franceses de México, y, como tal, gozaba de un inmenso prestigio y popularidad, en tanto que Juárez era el presidente que había mantenido la dignidad nacional al preservar la República ante el embate de la intervención francesa y el intento de imponer un imperio en México. De hecho, Díaz y Juárez habían sido aliados durante los dos períodos sangrientos de conflicto que habían enfrentado a liberales y conservadores en México: La Guerra de los Tres Años (1858-1861) y la intervención francesa (1862-1867).

El incidente que, según la leyenda, habría de distanciar a ambos tuvo lugar el 15 de julio de 1867, al hacer Juárez su entrada triunfal en la ciudad de México tras la derrota de los ejércitos del Imperio. Vestido en uniforme de gala y montado en un corcel blanco, el general Díaz cabalgó hasta encontrarse con su viejo amigo y mentor. Sin embargo, Juárez sólo asintió secamente y ordenó al cochero que prosiguiera su marcha.

El desaire no era tanto personal como una expresión de principio. Juárez era un antimilitarista a ultranza y tras la derrota de Maximiliano de Habsburgo (1832-1867)[6] licenció a dos tercios del ejército. A la caída del Imperio, el ejército republicano ascendía a 60.000 efectivos y resultaba sumamente oneroso para las finanzas públicas sostener a tan gran contingente en la nómina, por lo que

---

[6] Miembro de la familia imperial de los Habsburgo. Hermano de Francisco José, emperador de Austria. Regente austriaco en el Milanesado. Con el apoyo de Napoleón III de Francia y los conservadores mexicanos fue coronado como emperador de México, el 10 de abril de 1864. Enfrentado a la tenaz oposición de Juárez y los republicanos mexicanos, fue capturado tras una cruenta guerra y fusilado en 1867.

Porfirio Díaz.

40.000 de ellos fueron licenciados y arrojados a las filas del desempleo.

No en vano, tres meses después, Díaz figuraría como rival de Juárez en la elección presidencial convocada tras la restauración de la República. En esos comicios, Díaz sólo obtuvo 2.709 sufragios frente a los más de 6.000 de Juárez y 3.000 de Sebastián Lerdo de Tejada (1823-1889)[7].

Poco después, en febrero de 1868, despechado por su derrota, Díaz anunciaba su retiro de la vida pública y afirmó que se dedicaría en lo sucesivo a las labores del campo, en el rancho de La Noria, una hacienda en Oaxaca, que su estado natal le había concedido en diciembre de 1867 como premio a sus hazañas bélicas. Su aparente renuncia le valió el aplauso de diversos sectores de la población que contemplaron con auténtica estupefacción el insólito espectáculo de un militar, que además era el artífice de la victoria sobre el Imperio, retirándose de forma voluntaria a la vida civil.

Juárez se presentó a la reelección en 1871 y ganó por un estrecho margen una elección a tres bandas que lo enfrentó nuevamente a Díaz y a Lerdo de Tejada. Como ninguno había obtenido la mayoría absoluta, la Constitución de 1857 prescribía que, ante tales casos, tocaba entonces al Congreso decidir quién habría de ser presidente. El cónclave fue claramente fraudulento y favoreció a Juárez, que de este modo se perpetuaba en el poder. Era la segunda derrota electoral de Díaz ante Juárez.

Tras su derrota electoral, Díaz lanzó un manifiesto en 1871, llamado Plan de La Noria, en el que se afirmaba que la elección había sido fraudulenta y

llamaba al derrocamiento de Juárez: «Que ningún ciudadano se imponga y perpetúe en el ejercicio del poder, y ésta será la última revolución»[8]. Particularmente irónica, habida cuenta de la posterior carrera de Díaz, era la provisión en el manifiesto de que Juárez debía ser removido del cargo porque «intentaba perpetuarse en el poder». Resulta también harto significativo que Díaz se haya alzado contra Juárez presentándose como un populista liberal antes que como un general que intentaba dar otro cuartelazo. Al final fue derrotado. El general Sóstenes Rocha, leal a Juárez, sofocó con relativa facilidad la insurrección. Díaz estuvo a salto de mata, disfrazándose de cura y de campesino para evitar ser capturado. Poco después, el 18 de julio de 1872, moriría Juárez por causas naturales en el Palacio Nacional.

La muerte de Juárez significó acaso la desaparición del único caudillo civil de la política nacional capaz de contener el militarismo resurgente. Juárez fue sucedido en el cargo por Lerdo de Tejada, el cual al poco tiempo decretó una amnistía a la que el propio Díaz acabaría por acogerse en octubre de 1873.

Los militares, sin embargo, continuaron conspirando en secreto contra el nuevo poder civil. Su jefe, el general Porfirio Díaz, formado durante la Reforma y contra la intervención francesa, gozaba de un inmenso prestigio entre sus compañeros de armas.

En 1874 Díaz reapareció en Ciudad de México, esta vez en el Congreso, donde había conseguido hacerse elegir como diputado. Al poco tiempo abandonó la capital en secreto y reapareció poco después en Tejas, donde gestionaba con escasa discreción la compra de

---

[7] Político veracruzano, nacido en Xalapa, Veracruz. Ministro de Relaciones Exteriores de Ignacio Comonfort (1857), diputado, presidente de la Suprema Corte de Justicia.

[8] Armando Ayala Anguiano, *La epopeya de México. De Juárez al PRI*. México, Fondo de Cultura Económica, 2005, p. 197.

Benito Juárez.

pertrechos militares para armar una nueva sublevación contra el gobierno.

Unos nuevos comicios habrían de celebrarse en julio de 1876 y, como fuera evidente que Lerdo de Tejada pretendía reelegirse, los militares resentidos se entregaron abiertamente a la sedición. Cuatro meses antes de que las elecciones hubieran sido verificadas, los porfiristas nuevamente se levantaron en armas al amparo del Plan de Tuxtepec, en el que se pretextaba un fraude electoral que ni siquiera había tenido lugar. El propio Díaz se puso al frente de la sublevación en calidad de jefe del autodenominado Ejército Regenerador.

En marzo de 1876 pasó a Brownsville, Texas, con Manuel González y

Sebastián Lerdo de Tejada.

otros, a planear la organización de fuerzas. Al principio pareció que la llamada rebelión de Tuxtepec correría la misma suerte que su predecesora de La Noria. Hubo levantamientos aislados, pero el gobierno de Lerdo no parecía demasiado alarmado. El 2 de abril, Díaz hizo su entrada en el país ocupando la población fronteriza de Matamoros, Tamaulipas.

En el nordeste del país Díaz encontró el apoyo de Ignacio Martínez, sublevado en Tula el 5 de marzo; el de Jerónimo Treviño, levantado en Cerralvo, Nuevo León, en la misma fecha; el de Francisco Naranjo, rebelado en Lampazos, población del mismo estado, el día 8. Pese a algunos avances iniciales, tuvieron que replegarse.

El 26 de octubre el Congreso declaraba reelegido en el cargo a Lerdo de Tejada. No obstante, el presidente de la Suprema Corte de Justicia, José María Iglesias, y por disposición constitucional, serio aspirante al cargo, calificó la elección como espuria, y Díaz aprovechó la confusión creada para hacer avanzar su movimiento.

Al cabo de una serie de encuentros armados con las tropas leales a Lerdo de Tejada, las fuerzas porfiristas triunfan el 23 de noviembre en la batalla de Tecoac, en el estado de México, a las afueras de Ciudad de México. Lerdo abandona entonces la presidencia y huye de manera ignominiosa del país a un destierro en Nueva York, ciudad donde moriría trece años más tarde. Díaz hizo su entrada en la capital menos de dos semanas después.

Díaz llegaba al poder tras derrocar a Lerdo de Tejada con la consigna de «sufragio efectivo, no reelección». Y si bien hasta 1880 cumplió con la consigna de la no reelección, luego abjuraría completamente de los principios que le condujeron a la presidencia.

En realidad, su primera presidencia significó para muchos un soplo de libertad tras los designios autocráticos que el propio Juárez había comenzado a revelar hasta que la muerte lo apartó del cargo ejecutivo.

En efecto, Díaz se convierte en presidente constitucional de México en mayo de 1877 mediante unas elecciones que tuvieron todos los visos de legalidad, si se olvida el hecho de que se habían convocado tras una revuelta militar. Alegando tales circunstancias, el gobierno norteamericano, entonces presidido por Rutherford B. Hayes (1822-1893), le niega en un primer momento el reconocimiento diplomático. Adicionalmente, Juárez había roto relaciones diplomáticas con los países europeos que habían apoyado la intervención francesa, por lo que el país estaba aislado internacionalmente.

Por lo demás, la situación del país distaba de ser boyante. Tras largos años de guerra virtualmente ininterrumpida, el tesoro nacional estaba al borde de la bancarrota. Los gobernadores de los estados practicaban una política de «sálvese quien pueda», al mantener aduanas propias en las que cobraban ruinosas alcabalas a cuanta mercancía llegara a sus dominios procedente de otros estados. Los caminos se hallaban en peor condición que en tiempos de la Colonia.

Al poco tiempo de haber llegado al poder, Díaz consiguió tras una serie de intrigas, no sólo obtener el ansiado reconocimiento diplomático de los Estados Unidos, sino, de modo más importante, atraer cuantiosas inversiones de capitalistas norteamericanos, entregándoles concesiones ferroviarias, con lo que se aceleró el tendido de vías y de comunicaciones en el país. Paralelamente, emprendió una vasta ofensiva contra el bandolerismo.

En acatamiento del Plan de Tuxtepec reformó la Constitución de 1857, sustrayéndole al presidente de la Suprema Corte de Justicia el cargo de vicepresidente —fuente de discordias y rebeldías en el pasado— y prohibiendo la reelección presidencial, agregándole, empero, una cláusula equívoca: «Excepto después de un período de cuatro años». Con ello simulaba un talante democrático al tiempo que preparaba su regreso al poder.

En el interinato de cuatro años, el cargo de presidente recayó en un pelele, el general Manuel González, ministro de la Guerra y compadre de Díaz. Para mayor humillación, Díaz fungió como ministro de su gabinete. Se le recuerda mayormente por haber acuñado monedas de níquel, al faltar plata para estamparlas. Despreciadas por carecer de valor intrínseco, fueron rechazadas por la población y, aparentemente, arrojadas en señal de repudio, al menos según la leyenda o mito oficial, contra la fachada del Palacio Nacional de México.

Al sobrevenir las elecciones en 1884 para elegir presidente, el país no se conmovió. El tesoro público estaba exhausto, mientras el descontento popular crecía. La gente estaba hastiada del gobierno de González, y Díaz apareció como el reconstructor providencial, que habría de salvar al país de la bancarrota y del desprestigio, aunque no escapaba a la conciencia pública que el regreso de Díaz era algo fraguado, maquinado, y por tanto el entusiasmo en los comicios fue más bien escaso.

Díaz, azuzado por sus partidarios a lanzar un programa de gobierno, fue cauto, pues por un lado no quiso presentar nada que pudiera parecer una crítica abierta y frontal a la saliente administración de González, ni tampoco quería suscribir todos los puntos del Plan de Tuxtepec, ya que las circunstancias habían cambiado y su experiencia le mostraba que había que rectificar algunos principios.

Cuando tuvieron lugar las elecciones primarias en el mes de junio, y las secundarias en julio, los resultados mostraron que Díaz había obtenido 15.776 votos contra 289 emitidos a favor de otros candidatos. Díaz había alterado la Constitución para darse un nuevo período presidencial, ahora ampliado a seis años; además, declaró que no se postularía de nuevo para la elección de 1910.

Durante la última década del siglo XIX prosperó en México la más eficaz dictadura modernizadora de toda América Latina, que dio impulso a un espectacular crecimiento económico en el país. Si se comparan las tasas de crecimiento mexicano de todo el siglo XIX con las del porfiriato (1877-1911) la diferencia resulta abrumadora. La inversión del capital extranjero —casi 1.200 millones de dólares— contribuyó a aumentar el producto interno bruto a una tasa anual de 8 por ciento entre 1884 y 1900[9]. Todo ello, no

[9] Clark Winton Reynolds, *The Mexican Economy: Twentieth-century Structure and Growth*. New Haven, Yale University Press.

obstante, a costa de un inequitativo reparto de la riqueza y de una creciente dependencia respecto del exterior.

Pese a sus muchos logros, el periodo de Díaz en el poder significó también el progreso del país a un precio. Uno, quizá, demasiado oneroso. «El héroe de la batalla del 2 de abril» contra los franceses suprimió la anarquía prevaleciente en el país, pero lo hizo a costa de la libertad. Reconcilió a los mexicanos, pero restauró los privilegios de unos pocos. Organizó al país, sin embargo prolongó un feudalismo anacrónico y retardatario.

Bajo Díaz se estimuló el comercio, se construyeron ferrocarriles, se purgó de deudas la Hacienda pública y se crearon las primeras industrias modernas del país; no obstante, se abrieron las puertas del país sin restricción y de par en par al capital angloamericano, iniciando con ello una fase semicolonial para México. Un gobierno competente, pero cipayo en suma.

Paralelamente, las comunicaciones postal, telegráfica e incluso telefónica se ampliaron hasta abarcar buena parte del territorio nacional. Asimismo, se emprendieron obras portuarias considerables en Veracruz y Tampico, en el Atlántico, y Salina Cruz, en el Pacífico. Por breve tiempo se consideró también la posibilidad de construir un ferrocarril transístmico que comunicara ambos océanos y que hiciera la competencia directa al recién creado Canal de Panamá. En suma, el país en su conjunto progresaba de un modo y en una extensión nunca antes vistos.

El general Díaz, que había comenzado su marcha hacia el poder como un genuino heredero de la reforma liberal y anticlerical encabezada por Benito Juárez, fue abandonando gradualmente muchos de los principios que lo condujeron a la primera fila de la política mexicana y terminó adoptando una postura claramente ecléctica. Según transcurría

el tiempo, se hizo evidente que Díaz era un liberal con matices, pero un liberal a fin de cuentas. Un ejemplo patente es el hecho de que haya buscado al menos mantener las apariencias democráticas. Las sucesivas reelecciones de Díaz se llevaron a cabo siempre bajo la Constitución de 1857.

De manera inversa, el nuevo hombre fuerte de México cultivaba una neutralidad calculada frente a la espinosa cuestión de la Iglesia, sin atacarla ni defenderla. Así, por ejemplo, Díaz permitió que su devota segunda esposa, Carmen Romero Rubio, sirviera como un símbolo destacado de reconciliación hacia la institución que los liberales habían puesto en la picota.

En suma, la llamada *Pax porfiriana* representó para México una generación entera de paz y estabilidad sin precedente en el país. Se trató, sin embargo, de una paz imperfecta que se basaba tanto en la represión recurrente como en cierto consenso popular, pero lo cierto es que condujo al país a un crecimiento económico que no se había experimentado desde los días de la independencia nacional.

Díaz fue, a tales efectos, el restaurador del orden, el «tirano honrado», que haciendo uso de un estilo claramente autoritario condujo férreamente a México por la senda del progreso sin límites. El progreso se había convertido en la consigna más importante de todas aquellas que simbolizaban las ansias transformadoras de los latinoamericanos, y en México el camino al progreso debía dejar atrás la organización económica y social heredada del Imperio español. Para muchos dirigentes porfiristas el camino a la modernización pasaba por la europeización de un país rural y atrasado, aunque el modelo norteamericano también era tenido en cuenta, sin reparar en la suerte de los más débiles y desheredados.

Al asumir Díaz el poder en 1876, México era un país sumido en la pobreza.

En cincuenta y cinco años de vida independiente había tenido cerca de setenta y cinco presidentes. El tesoro público estaba virtualmente agotado, mientras que el Estado mexicano debía de hacer frente a un sinnúmero de deudas con el exterior, bajo condiciones de nulo crédito, corrupción rampante y un aparato burocrático hipertrofiado y oneroso. El bandidaje estaba fuera de control, las comunicaciones entre las distintas regiones del país eran difíciles si no imposibles.

El bandolerismo creaba grandes dificultades para la expansión de las estructuras de poder exigidas por el nuevo periodo de expansión económica y crecimiento hacia fuera, así como para los intereses de los terratenientes, de modo que resultase imperativo combatirlo.

El régimen de Díaz ofreció, y consiguió, poner fin a las guerras intestinas que habían desgarrado sin tregua a México desde la primera mitad del siglo XIX. Para ello apeló a una represión descarnada mediante la creación de las llamadas guardias rurales que pronto aplastaron a las diversas gavillas de salteadores de caminos que habían asolado los caminos del país, al tiempo que enfrentaba a los caciques locales entre sí, mediante una eficaz política de «divide y vencerás».

Su gobierno generó una mayor estabilidad social y política, así como una nueva forma de crecimiento económico y desarrollo nacional, a partir del auspicio sin cortapisas de la inversión extranjera. Se trató, en suma, de un régimen fuerte y centralizado en torno a la persona del dictador, que borró las diferencias entre liberales y conservadores y emprendió un proceso de reconciliación con la Iglesia católica.

En efecto, uno de los principales objetivos del régimen fue poner fin a las pugnas ideológicas que habían desgarrado a México a lo largo del siglo XIX. «Mucha administración y poca política» fue una de las divisas preferidas del porfiriato, que resume con meridiana puntualidad su política de deliberada desmovilización política. Otra consigna, mucho menos sutil de su régimen, era «pan y palo».

Entre los principales logros económicos del porfiriato cabe destacar la atracción de cuantiosas inversiones extranjeras (en particular, aunque no exclusivamente, norteamericanas), con las que se financió el programa modernizador del país, desde la construcción de una importante red ferroviaria nacional, hasta el relanzamiento de la minería de plata y otros metales en el norte del país.

La agricultura, orientada a la exportación, conoció también un crecimiento espectacular, pasando de 20 millones de pesos en 1887-1888 a 50 millones en 1903-1904[10]. Entre los principales productos de exportación figuraba en primer lugar el henequén o sisal de Yucatán, el café, el cacao, el chicle, el azúcar y el hule o caucho. Este proceso fue facilitado por una acelerada concentración de la propiedad latifundista, que también favoreció la expansión de una agricultura claramente orientada hacia el mercado externo. México, al igual que el resto de la América Latina, experimentaba entonces una integración atropellada y estrecha en el sistema económico internacional a partir de la exportación de productos primarios.

La demanda de materias primas y de productos tropicales ofreció un tentador incentivo para la inversión norteamericana y europea, que demandaba la modernización de las infraestructuras existentes y el aseguramiento de la estabilidad política interna.

---

[10] Ibíd.

La hacienda porfirista

Al término de la era colonial, el clero era el más poderoso latifundista en México. Las vastas y ociosas propiedades eclesiásticas coexistían con los pueblos indígenas instalados en tierras comunales. El ejido, un régimen comunal de propiedad de la tierra de origen español adaptado a México e instituido por Felipe II en 1573, constituía la más frecuente forma de distribución y aprovechamiento de la tierra. En su acepción literal, se trata de una fracción de terreno situado en las afueras de un poblado o aldea, de extensión variable, cuyo objetivo era proporcionar medios de subsistencia a la comunidad. Dichas extensiones no podían pertenecer a ningún individuo y no podían ser enajenadas.

El 25 de junio de 1856, el gobierno presidido por Ignacio Comonfort (1812-1863) promulgó la Ley de Desamortización de Fincas Rústicas y Urbanas (conocida como Ley Lerdo, por ser entonces secretario de Hacienda Miguel Lerdo de Tejada), que habría de transformar la propia existencia de los ejidos, al convertirlos en parcelas de propiedad privada de cada uno de los vecinos de la población correspondiente.

A grandes rasgos, la ley planteaba la prohibición de que las corporaciones religiosas tuvieran en propiedad bienes inmuebles. La propiedad clerical expropiada al amparo de la nueva ley debía ser adjudicada a arrendatarios. El clero reaccionó con franca indignación frente a tales medidas, amenazando, con la excomunión incluso, a quien optara al usufructo o adquisición de las tierras recién desocupadas.

Sin embargo, los resultados de las leyes señaladas fueron exactamente los opuestos a los perseguidos por sus autores, los cuales habían imaginado que al desamortizarse los bienes eclesiásticos se alentaría la pequeña propiedad y el desarrollo agrícola e industrial de la nación. La mayoría de ellas acabaron en manos de los grandes terratenientes. En resumidas cuentas, se fortaleció el latifundio en México, y de un modo sin precedentes.

Una segunda ley, promulgada casi dos décadas después, la de Colonización de 1875, agravó aún más las nefastas consecuencias de la primera. La nueva ordenanza, una de las medidas de mayor impacto y alcance, determinaba que la prohibición liberal a la posesión de tierras, dirigida originalmente a la Iglesia, se hiciera ahora extensiva a los pueblos indios. A partir del cambio de legislación, se dieron interminables litigios entre propietarios y jornaleros. La falta de títulos de propiedad por los más humildes provocó que muchos pequeños propietarios fueran despojados de sus tierras a expensas de los grandes latifundistas.

El procedimiento por el que se llevaban a cabo los despojos a los pueblos solía seguir un mismo patrón: invasión, nuevo cercado, amparo del pueblo, suspensión de las diligencias, solicitud por parte de la autoridad de títulos de propiedad a los pueblos, búsqueda, a veces trágicamente infructuosa, siempre onerosa y prolongada de éstos; aplazamiento *sine die* de la impartición de justicia.

De este modo, para 1910, bajo el sistema del latifundio, un uno por ciento de los terratenientes controlaban el 97 por ciento de las tierras cultivables del país. Así, por ejemplo, cuando un notorio latifundista de Chihuahua, el general Terrazas, fue interrogado sin malicia por un periodista acerca de su origen, con un mero: ¿Es usted de Chihuahua? Terrazas respondió, ya bien con candidez inverosímil, o bien con grosero cinismo, con un: «No, Chihuahua es mía.»

Terrazas tenía buenas razones para porfiar de ese modo: bajo su égida se concentraban cientos de kilómetros cuadrados en los que era virtual *señor de horca y cuchillo.* Como él, la clase dominante del porfirismo era del todo ajena y hasta despectiva respecto al país que dominaba. Se trataba, en general, de una oligarquía ausente, personificada por el *señorito* de ciudad que, a falta de un proyecto nacional sólido, dejaba en manos del administrador la gestión y explotación de la hacienda, mientras se entregaba a una existencia hedonista, exquisita y despreocupada lejos de sus propiedades en lugares como la Ciudad de México o, preferentemente, París o Madrid.

La hacienda acumuló y monopolizó las mejores tierras de los valles, quitándoselas a los pueblos indígenas, mientras convertía a sus pobladores en peones y desplazaba hacia las sierras remotas las áreas de asentamiento más importantes de los indígenas independientes.

Se desarrolló, no obstante, al menos en el norte del país, una vigorosa clase media rural de pequeños y medianos propietarios, los denominados «rancheros», particularmente en la región del Bajío (centro) y en el norte del país.

Los ferrocarriles

La fiebre de construcción de ferrocarriles, un fenómeno común a casi todos los países en el siglo XIX, se extendió en México obedeciendo a las necesidades y búsqueda de beneficios del capital inversionista. Los contratos firmados con los capitalistas norteamericanos e ingleses obligaban al gobierno mexicano: 1) a subvencionar a los inversionistas extranjeros con sumas que fluctuaban entre los seis mil pesos por kilómetro de vía construida en terreno plano y veinte mil pesos por kilómetro de vía construida en terreno montañoso; 2) a ceder a los capitalistas contratantes el derecho de aprovechar gratuitamente las tierras indispensables para la construcción de las vías; 3) a conceder a las empresas inversionistas la determinación del rumbo sobre el que los trazos ferrocarrileros debían verificarse;

El sistema de ferrocarriles mexicanos se construyó gracias a la inversión extranjera. En 1910 se habían construido 19.000 kilómetros de vía férrea en México.

4) autorizar a los inversionistas extranjeros la utilización del trabajo obligatorio de las poblaciones próximas a la construcción de las vías férreas con un salario que rara vez excedía de cincuenta centavos por jornada diaria de trabajo, es decir, una cantidad absolutamente insuficiente para vivir.

No obstante, el tendido de vías férreas obedeció a los intereses de los inversionistas antes que a los de la nación, como quedaría de manifiesto en el trazado de las rutas que comunicaban centros neurálgicos de producción en México con puntos señalados de la frontera mexicana con los Estados Unidos, al tiempo que se dejaban incomunicadas importantes regiones del país, como por ejemplo Yucatán, cuyas exportaciones podían enviarse por vía marítima a Texas, Luisiana o Florida, mientras ese estado permanecía incomunicado por vía terrestre de la Ciudad de México, o de zonas más cercanas del país, como Tabasco y Chiapas. Otro tanto sería evidente también en los tipos de vía utilizada por las compañías ferrocarrileras, a veces anchas a veces angostas, como política deliberada para impedir un desarrollo autónomo.

Las minas

Las antiguas minas, propiedad de españoles y mexicanos, pasaron a manos extranjeras, quedando las más productivas en poder de capitalistas estadounidenses, quienes hicieron importantes inversiones en Oaxaca, Guerrero, Puebla y Chihuahua. Nuevos capitalistas, también de origen norteamericano, se volcaron sobre la industria de Santa Rita, en Rosario, San Antonio, Río Grande. Por otra parte una modificación a la ley de la propiedad territorial hecha en 1901 otorgaba derechos al propietario sobre los recursos contenidos en el subsuelo, abrogándose con ello el antiguo principio de jurisprudencia española que proclamaba que todos los derechos del subsuelo pertenecían al Estado (la Corona) y no al poseedor de los derechos de la superficie. No en vano el retorno a la potestad del Estado de los derechos sobre el subsuelo sería una de las reivindicaciones más reiteradas y sentidas de la Revolución Mexicana.

De las 943 empresas establecidas hasta 1906, 310 eran mineras o fundidoras; su capital representaba el 20,8 por ciento de todas las inversiones. Hasta los años 1891-1892 se explotaron fundamentalmente oro y plata; a partir de 1892 fue creciendo la extracción de minerales industriales, como cobre, plomo, antimonio, cinc y mercurio. La producción de metales preciosos se multiplicó por cuatro durante el porfiriato. A la explotación de minerales contribuyó la promulgación de leyes mineras en 1884, pues con ellas el Estado

Guardias de una explotación minera de cobre en Cananea (1906).

renunciaba a conservar la propiedad última de los productos del subsuelo. El gobierno porfirista expidió leyes que entregaban en propiedad privada sin restricciones los productos mineros a quienes los explotaban. De esta forma la producción minera quedó controlada por monopolios extranjeros: los estadounidenses poseían diecisiete compañías y mantenían 11,81 por ciento del capital total de la industria; lo seguía el capital británico con diez compañías y el 14,5 por ciento del capital total. A pesar del auge, la minería era fuertemente sensible a las crisis externas y a las oscilaciones de precios, particularmente en los casos de la plata y el cobre.

El petróleo

La historia de la industria petrolera, en México, comenzó en el siglo XIX y está inextricablemente ligada a nombres tales como los de Weetman Pearson[11], Lord Cowdray (1856-1927) y Edward L. Doheny[12] (1856-1935), quienes amasaron considerables intereses y propie-

---

[11] Ingeniero, político y empresario inglés, propietario del conglomerado petrolero S. Pearson & Son Ltd. En 1889 Porfirio Díaz le invitó a México para construir un ferrocarril que conectara las costas atlántica y pacífica de México. Mientras su compañía realizaba el tendido de vía férrea encontraron uno de los más grandes yacimientos de petróleo en el mundo: El Potrero del Llano. A partir de tal hallazgo, el vizconde Cowdray creó la Compañía Mexicana de Petróleo El Águila, S. A., que fue una de las más importantes empresas petrolíferas hasta su nacionalización en 1938.

[12] Magnate petrolero norteamericano, nacido en Fond du Lac, Wisconsin. Creó la Pan-American Petroleum and Transport Company. La compañía poseía 2.400 km². de tierra en México valorada en cerca de cincuenta millones de dólares. Más tarde se convertiría en la Mexican Petroleum Company, al frente de la cual habría de adquirir nuevas tierras por un total de 3.200 km²., lo que le convirtió en un virtual reyezuelo con poderes ilimitados dentro de un estado vasallo en el interior del Estado mexicano.

dades en México, transformando sus propiedades en auténticos feudos dentro del país. Al poco tiempo, los monopolios más poderosos, la Standard Oil y la Royal Dutch Shell (anglo-holandesa) echaron sus raíces en México.

El 24 de diciembre de 1901 fue expedida la primera ley petrolera en la historia del país; en dicha ordenanza se otorgaban franquicias y toda clase de facilidades a todos aquellos que encontraran petróleo en el subsuelo; prerrogativas tales como la expropiación a su favor de terrenos petrolíferos, la importación libre de derechos, por una sola vez, de las máquinas de refinar petróleo y las necesarias para la elaboración de toda clase de productos que tuvieran por base el petróleo crudo. El capital invertido en la explotación petrolera quedaba exento por espacio de diez años de todo impuesto federal. Huelga decir que sólo aquellos provistos de fuertes capitales, capaces de realizar las inversiones necesarias para financiar las tareas de exploración, podían acceder a tales privilegios.

La industria textil

La única industria de transformación que consiguió desarrollarse en México durante la época porfiriana de manera significativa fue la textil, cuyo impulso estuvo dado por la presencia de capitales predominantemente franceses y españoles.

Ya en los albores del porfiriato, durante el año de 1879, habían existido fábricas de hilados y tejidos en Guanajuato, Puebla y el Distrito Federal, que no bastaban, sin embargo, para cubrir las necesidades del mercado nacional a pesar del escaso poder adquisitivo de la población en esos momentos. En las postrimerías del propio régimen, la industria textil había aumentado con no menos de cuarenta mil trabajadores dedicados a estas actividades en las fábricas de Veracruz, Tlaxcala, Puebla, Guanajuato, Jalisco y Distrito Federal.

El comercio

Tanto en la capital de la República como en todos los estados, el comercio se hallaba monopolizado por intereses extranjeros. «El poder del comerciante extranjero en la capital federal se extiende, sin límite alguno, por todo el altiplano. El comercio de las costas, dominado ora por españoles, ora por alemanes, ora por ingleses, tiene sus propias ramificaciones; trabaja en rivalidad constante con el de la altiplanicie.

Así, a medida que el comercio cobraba impulso, el proceso de centralización capitalista influía sobre los pequeños capitales. De forma vertiginosa, los capitales mayores absorbieron a los menores y los pequeños comerciantes pauperizados fueron desplazados, poco a poco, hacia otro tipo de ocupaciones. De este modo, el comercio al mayoreo pasó a ser controlado por ingleses y norteamericanos, en tanto que en el comercio al menudeo proliferaron los «marchantes» franceses.

Las tierras

El despojo de tierras a los campesinos, favorecido por la arbitraria aplicación de la ley de desamortización de 1856, no tuvo freno. El problema alcanzó proporciones inauditas, como resultado de la afluencia de capitales extranjeros al país. Lo más oneroso de estas leyes radicó en el hecho de que propiciaban la creación de empresas encargadas de medir y deslindar las tierras desocupadas, recibiendo como pago, la tercera parte de las mismas.

Hubo un claro afán especulativo con las tierras nacionales, que, aparejado al alza de su valor bajo el influjo de las construcciones ferrocarrileras, provocó un enorme y generalizado descontento entre las poblaciones afectadas. Por tanto, las empresas deslindadoras aparecieron a los ojos de éstas como meros instrumentos de despojo contra los verdaderos dueños de la tierra, a quienes se hizo objeto de toda clase de abusos, ya que, una vez que la nación entraba en posesión de tierras desocupadas, éstas se ponían a la venta a precios irrisorios. La consecuencia más destacada de esta política fue la reducción paulatina de los pueblos, y de manera más grave que una quinta parte de la propiedad territorial haya quedado monopolizada por no más de cincuenta propietarios. De este modo, la supuesta teoría colonizadora pareció servir sólo para encubrir el monopolio de la tierra por los favoritos del régimen.

El historiador Lázaro Gutiérrez de Lara, próximo a Flores Magón, relata un episodio provocado por la empresa deslindadora de la región de Papantla, en Veracruz, en el que afirma: Un día de invierno de 1895 se presentaron en el valle de Papantla unos agrimensores para efectuar la medición de las tierras. La población se presentó ante los agrimensores, advirtiéndoles que esas tierras eran de su propiedad, no deseando, ni permitiendo su medición. Al día siguiente, se presentaron los medidores escoltados por la policía local. Los habitantes volvieron a protestar, registrándose un choque. Hubo un saldo sangriento de varias personas. No tardaron en llegar fuerzas militares y policíacas, emprendiendo una verdadera exterminación de la población, sin apiadarse de mujeres y niños. Imposible determinar el número de víctimas que causaron estas luchas.

Entre 1877 y 1910 la producción creció a una tasa del 2,7 por ciento anual frente a la población que se incrementaba en un 1,4 por ciento[13]. El exitoso modelo económico estaba basado en un espectacular incremento de las exportaciones, que se expandían a un ritmo del 6,15 por ciento anual, fenómeno inusual en la América Latina de aquella época. Dicho crecimiento permitió al gobierno mexicano transformar su bancarrota crónica en una estabilidad presupuestaria y fiscal sin precedentes. La economía exportadora fue claramente lucrativa para los terratenientes mexicanos. Fue sólo más tarde cuando el capital norteamericano comenzó a dominar amplios sectores de la economía mexicana, que algunos miembros de la elite comenzaron a sentir que lo que estaba en juego era la integridad nacional, al menos en términos de supremacía económica.

Bajo el porfiriato tuvo lugar una aguda dependencia mexicana del sector exportador sobre el conjunto de la economía mexicana, aunque debe reconocerse que Díaz fue lo suficientemente astuto como para equilibrar los intereses en México de una potencia enfrentándola con otra. Tal fue el caso de la industria petrolera, en la que el capital norteamericano nunca consiguió su objetivo de poseer el control total sobre el sector de los hidrocarburos. En ese sentido, hay quien considera que pudo tratarse de una revolución nacionalista en el interior del régimen, en las postrimerías de su mandato.

Dentro de la hacienda, la *tienda de raya* vendía maíz, frijol, jabón y aguardiente al peón y a su familia a precios mucho más altos que los del mercado; de este modo se endeudaba al peón, transfiriendo la deuda a sus hijos, en claro beneficio del hacendado, que de esta forma los arraigaba o *acasillaba* a su finca. Dichas prácticas serían fuente de enorme

---

[13] Brian Hamnett, *A Concise History of Mexico*. Cambridge, University Press. Hay traducción al español: *Historia de México*, Cambridge University Press, p. 198.

descontento y, por tanto, origen y causa de la insurrección popular.

La industria y la clase trabajadora

La acelerada modernización experimentada en México bajo la égida del porfiriato, alentó igualmente el surgimiento y expansión de un proletariado industrial. Entre 1895 y 1900 el número de obreros industriales pasó de 692.697 a 803.924[14]. Este crecimiento no fue acompañado de legislación alguna que protegiera los derechos de los asalariados.

Las condiciones de vida de los trabajadores mexicanos fueron realmente aflictivas. Los salarios de los obreros, hombres, fluctuaban entre los cincuenta centavos y un peso diario. Los de las mujeres y los niños, entre veinticinco y cuarenta centavos, por igual tiempo de labores. Las jornadas de trabajo alcanzaban hasta catorce, dieciséis y más horas por día. A principios de siglo una fábrica incrementó de doce a catorce horas la jornada de trabajo, sin aumentar con ello los sueldos. Un diario de la capital aplaudió la medida alegando que de ese modo los trabajadores tendrían menos tiempo de ocio para dilapidar sus sueldos en las cantinas. A ello habría que agregar el alto costo de la vida; lo gravoso de los alquileres de las casas; la obligación de comprar en la *tienda de raya* adquiriendo los artículos de consumo a precios centuplicados. «No hay que pensar que el reducido salario del obrero era acompañado de precios equivalentes en los artículos de primera necesidad.» Un cálculo, quizá exagerado, muestra que el poder adquisitivo medio de las clases subalternas en el México de 1910 representaba una cuarta parte del recibido por sus antecesores en tiempos de la independencia, un siglo exacto antes.

Por lo demás, las huelgas estaban prohibidas y los códigos penales de los distintos estados de la República castigaban con severidad las reclamaciones por reivindicaciones salariales o la obstrucción al libre ejercicio de la industria. Aun así, hubo a lo largo del porfiriato cerca de 250 huelgas, que fueron sofocadas por hambre más que por la fuerza.

La llegada de inversiones extranjeras fue favorecida por la renuncia del Estado a intervenir como mediador en los conflictos obreros, dejando libertad ilimitada a la patronal. Debe decirse que los bajos salarios que se pagaban en el país contribuyen de algún modo a explicar el escaso atractivo que México representó para los potenciales inmigrantes europeos. Por ello, su población se incrementó básicamente por el crecimiento vegetativo, pasando de los 9.500.000 habitantes de 1876 a los cerca de 15.000.000 de 1910.

El industrial Carlos Alatriste hace este vívido retrato de las condiciones de vida de los trabajadores mexicanos bajo el porfiriato: «Trabajaban… hasta las nueve, las diez y en algunas fábricas hasta las once de la noche. El obrero ocupado en estas fábricas deja su trabajo a esas horas, marcha para su casa, se prepara algo de cenar, se acuesta a las diez, las once o las doce de la noche, para levantarse al día siguiente a las cuatro de la mañana y volver a sus tareas».

Es importante destacar que esta imagen, trazada por el industrial Alatriste, no provenía de un defensor de los trabajadores, y por tanto no tenía como objetivo el mejoramiento de las condiciones de vida, sino pura y simplemente la reducción de las horas de trabajo, en un

---

[14] Leslie Bethell, *Historia de América Latina, Vol.13. México y el Caribe desde 1930*. Barcelona, Crítica, 1998.

esfuerzo de evitar los efectos indeseados de la «sobreproducción».

Igualmente, «en los comienzos de la explotación petrolera en México, las compañías pagaban salarios de hambre a los trabajadores indígenas. Los alojamientos principescos destinados a los empleados de confianza, todos extranjeros, hacían enorme contraste con la habitación para mexicanos que se amontonaban dentro de chozas miserables en medio de pantanos. De este modo, campesinos y obreros vivían desamparados frente a capataces, caciques, señores feudales e industriales.

La clase media baja o pequeña burguesía

Las condiciones de vida de la clase media baja mexicana se encontraban lejos de ser envidiables. Médicos, ingenieros, abogados, carecieron casi por completo de posibilidades económicas. Sólo aquellos que ligados al porfiriato recibieron las migajas del gran pastel, estuvieron en condiciones de subsistir. Los demás, apartados del beneficio que les reportaba una servidumbre indecorosa al capital extranjero y a sus representantes nacionales, fueron víctimas de la miseria. El profesorado, con sueldos reducidos a su mínima expresión, padeció una situación desesperante.

No menos angustiosa fue la situación de los empleados, al igual que la de periodistas e intelectuales que permanecieron al margen del sistema. Existió una mínima fracción de intelectuales y escritores que gozaron del favor del régimen. Y periódicos que como *El Imparcial*, *The Mexican Herald*, *Monterrey News*, *Revista Moderna*, *Le Nouveau Monde*, *El Tiempo*, *La Iberia*, *Gil Blas* o *La Nación*, se plegaron al capricho oficial; se les subvencionaba de forma corrupta y por demás onerosa para el país. A periodistas con un mínimo de independencia, como Filomeno Mata, se les acosó continuamente por su honestidad y su franqueza.

Relaciones Estado-Iglesia

Díaz había sido un general liberal, que combatió la intervención francesa de Napoleón III junto a Juárez, y en muchos aspectos continuó las tendencias legadas por el liberalismo, particularmente en el campo. No obstante, en el espinoso asunto de las relaciones Estado-Iglesia al abandonar las posturas anticlericales, Díaz difirió de sus predecesores liberales y también de los caudillos que encabezaron el Estado posrevolucionario mexicano, particularmente en la década de 1920.

Como Juárez, su alguna vez aliado y después adversario, Díaz había sido un general liberal, y en algún modo continuó la tendencia establecida por sus predecesores. No obstante, durante el porfiriato se produjo un gradual relajamiento de las tensiones entre el Estado y la Iglesia católica; las normas constitucionales fueron flexibilizadas o de plano pasadas por alto. Muchos opositores recalcitrantes al régimen quisieron ver en ello una claudicación de Díaz respecto a los principios anticlericales de la Reforma. Más apegado a la verdad sería verlo.

El estado porfirista

Desde un punto de vista económico, el porfiriato puede caracterizarse como una estrategia de desarrollo afincada en una economía exportadora. La dictadura cuidadosamente cortejó al capital extranjero, lo cual conlleva un crecimiento dinámico y una rápida integración a la economía mundial. Esta orientación fue acompañada de un serio intento por crear un estado más fuerte y centralizado. Díaz creó el ejército federal mexicano y puso en marcha un eficaz sistema de recaudación fiscal; comunidades remotas que no habían conocido manifestación alguna del poder estatal, debían afrontar ahora recaudadores de impuestos federales o juntas de reclutamiento militar.

El porfiriato no fue propiamente una dictadura militar. El régimen gozaba de otras bases institucionales —civiles, caciquistas— y de fuentes de legitimidad, como la celebración ritual de elecciones y una división de poderes, al menos nominal, en tanto que el ejército bajo ningún concepto fue un actor político autónomo; se trataba, en todo caso, de un brazo leal de la dictadura, y por completo desprovisto de ambiciones políticas. La tropa se componía básicamente de reclutas forzados, soldados prestos a la deserción a la menor oportunidad, lo cual les hacía muy poco fiables; limitación y defecto que habría de apreciarse con toda nitidez posteriormente, al estallar la Revolución, cuando se reveló incapaz de sostener por la fuerza de las armas al régimen.

Con todo, el ejército fue uno de los pilares más importantes del régimen porfirista. Díaz otorgó a los oficiales de alta jerarquía puestos políticos, haciendas, etcétera, a cambio de un apoyo incondicional a la dictadura: incorporó a gran cantidad de militares a la policía rural; asimismo generales destacados fueron convertidos en gobernadores o se les concedieron privilegios.

Hubo, además, un significativo desarrollo de la burocracia y el surgimiento de un nuevo aparato administrativo, lo que condujo a un importante grado de modernización y consolidación estatal. Se encararon importantes obras de infraestructura: el régimen presumía la construcción de 14.000 kilómetros de vías férreas y proyectos de irrigación, así como también la creación de una importante industria textil.

Los «científicos»

Los llamados «científicos» del porfiriato fueron una camarilla política de tecnócratas civiles conservadores encabezada por el antiguo lerdista Manuel Romero Rubio (1828-1895), suegro del dictador, integrantes de la asociación política Unión Liberal y consejeros del presidente.

Su precursor fue Gabino Barreda (1818-1881), un intelectual que había evolucionado del liberalismo al positivismo francés. Barreda fue el fundador de la Escuela Nacional Preparatoria, donde se formaron numerosos cuadros del régimen. Junto con Porfirio Parra, médico y político chihuahuense (1854-1912), crearon la llamada Asociación Metodófila y publicaron la llamada *Revista Positiva*[15].

La doctrina de la política científica se derivaba en gran medida del positivismo francés de la década de 1820 y constituía una crítica de las ideas clásicas liberales y democráticas ahora catalogadas como «revolucionarias y anárquicas», producto de la mentalidad «metafísica» de una era pasada: la nueva «era» positiva» debía guiarse por la «ciencia», y las medidas políticas a seguir debían basarse en la observación, la experimentación y los hechos. La administración por unos especialistas científicamente educados debía reemplazar a la política tradicional como base del gobierno eficaz. Al presentar estas ideas, hombres como Justo Sierra y Telesforo García se veían a sí mismos como liberales «nuevos» que sustituían a los «viejos» liberales de los años de la Reforma.

Una de sus preocupaciones esenciales era presentar como inexorable el devenir histórico del porfiriato, como una

---

[15] Charles A. Hale, *La transformación del liberalismo en México a finales del siglo XIX*. México, Editorial Vuelta, 1991.

etapa más en el camino hacia el progreso «inevitable» del país. No en vano suscribían el ideal positivista de «orden y progreso» como modelo a emular.

Tal perspectiva económica desarrollista fue compartida por jóvenes liberales, entre los que destacaba el historiador Justo Sierra (1848-1912), uno de los creadores del llamado «Partido Científico», quien tuvo una enorme influencia en los años posteriores. Para Sierra, la dictadura de Díaz era una fase necesaria en la evolución mexicana hacia la modernización y la democracia. A la libertad habría de llegarse únicamente después de que el orden social apetecido se hubiera consolidado plenamente en el país, aun a costa de la represión. A nivel popular, el término «científico» se fue transformando progresivamente para la opinión pública en una apelación peyorativa, sinónimo de funcionario «vendepatrias» y corrupto.

Otros «científicos» prominentes fueron los escritores Francisco Bulnes (1847-1924) y Emilio Rabasa (1856-1930), el financiero Joaquín Casasús (1858-1916) o el periodista Rafael Reyes Spindola (1860-1922), fundador y editor del diario *El Imparcial*, considerado como el órgano semioficial de la dictadura.

Esta generación nacida en torno al 1850 fue la primera en ponderar las maneras de preservar la viabilidad del régimen después de la desaparición física del dictador y llevar a cabo las primeras tentativas de institucionalizar el régimen sobre bases duraderas. Para dichos fines sostuvieron una visión comtiana de la sociedad. En ese sentido se adhirieron sin reservas al lema de esa escuela filosófica que preconizaba «orden y progreso». Sus objetivos principales eran preservar el crecimiento económico y conciliarlo con tímidas reformas políticas que no pusieran en predicamento sus muchos privilegios. Se trataba claramente de integrantes de una elite urbana, cosmopolita, ilustrada. Autoritarios en lo político, progresistas en lo económico, confiaban ciegamente en el inevitable devenir de la civilización del siglo XIX.

Uno de los «científicos» más destacados fue José Yves Limantour Marquet (1854-1935), secretario de Hacienda desde 1893, cargo que mantuvo hasta la caída de Díaz en 1911. Un auténtico mago de las finanzas, Limantour resolvió al cabo de un par de años el problema de la deuda mexicana, e incluso consiguió un modesto superávit fiscal a partir del bienio 1894-1895, resultado positivo que se incrementó en los años posteriores sin excepción hasta la caída misma del régimen.

A principios del siglo XX los «científicos» ocupaban una posición prominente dentro del régimen y muchos esperaban que Limantour fuera elegido presidente en 1904. La camarilla no deseaba mayores cambios que una sucesión ordenada e institucionalizada que los mantuviera en el poder. Hacia 1892 incluso se dieron los primeros intentos por organizar un partido político propio.

No obstante, las disputas que enfrentaban a Limantour con el general Bernardo Reyes (1850-1913), secretario de la Guerra, obligaron a Díaz a prolongar

José Yves Limantour.

la duración de su mandato, de cuatro a seis años, y posteriormente a solicitar del Congreso una sexta reelección en 1906. Para 1910 su posición en el poder se había tornado precaria: los «científicos» eran débiles, políticamente impopulares; para la sociedad eran serviles dispensadores de concesiones, favores y privilegios a los voraces inversionistas extranjeros.

Los «científicos» estaban fuertemente arraigados en la Ciudad de México, aunque no ejercían ningún poder real sobre el interior del país. Su debilidad política fundamental fue haber descuidado sus nexos con las elites provinciales. Se mantuvieron como una elite intelectual y tecnocrática confinada a la metrópoli; además, su influencia derivaba exclusivamente del favor de Díaz. De este modo sus esperanzas de hacerse con el control del país se vieron fuertemente defraudadas: Limantour perdió la vicepresidencia en 1904 a expensas de Ramón Corral (1854-1912) —un antiguo gobernador de Sonora—, y de nuevo en 1910 cuando cayó víctima de una feroz campaña de prensa en su contra.

El régimen era un simulacro democrático, en una época en la que, debe decirse, la democracia representativa era virtualmente inexistente en todo el orbe. La práctica política del régimen tenía poco o nada que ver con la teoría liberal en la que decía sustentarse, más allá de la fachada. Las elecciones eran manipuladas y el fraude sistémico. Quienes ejercían el legislativo eran designados por órdenes directas del ejecutivo y por tanto eran leales, sumisos e irrelevantes. Las elecciones eran una farsa consumada ritualmente de manera periódica, entre la apatía y la indiferencia de la población.

Los hilos del poder local se hallaban firmemente asentados en manos del «jefe político». Se trataba de unas trescientas personas designadas directamente por Díaz, con el fin de contener a la oposición política y mantener el orden; respondían directamente al dictador, pasando por encima de la autoridad de los gobernadores estatales. Se trataba, en suma, de la autoridad local del gobierno central, que reforzaba un rígido centralismo en detrimento de los intereses locales. Para la gente común, el «jefe político» era una fuente inagotable de atropellos y corrupción, reflejado en interminables multas y exacciones, peculados y arbitrarios aumentos de impuestos. No es sorprendente que se haya transformado en una figura unánimemente detestada, por corrupta y arbitraria; cabeza saliente de lo que en el habla popular pasó a ser crecientemente conocido como *diazpotismo*.

La apertura de una delicada crisis sucesoria a finales de la primera década del siglo XX comenzó a afectar seriamente la credibilidad del sistema y posibilitó algunas manifestaciones de hostilidad al régimen, provenientes tanto de dentro como de fuera del mismo.

Los empresarios del Norte, nucleados en torno a la emergente industria siderúrgica de Monterrey, se enfrentaron al poder de «los científicos» y a la alianza que éstos habían establecido con los inversionistas extranjeros. Y si los industriales habían sabido beneficiarse del rumbo seguido por la política económica porfiriana, adoptaron una posición nacionalista y reivindicativa en contra de la línea de Limantour y sus seguidores.

Con todo, fue muy poco lo que pudieron hacer para imponer sus puntos de vista, pues tras desplazar a Reyes del gabinete, el porfiriato pasó a ser controlado por el dúo Limantour-Ramón Corral. Estos acontecimientos habían conducido al régimen a una situación de parálisis casi total; la falta de reflejos políticos se relacionaba con la progresiva senilidad del dictador y la del propio gobierno.

El porfirismo se convirtió en los últimos años en una auténtica gerontocracia. En 1910 el presidente Díaz tenía ochenta años, dos de sus ocho ministros superaban esa misma edad y otros tres tenían más de sesenta. El más joven del gabinete era Limantour, con cincuenta y siete, de los cuales diecisiete dilatados años los había pasado al frente de la Secretaría de Hacienda, por lo que se le tenía como todo un veterano; cuatro de sus ministros habían estado más de veinte años al frente de sus respectivas carteras.

La senectud de los principales cuadros dirigentes estaba presente asimismo en otros sectores de la Administración. De veinte gobernadores, diecisiete tenían más de sesenta años, y ocho de ellos eran mayores de setenta. En el congreso y en el poder judicial la vejez de los jueces y diputados era un hecho apreciable. En el ejército federal no era nada raro encontrar generales de más de ochenta años, coroneles de setenta y capitanes de más de sesenta. Tras mucho tiempo de silencio y asfixia política, no fueron pocos los grupos opositores que quisieron salir a la superficie, tratando de aprovechar esta debilidad del régimen.

La clave explicativa de la endeblez del Estado porfiriano subyacía en el hecho de que su estructura se mantuviera unida por el sistema de clientelismo personal del propio Díaz, y por medio de relaciones endogámicas entre la elite porfiriana; el régimen se negó a dar cabida a los grupos económicos y sociales en ascenso.

Pero más importante que lo anterior, quizá, fue el hecho de que Díaz haya omitido considerar siquiera cómo reemplazar su autoridad personal y su función integradora con instituciones que pudieran perdurar tras su desaparición: simplemente se negó a dejar el poder y rehusó permitir a la elite porfiriana encauzar el régimen hacia un sistema más institucionalizado y constitucional. El sistema político porfiriano generó en consecuencia las condiciones idóneas para una crisis política de una gravedad tal como para despejar el camino para una crisis social revolucionaria.

La revolución maderista 1910-1913

La década transcurrida entre los años 1910 a 1920 fue uno de los periodos más turbulentos de la historia mexicana. Muchos historiadores consideran a la mexicana como la primera revolución del siglo. Olvidan, ciertamente, a Portugal, donde en 1910 se depuso a la monarquía de Dom Manuel II, instaurándose ese mismo año la república lusitana; a Rusia, donde la derrota frente a Japón en 1905 obligó al zar a deponer su despotismo inveterado y a dar una apariencia constitucional a su reinado, y a Turquía, en el bienio 1908-1909, donde el poder autocrático del sultán fue derrocado para dar paso a un régimen semiparlamentario, impulsado por los llamados *Jóvenes Turcos*. En todo caso, los tres países son semejantes y comparables con México, en lo que respecta a sus respectivos procesos sociales, al menos recientes. Otros historiadores distinguen a la mexicana de aquéllas, no obstante, al calificarla como la primera revolución «social» del siglo XX, adjetivo que, en efecto, la diferenció de las anteriores, en' la medida en que más allá de un cambio de gobierno o régimen supuso un auténtico revulsivo social.

Se afirma, o más bien sus hagiógrafos suelen afirmar, que la Revolución Mexicana tuvo entre otras muchas causas el descontento popular contra la dictadura de Porfirio Díaz. Como se ha visto, durante ese periodo el poder quedó concentrado en unas pocas manos, sin libertad de prensa ni de reunión. Del mismo modo, la riqueza estaba concentrada en unas cuantas manos con desigualdades ostensibles, tanto en el campo como en la ciudad. Sin embargo, pocas revoluciones son precipitadas por el malestar de los oprimidos. Mucho más a menudo comienzan con un cambio dentro de la elite dominante. Los disidentes descontentos, con frecuencia jóvenes, iniciarían la acometida contra el sistema. Tal fue el caso de la Revolución Mexicana.

En efecto, la fórmula del régimen de «poca política y mucha administración» había funcionado de manera satisfactoria durante un largo tiempo, porque el país había ansiado la paz y anhelaba mejorar su condición económica. No obstante, al cabo de los largos años de la dictadura, la capilaridad social del país se fue volviendo muy limitada. En el ámbito político tales limitaciones fueron sintiéndose en un grado cada vez mayor.

Superando poco a poco dichos obstáculos fue surgiendo una joven generación que obtuvo en la escuela títulos de abogados, médicos e ingenieros, que sentían la necesidad de abrirse paso y de destacarse en la vida pública del país. Deseaban naturalmente ocupar puestos en la administración pública, en el Parlamento, la judicatura, en la magistratura o el periodismo; pero los encontraban copados desde un tiempo inmemorial por viejos que parecían vivir más de la cuenta. Esto ocurrió de manera significativa en las últimas elecciones del porfiriato:

Había surgido una nueva generación inquieta y que deseaba un cambio. La querella de las generaciones se alía así a la discordia social. El gobierno de Díaz no era nada más un gobierno de privilegiados, si no de viejos que no se resignaban a ceder el poder político[16].

En esos momentos, los Estados Unidos comenzaron a oponerse también al porfirismo, que había frustrado los intereses monopolistas al diversificar las licencias de explotación de las concesiones, a fin de no concentrarlas en un solo grupo de inversores, para equilibrar su preponderancia sobre el país. Hacia 1909 Díaz cobró plena conciencia acerca de los riesgos implícitos en una excesiva dependencia de la economía de México con respecto a los capitales provenientes de los Estados Unidos. Bajo esa lógica, buscó limitar la influencia económica norteamericana al cortejar y favorecer de modo creciente y ostensible al capital europeo. En las postrimerías del porfiriato las relaciones con Washington se deterioraban hasta la tirantez. El abierto apoyo concedido por el dictador al capital británico en detrimento del estadounidense provocaba hondos recelos en el Norte.

Por supuesto, hubo otras causas para el enfriamiento de las relaciones bilaterales, como la protección que Díaz ofreció al presidente de Nicaragua, José Santos Zelaya (1853-1919)[17]; la negativa a conceder una prórroga para que permaneciera la flota de los Estados Unidos en la bahía de Magdalena, en Baja California, y el fallo favorable

[16] Octavio Paz, ob., cit, p. 167.

[17] A lo largo de su mandato, el gobierno de Zelaya padeció constantes fricciones con el gobierno de los Estados Unidos, que había comenzado a dar ayuda a sus adversarios conservadores en Nicaragua. En 1907, cañoneras norteamericanas ocuparon algunos puertos nicaragüenses. Los partidarios de Zelaya se enfrentaron a los conservadores y a los mercenarios financiados por los Estados Unidos que combatían junto a aquéllos. En octubre de 1909, funcionarios del gobierno apresaron e hicieron ejecutar a algunos rebeldes capturados, dos mercenarios norteamericanos entre ellos, y el gobierno utilizó las ejecuciones como un pretexto para intervenir militarmente en Nicaragua. A principios de diciembre los marines desembarcaron en la costa caribeña de Nicaragua. El 17 de diciembre de 1909, Zelaya renunció a su cargo y partió hacia el exilio en México. Un régimen conservador, patrocinado por los norteamericanos, fue puesto en su lugar. Los marines permanecerían en Nicaragua hasta 1925.

a México que dictó un árbitro canadiense en el conflicto de límites conocido como la controversia de «El Chamizal»[18].

Todo ello fue caldo de cultivo propicio para que la llamada a la insurrección preconizada por Madero tuviera eco en distintos puntos del país, donde pequeños levantamientos armados se sucedían al cabo de los días, generalizándose al paso de los meses subsiguientes. En Morelos, Emiliano Zapata (1883-1919). En Coahuila, Venustiano Carranza (1859-1920), Pablo González, etc.

En contradicción con los designios del autócrata, la vasta mayoría de los mexicanos eran labriegos pobres o peones, los cuales vivían aún bajo la égida de los hacendados, a menudo bajo condiciones de semiesclavitud. Las grandes transformaciones en las que Díaz depositaba su convicción significaban poco, o nada, para estas personas. Si acaso, los desheredados parecían más sojuzgados que nunca en la medida que la vida cultural y social de sus amos, los hacendados, se tornaba más moderna y más capitalista. Los hacendados esperaban mayores ganancias de sus tierras y más trabajo de *sus* campesinos.

Los campesinos a duras penas sabían leer, y se mantenían al margen de las ideas y las aspiraciones que tanto significaban para las clases ilustradas. De hecho, muchos campesinos ni siquiera hablaban español. Bajo el México de Díaz, idiomas tales como el náhuatl o el zapoteca seguían siendo las principales lenguas de millones de personas.

En enero de 1908, James Creelman, veterano periodista norteamericano de la revista neoyorquina *Pearson's Magazine*, entrevistó al anciano dictador, que ese mismo año, en el *culmen* de su *modernidad triunfante*, sonorizó un mensaje a través de un fonograma al padre del invento, Thomas Alva Edison, en lo que intentaba ser un saludo de prócer a prócer. Desde su altiva residencia oficial del Castillo de Chapultepec, con la ciudad de México a sus pies, el dictador declaró que:

«He esperado con paciencia el día en que la República de México esté preparada para escoger y cambiar sus gobernantes en cada periodo sin peligro de guerras, ni daño al crédito y al progreso nacionales. Creo que ese día ha llegado...». «Tengo la firme resolución de separarme del poder al expirar mi periodo, cuando cumpla ochenta años de edad, sin tener en cuenta lo que mis amigos y sostenedores opinen, y no volveré a ejercer la Presidencia.» «Si en la República llegase a surgir un partido de oposición, le miraría yo como una bendición y no como un mal, y si ese partido desarrollara el poder, no para explotar, sino para dirigir, yo le acogería, le apoyaría, le aconsejaría y me consagraría a la inauguración feliz de un Gobierno completamente democrático.»

En suma, Díaz le confesó a Creelman que se veía a sí mismo como «el último de los hombres necesarios en la historia de México» y que el pueblo mexicano finalmente estaba «apto para la democracia».

La entrevista llegó a ser reproducida y publicada en México, desatándose con ello toda suerte de rumores y expectativas sucesorias; el periódico *El Imparcial* la tradujo. Se tejieron toda suerte de conjeturas acerca del diálogo entre el periodista y el dictador: que sí era exclusivamente para consumo externo; que se trataba de una estratagema maquiavélica de Díaz para que la oposición se quitara

[18] Silvio Zavala, «Síntesis de la historia del pueblo mexicano», en *México en la cultura*; México, 1946.

la careta y saltara a la superficie; que Díaz se encontraba tan senil que ya no sabía ni lo que decía, o bien que esperaba que sus cortesanos le rogaran que se retractase y permaneciera en su puesto abjurando de sus promesas.

Muchos creyeron en sus palabras: se produjo de tal suerte un clima de debate desconocido en el país desde hacía largo tiempo. Sea como fuere, en última instancia la conversación brindó el argumento y la justificación que habrían de conceder un alto grado de legitimidad a la rebelión contra el dictador, dos años más tarde.

Otro periodista norteamericano, John Kenneth Turner (1879-1948), dio a la prensa una brutal denuncia contra el régimen porfiriano: *México Bárbaro*. En el escrito, que alcanzó amplia difusión en los Estados Unidos, el autor denunciaba prácticas de secuestro que derivaban en esclavitud forzada en plantaciones del sur de México, como el tristemente célebre Valle Nacional en Oaxaca. Ante la queja de muchos hacendados por falta de mano de obra, muchos jefes políticos vendían a los llamados «enganchadores» de mano de obra a todos los borrachos o vagabundos que capturaban en la vía pública, y los infelices así pescados eran enviados a trabajar hasta la muerte en los campos tabacaleros antes referidos o a los campos madereros del territorio de Quintana Roo. También se dieron innumerables casos de peonaje por deudas, incluso entre la «gente decente».

México crecía bajo el férreo control del dictador Porfirio Díaz y, aunque su política económica favoreció el progreso comercial y la producción mexicana, los beneficios se repartían de manera privativa entre los miembros de una oligarquía excluyente. Para 1910, el 85 por ciento de la tierra mexicana pertenecía a menos del uno por ciento de la población. Los campesinos se quedaban sin tierras y sin trabajo y sufrían a diario los efectos del hambre y la pobreza. Tras más de treinta años en el poder, Díaz hizo un simulacro de apertura democrática y llamó a elecciones para ese mismo año. Pronto habría de surgir, sin embargo, un oponente de excepción.

La oposición al régimen

La disconformidad y antagonismo políticos al régimen nunca desaparecieron del todo durante la larga permanencia en el poder del dictador. Sin embargo, fueron locales, focalizados y de objetivos limitados. La antigua oposición liberal simplemente envejeció, fue cooptada o aplastada. Había, por otra parte, un descontento generalizado entre las clases medias del país, sobre todo en provincias, donde muchos jóvenes talentosos y profesionales no encontraban salida laboral. Los principales puestos de trabajo se hallaban copados por administradores extranjeros, vetando con ello virtualmente cualquier posibilidad de movilidad social ascendente para esas nuevas generaciones.

En ese sentido, el resentimiento nacionalista de ciertos sectores sociales, particularmente de ciertas clases en ascenso con expectativas truncadas por la discriminación oficial favorable al elemento extranjero, sería un ingrediente determinante para el estallido de la Revolución, sobre todo a partir de la amplia repercusión de la recesión económica de 1907.

Las constantes persecuciones que sufrían las publicaciones con caricaturas no lograron acallar la feroz crítica a Díaz. Los periódicos *La Cantárida* y *El Quixiote* (1879) con caricaturas de Gaitán, *La Patria Festiva* (1879) con caricaturas de Lira en sus páginas, resultaban casi inocuos ante la aparición del semanario *El Hijo del Ahuizote* (1885-1903) y sus despiadados caricaturistas Daniel Cabrera «Fígaro», Jesús Martínez Carrión y Álvaro

Ricardo Flores Magón (izquierda) y su hermano Enrique durante su estancia en la cárcel de Los Ángeles, 1917.

Pruneda, que llenaron sus páginas de mordaces sátiras e invectivas contra el régimen. Por su parte, el periodista Filomeno Mata, epítome de la intransigencia liberal, denunciaba desde las páginas de *El Diario del Hogar* el resurgimiento de la influencia clerical. Durante ocho años, redactores y caricaturistas habrían de sufrir la intolerancia y la persecución del régimen de Díaz. Ni amenazas ni cárcel conseguirían, no obstante, terminar con los embates de estas publicaciones contra el régimen, hasta sus clausuras respectivas en el año de 1903.

Al paso de las sucesivas reelecciones, se estrechaba más y más la libertad de expresión. Sin embargo, los caricaturistas Daniel Cabrera y Martínez Carrión continuaron su actitud opositora dirigiendo *El Ahuizote Jacobino* (1904-1905) y *El Colmillo Público* (1903-1906), respectivamente. Un supuesto grabador de nota roja, José Guadalupe Posada, se une a los periodistas críticos. Publica en el *Gil Blas Cómico* (1895-1897) y *El diablito rojo* (1906-1910), siguiendo la escuela de Manuel Manilla. Sus calaveras, fiel imagen del pueblo, se conocen por medio de hojas volantes y cuadernillos que circulan entre el mismo pueblo.

Debe decirse a estas alturas que fue la propia modernización generada por la dictadura lo que sentó las bases para la rebelión posterior. Sin el desarrollo experimentado por México bajo Díaz, difícilmente hubieran podido darse las condiciones para que la Revolución prosperase. El crecimiento urbano y el desarrollo de las comunicaciones y prensa proliferaba, afectando incluso a las comunidades rurales más pequeñas y remotas. Se trató sin lugar a dudas de un trascendente cambio social, que entre muchas otras cosas implicó una notable expansión de una clase media urbana, en la medida en que el crecimiento económico del porfiriato aumentó de forma innegable su número e importancia.

Esta dinámica, en contradicción y choque directo con el inmovilismo político, económico y social del régimen, habría de generar las condiciones necesarias para el estallido revolucionario. En la medida en que las elites envejecieron, se compactaron y se volvieron más excluyentes e impermeables, bloqueando el acceso al poder político y económico a los grupos sociales en ascenso, aumentó y se generalizó el descontento y las ansias de cambio entre éstos.

A principios del siglo XX emergió una nueva generación de intelectuales y líderes, que, frustrada por la persistencia de la dictadura, comenzó a presionar para que se dieran cambios en el régimen. Notable en esa tendencia, al menos desde un punto de vista intelectual, fue la participación de anarquistas como los hermanos Enrique y Ricardo Flores Magón, periodista y político oaxaqueño (1874-1922), o Práxedes Guerrero (1882-1910). Liberales juaristas radicales primero, evolucionaron aceleradamente hacia el anarquismo entonces en boga. Flores Magón exploró los escritos y las ideas de muchos anarquistas de la época; estudió profusamente la obra de los anarquistas primitivos, como Michael Bakunin o Pierre-Joseph Proudhon, pero también fue fuertemente influido por el pensamiento de contemporáneos libertarios como Errico Malatesta (1853-1932), Anselmo Lorenzo (1842-1914), Emma Goldman (1869-1940) o Max Stirner, inclusive.

No obstante, aparentemente, su mayor influencia provino del pensador ácrata ruso el príncipe Piotr Kropotkin. Flores Magón conoció también la obra de Karl Marx y Henrik Ibsen. Aunque su prédica tuvo escaso o nulo eco entre la masa desheredada mexicana, se suele considerar a, generalmente, a Flores Magón como principal inspirador e instigador intelectual de la Revolución Mexicana[19].

El programa del Partido Liberal de Flores Magón proveería en efecto gran parte del arsenal ideológico de la Revolución Mexicana, tal como testimonian sus principales puntos básicos: no reelección, clausura de escuelas confesionales, jornada máxima de ocho horas de trabajo (en una época en la que en Estados Unidos, por ejemplo, era de doce), salario mínimo (inédito, también, para la época), la abolición de las deudas de los peones agrícolas, la recuperación por el Estado de tierras ociosas para su redistribución entre el campesinado irredento.

Desde su exilio en Estados Unidos, Magón editó el periódico *Regeneración*, 1906, que incitó y predispuso a los trabajadores mexicanos contra la dictadura de Porfirio Díaz. Flores Magón adoptó *La Conquista del Pan*, de Kropotkin, como una suerte de evangelio anarquista, texto que le sirvió como fundamento teórico para la breve experiencia de las comunas revolucionarias en la península de Baja California, durante la llamada revuelta «magonista» de 1911. Flores Magón vivió, exiliado desde 1904 en Estados Unidos, la mitad del tiempo en prisión. Suele considerársele precursor intelectual de la Revolución Mexicana. En 1901 Flores Magón lanzaría desde la semiclandestinidad el semanario *Regeneración*, que muy pronto se convertiría en el más feroz crítico del régimen.

En 1903, empujados por la represión del régimen, los Flores Magón,

---

[19] Armando Bartra, *Regeneración, 1900-1918. La corriente más radical de la Revolución Mexicana de 1910*. México, Editorial Era, 1978.

Antonio Díaz Soto y Gama (1880-1967), y los hermanos Sarabia emigraron a Estados Unidos. Desde allí continuaron la publicación de *Regeneración*. El Partido Liberal dio entonces un giro a la izquierda impulsado por los anarquistas norteamericanos, con los que los exiliados mexicanos trabaron amistad en su destierro. Fundan el Partido Liberal (septiembre de 1905) y lanzan su manifiesto, en la ciudad de Saint Louis, Missouri, en julio de 1906[20].

El continuo hostigamiento de las autoridades norteamericanas en su contra, que derivó en innumerables arrestos, les impidió asumir con plenitud el liderazgo de su movimiento. Aunque para tiempos del estallido revolucionario se habían vuelto marginales, prosiguieron su actividad política durante varios años más.

Por otra parte, el *modus vivendi* del régimen porfirista con la Iglesia católica al hacer caso omiso de las provisiones anticlericales de la Constitución de 1857 y de las Leyes de Reforma, suscitó el descontento de los liberales, los cuales reactivaron su posición, en la que luego derivarían hacia una oposición más radical que incluyó al régimen, como se verá con posterioridad.

A mediados de 1900 el obispo de San Luis Potosí había declarado que las Leyes de Reforma, decretadas por Juárez, se habían convertido bajo Díaz en «letra muerta»[21]. Sus declaraciones desataron una inmediata reacción de los hasta entonces aletargados clubes liberales del país. Camilo Arriaga (1862-1945), miembro de una familia liberal de abolengo y que había sido diputado en el Congreso durante dos legislaturas, respondió a la afrenta clerical, al hacer publicar un incendiario manifiesto político que logró la adhesión

de cerca de cincuenta clubes liberales en trece estados.

En febrero de 1901, bajo el influjo del manifiesto de Arriaga, tuvo lugar el Primer Congreso Liberal en el Teatro de la Paz de la ciudad de San Luis Potosí. Allí, además de las previsibles invectivas anticlericales, hubo ataques frontales contra el régimen de Díaz por haber abjurado de los principios del liberalismo. La mayor diatriba corrió a cargo de un joven estudiante oaxaqueño, Ricardo Flores Magón, que asistía a la convención como representante del Distrito Federal. Cuando le tocó su turno dijo que las críticas de los congresistas no debían limitarse a lo religioso sino abarcar todos los abusos del porfirismo, al que llamó una auténtica «cueva de bandidos». Tal exabrupto le valdría su encarcelamiento, así como la clausura inmediata de su semanario *Regeneración*.

El reyismo

El general Bernardo Reyes (1850-1913) había nacido en el seno de una progresista familia liberal de Jalisco y se había forjado una brillante carrera tanto militar como política en el seno del porfirismo. Como gobernador de Nuevo León se había caracterizado por su empuje y su progresismo, al impulsar la industria local, la educación y la salud pública, de un modo afín al paternalismo bismarckiano entonces en boga en Alemania[22]. A manera de ejemplo, baste recordar tan sólo que, el 6 de noviembre de 1906, se promulgó bajo la égida de Reyes en Monterrey la Ley sobre Accidentes de Trabajo, primera referente a la cuestión obrera que se dictaminó en la República Mexicana.

---

[20] Jesús Silva Herzog, op. cit., Tomo I.
[21] James Cockcroft, *Intellectual Precursors of the Mexican Revolution. 1900-1913*. Austin, Texas, University of Texas Press, 1969.

[22] James Joll, *Europe Since 1870. An International History*. Londres, Penguin Books, 1990.

General Bernardo Reyes.

Durante dos años Reyes fungió como ministro de la Guerra y Marina (1901-1903) y desde esa posición llevó a cabo una ambiciosa reorganización del ejército. Durante ese periodo se reveló como el principal contrapeso a la influencia de los científicos dentro del gabinete, y como principal rival de Limantour para la vicepresidencia. Reyes se enfrentó abiertamente a Limantour a propósito del presupuesto asignado al ejército. La prensa adicta a cada cual censuró acremente tanto el militarismo de Reyes como la ascendencia extranjera de Limantour.

Díaz optó por una solución salomónica, típica de su gestión paternalista: retuvo a Limantour como ministro de Hacienda, aunque lo excluyó para la vicepresidencia; a Reyes lo envió de nuevo de gobernador a Nuevo León, aunque con un salario incrementado para demostrarle que no había resentimiento, mientras la Segunda Reserva —ejército

privado— por él creada era disuelta por decreto presidencial. Para saldar la crisis, el 16 de enero de 1903, Díaz designó a Ramón Corral secretario (ministro) de Gobernación y, un año más tarde, vicepresidente de la República.

Pese a su remoción del gabinete, la popularidad de Reyes y su reputación como sucesor potencial de Díaz se mantuvo intacta. La especulación cobraba impulso y el nombre de Reyes se mencionaba con insistencia en los corrillos políticos. El grupo reyista abarcaba a los militares, a la mediana burocracia, que se sentían desplazados por la hegemonía de los científicos y que aspiraban a acceder a posiciones prominentes en el gobierno. Para la elección de 1910 pretendían encumbrar a su jefe a la vicepresidencia —nadie se atrevía a ambicionar abiertamente todavía la primera magistratura, «naturalmente» reservada al dictador—, lo que requería la remoción del odiado e impopular Corral.

La primera organización del reyismo fue el Partido Democrático, lanzado a principios de 1909, por un grupo de políticos gobiernistas y de oposición. Su programa contenía los clásicos principios liberales aderezados con una serie de tímidas reivindicaciones sociales, tales como la supresión de las jefaturas políticas, la libertad municipal, el impulso a la educación básica, el cumplimiento de las Leyes de Reforma, la compensación por accidentes laborales y la creación de una Secretaría de Agricultura. El manifiesto no hacía mención de candidaturas específicas, pero era claro que perseguía un acomodo gradual y conservador al poder en un contexto en vías de transformación. La presencia en su seno de prominentes gobiernistas como Juan Sánchez Azcona o Querido Moheno (1873-1933) le confería un carácter de oposición «respetable», lo que no sólo le permitiría propagarse por todo el país, sino que, también, de forma más importante, le evitó la represión de las fuerzas por desorden dictatorial.

Pese a la cautela y vacilaciones de su principal dirigente, el nuevo partido consiguió un éxito inesperado. Reyes guardó en todo momento un ambiguo y calculado silencio. A mediados de julio de 1909 fue humillado públicamente por el dictador.

Díaz, fiel a su lema de «divide y vencerás», dejó que ambas facciones —reyistas y científicos— se hicieran pedazos entre sí. Corral acabó desprestigiado y los reyistas confiaron en que Díaz no tendría más remedio que desembarazarse de él. Díaz eliminó a Reyes de la competencia y ratificó a Corral como candidato a la vicepresidencia. Para agregarle agravio a la humillación del insubordinado, Díaz sustituyó a Reyes en el Ministerio de Defensa por el archienemigo de éste, el general Jerónimo Treviño. Al elegir a una figura tan impopular como Corral, Díaz parecía actuar bajo la idea de «miren lo que podría sucederles, si llegaran a deshacerse de mí».

Con tal actitud, no obstante firmaba la sentencia de muerte de su régimen, pues Corral era por entonces el individuo más despreciado de México y el país vivió la fórmula electoral como una imposición[23].

El dictador había hecho suprimir la vicepresidencia desde su primera reelección por haber comprobado que el cargo era fuente de ambiciones y por ende de sediciones, pero ante las exigencias de los banqueros extranjeros, nerviosos ante la eventualidad de una sucesión no preparada, se resignó a reestablecerla.

Ante la descarnada imposición anunciada, los clubes antirreeleccionistas proliferaron a lo largo del país. Se trató en esencia de una perspectiva política propia de las clases medias y altas del *hinterland* provincial que se sentían excluidas del modelo económico oligárquico del porfirismo, pero sobre todo de su estrecha representación política.

Aun cuando la Constitución mexicana, vigente desde 1857, prescribía la celebración de elecciones regulares cada cuatro años, Díaz y sus partidarios utilizaron su inmenso poder político y económico para perpetuarse en el poder. Porfirio Díaz se vio presionado a llevar a cabo elecciones limpias en 1910.

El maderismo

Francisco I. Madero (1873-1913) provenía de una de las familias más acaudaladas de México —una familia del estado norteño de Coahuila, que poseía plantaciones de algodón, una fundidora de metales en Torreón e importantes intereses en la banca que caracterizaba a la propia elite de provincias que Díaz se había encargado de enajenar—. Nieto de un antiguo gobernador del estado, Evaristo, Madero fue educado en las universidades de Baltimore, Berkeley y la Sorbona, donde estudió comercio y agricultura.

Entusiasmado por las declaraciones de Díaz a Creelman, Madero redactó e hizo publicar en 1909 el folleto titulado *«La sucesión presidencial en 1910»*. La primera edición del libro, con una tirada de tres mil ejemplares, se agotó en poco tiempo. Pronto fue reeditado. El libro causó furor en México y se vendió como pan caliente, haciéndose notorio para la policía secreta que intentó secuestrar las sucesivas reediciones.

Dedicado como una vindicación a los constitucionalistas de 1857, a los periodistas independientes y a los «buenos mexicanos», la obra se dividía en dos grandes vertientes: un diagnóstico a los grandes males nacionales y una serie de remedios para curarlos. El mal por anto-

---

[23] Armando Ayala Anguiano, *ob. cit.*, p. 272.

nomasia de México era, según Madero, el ejercicio del poder absoluto, herencia del caudillismo y del militarismo que habían desgarrado al México del siglo XIX.

Sirviéndose de ejemplos internacionales como la guerra ruso-japonesa de 1904-1905, en donde un Japón «democratizado» había derrotado al autocrático y obsoleto Imperio zarista, Madero ataca el autoritarismo mientras exalta la democracia. Después de enumerar varios casos acerca de los males del poder absoluto, pasa revista a la historia de México y cita una serie de ejemplos palmarios de la represión porfirista, como la masacre de Tomochic[24] y las huelgas de Cananea y Río Blanco, de las que hablaremos. Madero remataba su invectiva con calculada contundencia, al transcribir literalmente los Planes de La Noria y Tuxtepec, en un afán de recordar a los lectores que la bandera enarbolada por Díaz en aquellos manifiestos había sido ni más ni menos que la no reelección. Para hacer hincapié en este punto, Madero citaba el siguiente párrafo, obra textual del propio Díaz en 1871:

«Que ningún ciudadano se imponga y perpetúe en el ejercicio del poder.»

En un rasgo de realismo político y conciliación, y en un vano intento de evitar la ruptura total del sistema político, Madero proponía que el hombre a elegir de inmediato fuese sólo el vicepresidente. De acuerdo con la estrategia gradualista de Madero, Díaz podía reelegirse para el periodo 1910-1916, siempre y cuando permitiese la libre elección de un vicepresidente —un ataque con clara dedicatoria a Ramón Corral— que le pudiese suceder en caso de fallecimiento o retiro. El remedio a los males era, según Madero, el encauzamiento del pueblo mexicano por las prácticas democráticas, según las había observado en sus estancias en Francia y Estados Unidos, y por las que Madero profesaba una fe casi religiosa.

En junio de 1909, Madero encabezó los trabajos del Centro Antirreeleccionista, fundado un mes antes, y junto con otros antiguos opositores al régimen, como los hermanos Francisco y Emilio Vázquez Gómez, Filomeno Mata y Luis Cabrera[25], y lanza su primer manifiesto, mientras pone a la venta una parte considerable de sus propiedades para financiar al movimiento revolucionario. Según su declaración de principios, el Centro buscaba la «gradual realización del principio del sufragio efectivo y la no reelección», declarando que limitaría sus afanes al ámbito político, pues consideraba criminal precipitar al país a la lucha armada.

Las huelgas de Cananea y de Río Blanco

Desde principios de 1906 en Cananea, en el estado de Sonora, había prendido el fervor revolucionario, Lázaro Gutiérrez de Lara, que sostenía relaciones epistolares con el anarquista Ricardo Flores Magón y recibía el periódico *Regeneración*, por él publicado, organizó el «Club Liberal de Cananea», donde se propagaban ideas que no solamente eran contrarias al «porfiriato», sino que buscaban la consecución del «comunismo libertario» preconizado por Piotr Kropotkin en México.

---

[24] Campaña militar en octubre de 1892 que derivó en una masacre en la aldea del mismo nombre en Chihuahua, ordenada por la dictadura de Díaz.

[25] Intelectual y revolucionario maderista, que luego abjuraría de la Revolución, nacido en Zaca- tlán, Puebla. Obtuvo el título de abogado en la Escuela Nacional de Jurisprudencia (1901). Fue partidario del maderismo, pero en 1913, cuando Madero y Pino Suárez fueron asesinados, se afilió al constitucionalismo. En dos ocasiones fue nombrado secretario de Hacienda (1914-1917 y 1919-1920).

Francisco I. Madero.

En Cananea había creciente agitación y malestar entre los trabajadores de la empresa norteamericana que explotaba las minas de cobre del lugar —The Cananea Consolidated Copper Company—, la cual pagaba unos salarios de hambre y fomentaba un trato inhumano a los trabajadores por parte de los empleados norteamericanos, especialmente por algunos capataces. La situación era cada vez más difícil y la tirantez en las relaciones entre obreros y patronos se hacía cada vez más crítica. Al fin, el día 1 de junio de 1906 los obreros disconformes declararon la huelga.

El pliego de condiciones que presentaron a la empresa los obreros huelguistas —condiciones que el abogado patronal calificó de absurdas— rezaba literalmente del siguiente modo:

«1. Queda el pueblo obrero declarado en huelga.
2. El pueblo obrero se obliga a trabajar bajo las condiciones siguientes:
La destitución del empleo del mayordomo.
El mínimo sueldo del obrero será de cinco pesos, con ocho horas de trabajo.
En todos los trabajos de Cananea Consolidated Copper Co., se emplearán el 75 por ciento de mexicanos y el 25 por ciento de extranjeros, teniendo los primeros las mismas aptitudes que los segundos.
Poner hombres al cuidado de las jaulas que tengan nobles sentimientos para evitar toda clase de irritación.»

El gerente de la empresa, William Green, antes que responder al pliego petitorio, se aprestó a atacar a los huelguistas. Para ello, armó a los trabajadores norteamericanos de su empresa y pidió refuerzos a las autoridades del otro lado de la frontera, las que no tardaron en enviarle municiones y fusiles. En las primeras horas de la tarde se organizó una manifestación en la que participaron unos tres mil trabajadores, que desfilaron por las calles de la población y se dirigieron hasta la maderería de la Cananea Copper para invitar a los obreros que todavía trabajaban a que se les unieran al movimiento, cosa que éstos hicieron inmediatamente, provocando con ello la ira de los patronos norteamericanos.

Los capataces de la empresa, los hermanos Metcalf, arrojaron agua desde un balcón con una manguera sobre los manifestantes, los cuales, indignados, respondieron a la provocación con una lluvia de piedras, siendo la inmediata contrarréplica un tiro que mató en el acto a un obrero. Se desencadenó entonces la lucha y los hermanos Metcalf y diez trabajadores resultaron muertos en el primer encuentro.

Los trabajadores, inermes, respondieron a los disparos con maldiciones y a pedradas, trabándose una lucha desesperada y desigual. De un lado estaba el gobernador del estado de Sonora, Rafael Izábal, con las autoridades locales, que, como es de suponer, estaban de parte de los patronos norteamericanos, que habían llegado a Cananea con cerca de cien hombres armados, los empleados extranjeros de la compañía y 275 soldados norteamericanos, al mando del coronel Rining, que habían cruzado la frontera a petición del propio gobernador. En el otro bando estaban los cinco mil trabajadores de las minas de cobre.

Una manifestación pacífica de los mineros fue atacada a tiros por empleados norteamericanos. Indignados, los manifestantes reaccionaron con encono; la rebelión surgió espontáneamente y contó con la solidaridad del pueblo de Cananea. Por momentos, los trabajadores parecieron dueños de la situación. Sin embargo, los rurales mexicanos y una tropa de 500 *rangers* y policías norteamericanos pronto ahogaron en sangre el levantamiento obrero-popular. Al final de la reyerta se contabilizaron más de 200 muertos, indeterminada cantidad de heridos y 20.000 presos.

Hubo un tercer combate en el que nuevamente perdieron la vida innumerables trabajadores, que, finalmente, fueron sometidos por las armas, por la amenaza que hiciera el jefe de las fuerzas del gobierno de enviar a los huelguistas a luchar en contra de la tribu yaqui, y también por el hambre, que se hizo insufrible. Las cárceles se abarrotaron de huelguistas, mientras los dirigentes fueron condenados a sufrir quince años de prisión en el castillo de San Juan de Ulúa, en Veracruz, la terrorífica mazmorra donde el porfirismo confinaba a sus víctimas[26].

La industria textil, después de la minería, era la más importante en el desarrollo económico de México en ese momento. Por ello la huelga de la Fábrica de Hilados y Tejidos de Río Blanco en Veracruz habría de adquirir especial significación en el país.

A mediados de 1906 se había creado en Río Blanco, bajo el influjo del ideario del Partido Liberal, una «Sociedad de Obreros Libres». En esa actividad organizativa no fueron las mujeres las menos decididas, y los nombres de Dolores Larios, Carmen Cruz, Isabel Díaz de Pensamiento y Lucrecia, trabajadoras, estaban congregadas frente a la fábrica, en Río Blanco: las dependientas Tóriz han pasado a la historia como heroínas de aquellas jornadas. Cuando los de las tiendas de raya cruzaron algunas palabras poco amistosas con un grupo de obreros, se generalizaron las injurias de ambos lados hasta que sonó un tiro. Un obrero cayó muerto. Alguno de los dependientes había disparado su pistola. Entonces la muchedumbre, indignada, se arrojó sobre la tienda de raya y, después de saquearla, la incendió. La multitud, formada por hombres, mujeres y niños, enardecida y ansiosa de revancha, resolvió marchar rumbo a Orizaba.

Una fracción del 12° Regimiento, comandada por el general Rosario Martínez, apostada en la curva de Nogales, al aparecer la multitud hizo fuego sobre ella sin previo aviso ni intimidación. Tras repetidas cargas cerradas, quedaron las calles sembradas de cadáveres de hombres, mujeres y niños. Durante el resto

Manuel Diéguez, cabecilla de la huelga de Cananea.

del día y parte de la noche los soldados se emplearon en perseguir a los dispersos grupos de obreros que huían para tratar de salvarse. La persecución fue despiadada y se extendió hasta las laderas mismas que circundaban la ciudad.

Hubo más de cuatrocientas víctimas y a la mañana siguiente, frente a los escombros de la tienda de raya, en Río Blanco, fueron fusilados Rafael Moreno y Manuel Juárez, presidente y secretario, respectivamente, del «Gran Círculo de Obreros Libres». A otros militantes se les condenó a trabajos forzados en los insalubres y lejanos territorios de Quintana Roo.

---

[26] León Díaz Cárdenas, *Cananea: primer brote de sindicalismo en México*. México, Secretaría de Trabajo y Previsión Social, 1989.

Las fiestas del centenario de la independencia

En 1910, el régimen de Díaz parecía haber llegado al cenit de su poder. Díaz se sintió en la necesidad de mostrar ante los países del mundo y sus inversionistas que México era una nación importante, progresista y confiable. El prestigio internacional de México se establecía en su disposición a la inversión extranjera y las garantías y privilegios que el gobierno mexicano les otorgaba.

En 1910 el régimen porfirista quiso asegurarse un lugar respetable en la comunidad mundial. Embajadores de todos los países del mundo participaron en las fastuosas ceremonias organizadas para conmemorar el centenario del Grito de Dolores, por el que el cura Miguel Hidalgo proclamó la independencia de México.

Por ello, invitó a las fiestas a la mayor cantidad posible de representantes «especiales» extranjeros, además del cuerpo diplomático (de 51 países, que entonces se contaban, vinieron 32). Acudieron a la cita representantes de España, Francia, Alemania, Estados Unidos, entre otros (Gran Bretaña no envió representación, aunque aceptó la invitación, por el luto de la muerte de Eduardo VII). Para recibir a los invitados especiales se organizaron banquetes, recepciones y bailes. Hubo desfiles de militares y marinos extranjeros que acompañaban a sus representaciones y que arribaron a Veracruz a bordo de barcos de guerra. Las principales figuras de la elite porfirista hospedaron a los invitados de honor extranjeros (por ejemplo, el representante de España, marqués de Polavieja, fue recibido en la residencia de don Guillermo Landa y Escandón). Nicaragua iba a enviar al poeta Rubén Darío, pero por conflictos internos no pudo asistir.

Durante las fiestas fueron solemnemente inaugurados monumentos y obras de infraestructura en suntuosas ceremonias especiales, como la Columna de la Independencia, el manicomio de la Castañeda y el Hemiciclo a Juárez. Hubo también monumentos que fueron obsequiados por otros países: el de Pasteur donado por Francia (estaba localizado en el jardín que se encuentra entre la estatua del último emperador azteca, Cuauhtémoc, en el paseo de la Reforma, y la antigua estación del Ferrocarril Nacional), el del barón de Von Humboldt, donado por Alemania (en el ex convento de San Agustín); el de Garibaldi, por Italia; el de Washington, por Estados Unidos; y el reloj público en la esquina de las actuales calles de Bolívar y Carranza, por la colonia otomana (Turquía), situado en el jardín del Colegio de Niñas.

Otros obsequios presentados por legaciones extranjeras fueron: las prendas personales de José María Morelos, por la representación española (que se encontraban en un Museo de Madrid); Francia trajo unas llaves de la ciudad de México que le habían entregado al general Elie Frederic Forey (1804-1872) en 1863, durante la Guerra de Intervención. Del mismo modo el gobernador de Shangai regaló un ajuar que fue exhibido en el Palacio Nacional; Italia, una reproducción de la escultura de San Jorge, de Donatello, que se encuentra actualmente en un nicho en la Academia de Bellas Artes de San Carlos; Japón, dos tibores de porcelana negra con incrustaciones de oro, perla y nácar.

«Las banderas de todas las naciones se izaban en los edificios y se tendían a lo largo de los balcones; juntábanse el escudo español, las estrellas norteamericanas, el sol argentino, el crisantemo nipón, las águilas rusas y otros emblemas. (...) Aparecían los retratos de los principales caudillos de la Independencia, las fechas de 1810 y 1910 y las palabras

Independencia, Paz, Progreso y, sobre todo, Libertad»[27].

Los edificios de las principales calles de la ciudad se iluminaron con tubos de mercurio y bombillas. La energía eléctrica que se gastó durante ese mes de festividades fue del orden de unos 168 millones de vatios.

La apoteosis de los fastos tuvo lugar la noche del 15 de septiembre —fecha coincidente con el cumpleaños del dictador—, cuando Díaz gritó a voz en cuello: «¡Viva la libertad! ¡Viva la independencia! ¡Vivan los héroes de la Patria! ¡Viva la República! ¡Viva el pueblo mexicano!»

Los festejos fueron clausurados con el homenaje a los héroes de la independencia en el patio central del Palacio Nacional, donde más de diez mil invitados se reunieron la noche del 6 de octubre en torno a un catafalco construido expresamente para la ocasión por el arquitecto Federico Mariscal en honor a los próceres. De manera por demás reveladora de la obtusa y racista idiosincrasia del régimen porfirista, se hicieron pertinaces esfuerzos por mantener alejada de las calles de la capital a la población indígena a fin de no dar un «mal aspecto» del país a los invitados extranjeros.

Una generación de paz había infundido un engreimiento político fatal entre la elite dominante, y el dictador, tal vez como producto de su senilidad, era inconsciente y omiso de la magnitud de su impopularidad y se empecinó en desentenderse del creciente descontento político y social.

Dos camarillas al interior del régimen, los «científicos» y los reyistas, libraban una sorda disputa por hacerse con la hegemonía en previsión de la desaparición física del dictador. Tan concentrados se encontraban en esa pugna, y tan seguros se sentían, unos y otros, como herederos naturales de Díaz que nunca imaginaron que la lucha por el poder se dirimiría en otros frentes. No en vano, cuando llegó, la Revolución cayó por sorpresa, en medio de la muelle autocomplacencia del régimen.

---

[27] Genaro García, *Crónica oficial de las fiestas del primer centenario de la Independencia de México*. México, Museo Nacional, 1911.

Capítulo 2

LA REVOLUCIÓN

Francisco I. Madero y el plan de San Luis Potosí

Un individuo rico y excéntrico que en lo personal no tenía motivos de queja contra la dictadura, al ser uno de sus principales beneficiarios, Francisco I. Madero, sería, de forma por demás paradójica, el factor detonante del estallido revolucionario. Bajo de estatura (medía menos de 1,60 metros), de voz aflautada, espiritista, vegetariano, devoto de la tabla *ouija*, homeópata y abstemio, Madero difícilmente se ajustaba a la imagen machista que los mexicanos asociaban con el poder político[28]. Por otra parte, Madero, aunque creía en las bondades de un gobierno honrado, distaba con mucho de ser un reformista radical, ni en lo social ni en lo económico. Lejos de ello, manejó un discurso clasista contra la plebe.

Indignado por las injusticias y atropellos que le había tocado presenciar en el país, Madero fundó el Partido *Antirreeleccionista* junto con otros jóvenes reformistas. Madero era un firme partidario de la democracia y del apego a la legalidad, convencido de que la libertad inevitablemente acarrearía el desarrollo y la prosperidad para el pueblo mexicano. Su celebridad pronto se convirtió en una amenaza para el régimen.

Al poco tiempo de haber fundado el Centro Antirreeleccionista, Madero llevó a cabo una serie de giras por el país para difundir su mensaje. Visitó para tal efecto Orizaba, Veracruz, Progreso y Mérida en Yucatán, Campeche, Tampico y Monterrey. A finales de 1909 fue aclamado por

Encuentro antirreeleccionista, 1910.

5.000 personas en Guadalajara, Jalisco, segunda ciudad del país. Las autoridades comenzaron a tomar nota y a obstaculizar sus mítines. En Chihuahua encabezó demostraciones multitudinarias. El maderismo experimentó un explosivo crecimiento, como consecuencia del exilio de Reyes, de quien recogió el testigo opositor y heredó los simpatizantes, pero sobre todo como consecuencia de la imposición de Ramón Corral, por Díaz, como candidato a la vicepresidencia.

Los reyistas, dejados en la orfandad por la salida de escena de su líder, se afiliaron en masa al maderismo con la esperanza de vengar la afrenta «científica». Entre los nuevos maderistas sobresalía el doctor Francisco Vázquez Gómez (1860-1933), antiguo reyista y médico de cabecera del dictador.

Hasta ese momento, Madero sólo pretendía arrancarle al dictador la concesión de la vicepresidencia. Madero se reunió con Díaz el 16 de abril de 1910

---

[28] Stanley Ross, *Francisco I. Madero, apóstol de la democracia mexicana.* México, Grijalbo, 1977.

en una entrevista concertada por Emilio Vázquez Gómez y el gobernador de Veracruz, Teodoro Dehesa, en la que Díaz hizo gala apenas disimulada del profundo desprecio que sentía por aquel «hombrecillo». Madero salió del encuentro convencido de que el dictador sólo abandonaría el poder por la fuerza.

Desde el principio comprendió que al general Díaz sólo se le podía derrocar por las armas, pero para hacer efectiva la revolución había sido indispensable la campaña democrática previa. Así había preparado a la opinión pública y justificado el levantamiento[29].

Un día antes habían iniciado los trabajos de la convención constitutiva del Partido Antirreeleccionista. En ella, Madero resultó elegido candidato presidencial, mientras que Vázquez Gómez fue designado para la vicepresidencia.

Madero inició su campaña presidencial el 5 de mayo con un mitin en el Distrito Federal, en el que participaron cerca de 7.000 personas, en Guadalajara consiguió reunir a 10.000 y en Puebla a cerca de 25.000 personas. Grandes multitudes aclamaron también al candidato en San Luis Potosí, Saltillo y Monterrey, ciudad esta última donde la muchedumbre pareció tomar el control pese a la pesada presencia policíaca.

El gobierno, que antes había desestimado al excéntrico «loquito», comenzó a inquietarse seriamente ante lo que percibía como una amenaza creciente; optó ahora por el viejo expediente de encarcelar opositores. Poco antes de la elección presidencial de 1910, en junio, el propio Madero fue aprehendido en Monterrey, Nuevo León, acusado de insultar al presidente y de fomentar la rebelión contra el gobierno, siendo trasladado y encarcelado secretamente en San Luis Potosí.

Enfrentado con este desafío, Díaz, quien había llegado al poder con la bandera de la no reelección, hizo encarcelar a Madero, temeroso de que el pueblo mexicano «no estuviera preparado para la democracia» o, más bien, de perder las elecciones. El 5 de junio de 1910, a dos días escasos de la detención de Madero, tuvo lugar la elección presidencial, cuyo resultado electoral fue altamente dudoso: 18.829 votos para Díaz y 221 para Madero; en Parral, tierra natal del candidato opositor, de modo inverosímil, nadie votó por él, de acuerdo con las cifras oficiales.

Limantour, amigo de la familia Madero, intercedió por la liberación de Francisco ante el dictador. Éste, extasiado por las fiestas del centenario y seguro de su poder, accedió a las peticiones de clemencia. Una semana después de las elecciones Madero fue liberado mediante el pago de una fianza.

Al enterarse de la reelección de Díaz, Madero huyó a la frontera con Estados Unidos el 5 de octubre de 1910, oculto en un vagón de carga. De la frontera se trasladó hacia San Antonio, Tejas, donde promulgó el Plan de San Luis Potosí —que, como su nombre indica, había sido redactado durante su cautiverio—, una proclama en la que declaraba las elecciones como fraudulentas, desconocía la autoridad de Díaz y llamaba a su derrocamiento para el día 20 de noviembre:

«Los pueblos, en su esfuerzo constante por que triunfen los ideales de libertad y justicia, se ven precisados en determinados momentos históricos a realizar los mayores sacrificios. Nuestra

---

[29] Enrique Krauze, *Madero. Místico de la Libertad.* Biografía del Poder. México, Fondo de Cultura Económica/SARH, 1987.

querida Patria ha llegado a uno de esos momentos: una tiranía que los mexicanos no estábamos acostumbrados a sufrir (…), nos oprime de tal manera, que ha llegado a hacerse intolerable.

A cambio de esta tiranía se nos ofrece la paz, pero una paz vergonzosa (…), porque no tiene por base el derecho, sino la fuerza; porque no tiene por objeto el engrandecimiento de la Patria, sino el enriquecimiento de un pequeño grupo. (…) Tanto el poder Legislativo como el Judicial están supeditados al Ejecutivo; la división de poderes, la soberanía de los estados, la libertad de los ayuntamientos y los derechos del ciudadano sólo existen escritos en nuestra Carta Magna; pero en México reina constantemente la Ley Marcial; la justicia, en vez de impartir su protección al débil, sólo sirve para legalizar los despojos que comete el fuerte; los jueces, en vez de ser los representantes de la Justicia, son agentes del Ejecutivo, a cuyos intereses sirven fielmente; las cámaras de la Unión no tienen otra voluntad que la del dictador; (…) todo el engranaje administrativo, judicial y legislativo obedecen a una sola voluntad, al capricho del general Díaz, quien en su larga administración ha demostrado que el móvil que le guía es mantenerse en el poder a toda costa. Entre otros partidos que tendían al mismo fin, se organizó el Partido Nacional Antirreeleccionista, proclamando los principios de *Sufragio Efectivo y No Reelección,* como únicos capaces de salvar a la República del inminente peligro con que la amenazaba la prolongación de una dictadura cada día más onerosa, más despótica y más inmoral. En tal virtud, y haciéndome eco de la voluntad nacional, declaro ilegales las pasadas elecciones y, quedando por tal motivo la República sin gobernantes legí-

timos, asumo p[...]
dencia de la Re[...]
designa confor[...]
Para lograr e[...]
del poder a l[...]
por todo tít[...]
fraude esca[...]

PLAN 1.º. Se de[...]
ciones para presidente y vice[...]
de la República, magistrados a la Su[...]
prema Corte de la Nación y diputados y senadores, celebradas en junio y julio del corriente año. 2.º. Se desconoce al actual Gobierno del general Díaz, así como a todas las autoridades cuyo poder debe dimanar del voto popular, porque, además de no haber sido elegidas por el pueblo, han perdido los pocos títulos que podían tener de legalidad, cometiendo y apoyando, con los elementos que el pueblo puso a su disposición para la defensa de sus intereses, el fraude electoral más escandaloso que registra la historia de México. 3.º. Además de la Constitución y leyes vigentes, se declaran Ley Suprema de la República el principio de NO REELECCIÓN de presidente y vicepresidente de la República, de los Gobernadores de los Estados y de los presidentes municipales, mientras se hagan las reformas constitucionales respectivas. 4.º. Asumo el carácter de presidente provisional de los Estados Unidos Mexicanos con las facultades necesarias para hacer la guerra al Gobierno usurpador del general Díaz. 5.º. El día 20 de noviembre, desde las seis de la tarde en adelante, todos los ciudadanos de la República tomarán las armas para arrojar del poder a las autoridades que actualmente gobiernan. Los pueblos que estén retirados de las vías de comunicación lo harán desde la víspera. San Luis Potosí, 5 de octubre de 1910»[30].

---

[30] Manuel González Ramírez (editor), *Manifiestos Políticos 1892-1912*. México, Fondo de Cultura Económica, 1957.

...ó invirtió gran parte de su ...ersonal y la de su hermano ... para financiar la compra de ...ento y municiones para sus parti-...os y así poder organizar un ejército ...ue encabezara la rebelión nacional. Llegados a este punto hubo deserciones y renegados al por mayor. La dictadura, no obstante, tomó limitadas providencias para aplastar la sublevación.

El 18 de noviembre las autoridades descubrieron una conspiración en la ciudad de Puebla, donde los hermanos Carmen, Aquiles y Máximo Serdán, miembros destacados del club antirreeleccionista local habían hecho acopio de armas en anticipación al día señalado por el Plan de San Luis Potosí. Al saberse descubiertos, la familia se atrincheró en su casa. El fuego de fusilería fue contestado con bombas de dinamita. En la refriega cayó muerto el odiado jefe de la policía local, el coronel Miguel M. Cabrera —epítome de la corrupción y la arbitrariedad del porfirismo— y la prensa del día siguiente habló de sesenta muertos y heridos durante la contienda.

Salvo en Chihuahua, donde hubo levantamientos menores, el país despertó en calma el día señalado para la insurrección. Madero declaró el inicio de la revolución al cruzar junto con unos pocos seguidores desde Estados Unidos a Ciudad Porfirio Díaz (hoy Piedras Negras), Coahuila, población limítrofe con Eagle Pass, Arizona, el día 20 de noviembre. Tras dos días de infructuosa espera de llegada de refuerzos, regresó a Estados Unidos, creyendo que su movimiento había fracasado.

La familia Madero fue hostigada por las autoridades mexicanas, al extremo de tener que emigrar en masa a Europa y Estados Unidos. Las propiedades familiares fueron confiscadas e intervenidas por el gobierno mexicano. Sin embargo, su proclama habría de encender la mecha para una serie levantamientos populares a lo largo de la faja fronteriza y en toda la República.

Deprimido por lo que consideraba un descalabro, Madero regresó a los Estados Unidos y, temeroso de ser apresado por los *rangers* tejanos, viajó a Nueva Orleans, donde se debatió brevemente entre renunciar a su objetivo inicial o embarcarse para Veracruz, para iniciar de nuevo la revuelta. Entusiasmado por las noticias provenientes de México, que hablaban de levantamientos generalizados y de sucesivas derrotas del ejército federal, compra armamento y organiza sendos *lobbies* en Nueva York y Washington para lograr el reconocimiento del gobierno de Taft para su causa.

En los enfrentamientos, entre revolucionarios y gobiernistas, las balas perdidas de los contendientes habían matado a varios ciudadanos norteamericanos habitantes de las poblaciones fronterizas. En un primer momento la actitud de Estados Unidos fue de hacer la vista gorda ante los desórdenes registrados al sur de su frontera y declaró su neutralidad ante el conflicto.

Poco después, sin embargo, Washington declararía no estar dispuesto a sufrir perjuicios por la guerra entre sus vecinos, y, para reforzar su dicho, Taft había concentrado 20.000 soldados en la frontera de Tejas y enviado su flota a patrullar las costas mexicanas del Golfo y del Pacífico. La población se alarmó ante la perspectiva de una nueva intervención norteamericana y se intensificaron las presiones, incluso entre sus colaboradores más cercanos, sobre Díaz para que dimitiese.

La rebelión no se materializó en Coahuila como Madero había esperado, sino en las áridas montañas del oeste de Chihuahua, entre febrero y marzo de 1911. El aislamiento comparativo de Chihuahua con el resto de México, su lejanía respecto a la capital del país y su vecindad con los Estados Unidos fueron factores contribuyentes y determinantes al estallido y crecimiento del fenómeno revolucionario. Por otro lado, el descontento generalizado en el estado respecto a los abusos de toda índole llevados a cabo por la familia Terrazas —unánimemente detestada— llevaría a muchos a unirse a la rebelión.

El gobierno norteamericano se abstuvo de obstaculizar el flujo de armamento, por lo que los revolucionarios lograron apertrecharse libremente. El sabotaje a las líneas telegráficas y a las vías férreas dificultó la movilidad del ejército federal que pronto se revela como un fiasco. Se calcula que para abril de 1911 había cerca de 17.000 unidades de irregulares en pie de armas, combatiendo al ejército federal en dieciocho estados distintos.

El primer general: Pascual Orozco

Entre los estrategas de la primera hora de la Revolución cabe destacar a Pascual Orozco de veintiocho años de edad; un grandullón de 1,90 metros de estatura. El ambicioso y joven líder revolucionario de Chihuahua, quien, tras un inicial apoyo al maderismo, acabaría por pasarse del lado de la contrarrevolución, sería determinante en las primeras victorias militares contra la dictadura. De origen pequeñoburgués, había sido un próspero carretero antes de la Revolución: ampliamente conocido y popular en el estado, con una presencia imponente y excelente tirador, se alzó el 19 de noviembre al frente de cuarenta hombres, financiados y armados por Abrahán González, y tomó por sorpresa a la guarnición del pueblo de Miñaca, donde se hizo con más pertrechos[31].

Entre los distintos grupos que se habían levantado en Chihuahua, sólo las

Pascual Orozco.

fuerzas orozquistas eran una facción medianamente organizada. Para diciembre contaba con ochocientos efectivos bajo su mando. Se trataba de un «ejército de andrajosos, sin dinero, sin noción alguna de disciplina militar; algunos cargaban hachas en lugar de rifles; otros, lejos de inspirar miedo, provocaban lástima»[32].

A la rebelión en Chihuahua se le prestaría muy escasa atención en Ciudad de México. No obstante, pronto habrían de circular rumores acerca de actividades militares fuera de lo normal en el norte del país. La prensa adicta al régimen trató de minimizar o acallar tales versiones. El gobierno de Estados Unidos estaba lige-

[31] Michael C. Meyer, *Mexican Rebel. Pascual Orozco and the Mexican Revolution, 1910-1915*. Lincoln, University of Nebraska Press, 1967.

[32] Alberto Calzadíaz Barrera, *Hechos Reales de la Revolución*. Chihuahua, Editorial Occidental, 1959.

ramente mejor informado, pues en los últimos días de noviembre, el embajador de ese país, Henry Lane Wilson, informaba que los rebeldes ganaban terreno en Chihuahua.

En efecto, pocos días más tarde, Ciudad Guerrero, Chihuahua, la primera población de importancia, caía en manos de las fuerzas rebeldes. Desde su nuevo bastión, Orozco dio a conocer su primera proclama pública, que de hecho fue el primer documento formal publicado por las fuerzas revolucionarias, en el que declaraba que la «tiranía oficial ha sido responsable de incontables ultrajes y atropellos en todo el país, con un completo desprecio por la ley. (…) Ya que es necesario oponerse a este grupo de déspotas y tiranos que son únicos responsables de los muchos males presentes en México (…), y aunque amamos la paz, no queremos una paz de esclavos. Hemos resuelto repeler la fuerza bruta, que nos ha causado tanto mal e injusticia, mediante una campaña justa, intentando mantener en la medida de lo posible el orden y adoptando como nuestro lema la salvación de México de la ignominia, la tiranía y el abuso»[33]. El texto concluía con la proclama maderista de «sufragio efectivo, no reelección».

A partir del comienzo mismo de la revuelta, las tropas federales cobraron conciencia de que las bandas revolucionarias no eran sus únicos adversarios. La gente del campo les negaba agua, comida y refugio, y en ocasiones llegaba incluso a disparar contra ellas. Inversamente, a las tropas rebeldes se les concedía cooperación completa.

Por su parte, las dispersas bandas revolucionarias se dieron cuenta de que, a menos de que coordinaran sus esfuerzos y aumentaran su cooperación, sus esfuerzos no pasarían de meras escaramuzas contra los federales. De tal suerte, tuvieron lugar los primeros encuentros entre los comandantes revolucionarios, Cástulo Herrera, Epifanio Cos, Pancho Villa y Pascual Orozco, quienes acordaron consultarse mutuamente y unir fuerzas.

De tales acuerdos surgió la primera victoria de importancia de los rebeldes, en enero de 1911, cuando un destacamento federal fue emboscado por las fuerzas orozquistas en el cañón de Mal Paso. Las fuerzas rebeldes, después de permitir la entrada del tren en el cañón, sellaron cualquier posibilidad de retirada al incendiar varios puentes por los que el ferrocarril había pasado. A medida que el convoy federal se adentraba en el cañón, los hombres de Orozco, que dominaban las alturas, abrieron fuego, masacrando a la fuerza federal[34]. Fue después de esta batalla cuando Orozco supuestamente dio la orden a sus soldados de recoger y reunir todos los quepis y los uniformes de los federales muertos, para enviárselos al dictador, junto con una nota que decía: «Ahí te van las hojas, mándame más tamales.»

Orozco fue el dirigente militar más sobresaliente de la primera fase de la revolución 1910-1911, no obstante fue insubordinado desde un principio con Madero y alienó a Villa. Su compromiso era más bien personal antes que político, en la medida en que Orozco carecía de una ideología consistente.

Descontento con el nuevo gobierno habría de encabezar una vigorosa revuelta contra Madero en marzo de 1912, que fue secretamente apoyada por los terratenientes chihuahuenses; tras algunos éxitos, el levantamiento sería aplastado durante el verano. Tras el golpe de Estado y posterior asesinato del presidente Ma-

---

[33] Manuel González Ramírez (editor), ob., cit.

[34] Stanley Ross, Madero, ob.cit., p.132.

dero, apoyó al reaccionario Huerta en 1913-1914, al combatir a su antiguo subordinado en Chihuahua y a la caída de la dictadura, huyó a los Estados Unidos. Tras escapar de su detención en El Paso, Texas, Orozco fue muerto por un destacamento de *rangers* tejanos el 30 de agosto de 1915.

Francisco Villa

En Chihuahua, un tal Doroteo Arango, mejor conocido como *Pancho Villa* (1877-1923), muy pronto destacó, bajo las órdenes de Cástulo Herrera, como un hábil estratega militar. Al frente de su destacamento, Villa operó en el sur de Chihuahua y el norte de Durango, asaltando especialmente a los trenes federales, que llevaban tropas al Norte, para combatir a los revolucionarios.

Durante su juventud Villa había trabajado en el rancho del Gorgojito en el estado de Durango, propiedad de la familia López Negrete, en la que laboraba como mediero. Cuenta la leyenda que el patrón, su hijo o el mayordomo de la propiedad intentaron ejercer derecho de pernada sobre la hermana de Doroteo, Martina Arango, y abusar de ella. Siempre según el relato, indignado ante el atropello que intentaba cometerse, la habría defendido a balazos, matando al agresor y emprendido la huida hacia las cañadas cercanas. Pronto fue apresado, pero logró fugarse hiriendo a su celador.

Hacia 1891 Arango se convirtió en bandido y adopta el *nom de guerre* de Francisco Villa, en homenaje, según la leyenda, a otro bandolero caído del mismo nombre bajo el cual había peleado o, de acuerdo con otras versiones, para reivindicar el apellido legítimo de su abuelo paterno. Poco se sabe con certeza acerca de su trayectoria durante la década transcurrida entre 1900 y 1910. Mito y realidad se entremezclan en las diversas narrativas sobre lo que le aconteció durante aquellos años. Sus apologistas aseguran que estableció un negocio de carnicería (donde habría vendido el producto de su despojo) y prosperó «honradamente»; sus detractores afirman que en ese periodo cometió cuatro homicidios, estuvo envuelto en diez incendios provocados, y en innumerables robos, abigeatos y secuestros.

Al estallido de la revolución maderista, Villa se adhirió al movimiento, enlazando con Abrahán González (1864-1913)[35], jefe del movimiento antirreeleccionista en Chihuahua, que al frente de un puñado de hombres, entre vaqueros, comerciantes, mineros, artesanos y aventureros, había comenzado la revuelta en su estado y sostenía allí el foco revolucionario.

Muy pronto Villa adquiriría una inmensa celebridad como producto de sus grandes hazañas militares, entre las que destacaría la toma de Ciudad Juárez, Chihuahua, en 1911. Eventualmente, Villa se revelaría como uno de los grandes estrategas militares de la Revolución, al tiempo que su ejército, la División del Norte, sería por un breve tiempo la maquinaria militar más poderosa y formidable del país.

Tales proezas muy pronto atrajeron poderosamente la atención de los estudios cinematográficos de Hollywood,

---

[35] Político y revolucionario mexicano, nacido en Ciudad Guerrero, Chihuahua. Estudió administración de empresas en la universidad de Notre Dame, en Indiana, Estados Unidos. Como resultado del continuo hostigamiento de la familia Terrazas, caciques del estado de Chihuahua, sufrió persecución y se convirtió en un enemigo jurado del régimen. Fue brevemente floresmagonista antes de unirse a las filas de Madero. Al triunfo de la revolución maderista fue nombrado gobernador del estado de Chihuahua. El 25 de febrero de 1913 fue obligado a renunciar a su cargo, arrestado por órdenes de Huerta y asesinado en el paraje conocido como Cañón de Bachimba, a 65 kilómetros de la ciudad de Chihuahua.

que ofrecieron un jugoso contrato al guerrillero duranguense para plasmar en película sus batallas. Aparentemente, Villa incluso llegó a firmar una cláusula con la Mutual Film Company, por la cual se comprometía a librar las batallas de día para que hubiera mejor luz y que, en caso necesario, se comprometía a repetir las escenas filmadas. Por su parte, la productora se comprometió, además de pagar fuertes sumas al guerrillero, a proveer a las fuerzas villistas de avituallamientos y uniformes.

Como resultado de tales negociaciones verían la luz realizaciones tales como *Life of Villa* (1912), *With General Pancho Villa in Mexico* (1913) y *Following the Flag in Mexico* (1916).

La más elaborada de ellas, *La vida del general Villa*, producida por la Mutual Film Corporation y dirigida por William Christy Cabanne (1888-1950), protagonizada, entre otros, por el actor Raoul Walsh (1887-1980) como el joven Villa, y por el propio Villa haciendo de sí mismo en la edad adulta, fue estrenada en 1914 en el Lyric Theater de la ciudad de Nueva York.

El guión era conmovedor y simplista: Dos militares intentaban abusar de la hermana de Villa; éste los sorprende, mata a uno mientras el otro consigue escapar. Villa se declara en rebeldía contra la injusticia prevaleciente en el país. Conquista ciudad tras ciudad hasta llegar a la capital; encuentra al otro militar que había intentado agredir a su hermana; lo ajusticia y se convierte en presidente de México.

A través de esas películas el «Centauro del Norte», apelativo con el que muy pronto llegaría a ser conocido, alcanzó una notoriedad mediática, haciendo del producto Villa una celebridad virtualmente mundial, como el guerrillero por antonomasia[36].

Sus detractores lo tienen por un bandolero, en el mejor de los casos; un asesino, en el peor. Se trató, en todo caso, de una personalidad compleja, casi inasible. El periodista norteamericano John Reed, que fue su seguidor, lo describe en los siguientes términos:

Es el ser humano más natural que he conocido, natural en el sentido de estar más cerca de un animal salvaje. Casi no dice nada y parece callado… desconfiado… Si no sonríe da la impresión de amabilidad en todo menos en sus ojos, inteligentes como el infierno e igualmente inmisericordes. Los movimientos de sus piernas son torpes —siempre anduvo a caballo—, pero los de sus manos y brazos son sencillos, graciosos y directos. Es un hombre aterrador[37].

En cualquier caso, Pancho Villa mezcló la personalidad del bandolero clásico con la del soldado de la nueva revolución[38].

Para finales de febrero de 1911, Díaz cobró conciencia de que estaba perdiendo el control sobre el estado de Chihuahua e hizo enviar nuevas tropas para aplastar el recién formado Ejército Revolucionario, comandado por Orozco y Villa, a quienes Madero había otorgado los rangos militares de coronel y mayor, respectivamente.

La progresiva concentración de tropas gubernamentales en Chihuahua tuvo importantes consecuencias en el desarrollo del movimiento revolucionario en otros estados. Casi sin excepción, revolucionarios a lo largo y ancho del país comen-

[36] Aurelio de los Reyes, *Con Villa en México: testimonios sobre camarógrafos norteamericanos en la Revolución, 1911-1916*. México, UNAM/ Instituto de Investigaciones Estéticas, 1985.

[37] John Reed, *México Insurgente*. Barcelona, Ariel, 1977.

[38] Para un retrato insuperable de su enmarañada y diversa personalidad, véase: Friedrich Katz, *The Life and Times of Pancho Villa*. Stanford, California, Stanford University Press, 1998. Hay traducción al castellano: *Pancho Villa*; traducción de Paloma Villegas. México, Editorial Era, 1998.

Francisco Villa.

zaron a incrementar sus actividades y a aumentar el tamaño de sus ejércitos.

Muy pronto surgirían otros héroes populares como Emiliano Zapata (1879-1919) en el sur, los cuales se mostraron capaces de hostigar al ejército y obtener control de sus respectivos territorios. Para principios de abril las fuerzas federales estaban haciendo una guerra en muchos frentes.

En su primera fase, la Revolución Mexicana puede ser definida como una coalición efímera, cambiante y fluida de diferentes clases sociales (cada una con intereses y objetivos propios) contra la dictadura porfirista: masas campesinas (Villa, Orozco), amerindios (Zapata), la pequeña y mediana burguesía (Obregón) e, incluso, importantes sectores de la alta burguesía (Madero, Carranza).

Al observar desde su destierro en Louisiana que el movimiento por él preconizado finalmente cundía por gran parte del país, Madero decidió volver a México y ponerse al frente de la Revolución. Para ello cruzó la frontera el día 14 de febrero de 1911. Una vez en México, él mismo dirigió un ataque al poblado de Casas Grandes, Chihuahua, en el que resultó herido en un brazo.

Un episodio que no debe pasar desapercibido en este relato es la invasión de Baja California a finales de enero de 1911, por un grupo de mexicanos, norteamericanos y de otras nacionalidades, dirigidos por Ricardo y Enrique Flores Magón. Este movimiento no tuvo ningún nexo con los maderistas de Chihuahua que se oponían a Díaz. Fue del todo independiente y respondía a ideas de profunda transformación social.

Los magonistas llegaron a tomar las ciudades de Mexicali y Tijuana (29 de enero de 1911), acción militar a la que

se adheriría de palabra y hecho el insigne escritor norteamericano Jack London (1876-1916), pero fueron prontamente derrotados por las tropas de Celso Vega, jefe político de Ensenada, temeroso de una nueva intervención de los Estados Unidos, en un momento en el que el presidente norteamericano, William Howard Taft, llegó a movilizar cerca de veinte mil soldados a lo largo de la frontera con México[39].

En la propia capital, y como eco de las victorias revolucionarias del Norte, hubo motines contra Díaz. No obstante, la victoria concluyente tuvo lugar en la ciudad fronteriza de Ciudad Juárez, en mayo del mismo año, cuando las tropas de Orozco y Villa capturaron dicha posición mediante una hábil estrategia de dispersión el 10 de mayo.

El 19 de abril Madero exigió al general Juan Navarro, defensor de Ciudad Juárez, que se rindiera y entregara la plaza. Navarro, desde luego, rechazó el ultimátum. Poco después recibiría Madero a dos emisarios de Díaz que buscaban una paz negociada, Oscar Braniff y Toribio Esquivel Obregón, y el 22 de abril ambas partes acordaron declarar un armisticio e iniciar negociaciones. Las discusiones sobre un cese permanente de hostilidades se derrumbaron ante el asunto clave de la renuncia inmediata de Díaz. Los revolucionarios insistían sobre ese punto, pero los representantes gubernamentales no podían ofrecer tal cosa. Así pues, el armisticio terminó sin resultados positivos el 6 de mayo.

Dos días más tarde comenzó el ataque de las fuerzas revolucionarias comandadas por Orozco, Villa y el filibustero italiano José Garibaldi (nieto de Giuseppe Garibaldi, el patriota italiano y héroe del *Risorgimento*) contra la estra-

---

[39] Leslie Bethell, *Historia de América Latina, Vol.13. México y el Caribe desde 1930*. Barcelona, Crítica, 1998.

B

tégica ciudad fronteriza. A primeras horas del 10 de mayo, el general Navarro izó la bandera blanca y entregó la ciudad al *Ejército Libertador*.

Madero hizo de Ciudad Juárez la capital del país, e instaló su gobierno provisional en esa ciudad. Díaz se mostró impotente para controlar la propagación de la insurgencia por varias zonas del país y tuvo que renunciar, en medio del descrédito generalizado, el 25 de mayo, mediante la firma del Tratado de Ciudad Juárez, que puso fin a las hostilidades, tras lo cual abandonó el país, sin pena ni gloria, hacia un destierro definitivo en Francia, país al que había combatido en la Guerra de Intervención cuatro décadas antes, en el buque *Ipiranga*. Muy pronto lo seguirían al exilio otros eminentes miembros de su régimen, como Corral, Limantour o Landa y Escandón. Un día antes de su renuncia hubo, sin embargo, una matanza en la Ciudad de México, donde el ejército disparó sobre las masas que exigían su partida.

Emiliano Zapata y la revuelta agrarista del Sur

En 1881 se construye el primer ferrocarril en el estado de Morelos. Con las nuevas vías, las antaño apacibles tierras morelenses se convirtieron en inmensas fábricas. Para la vuelta del siglo, los ingenios azucareros del estado producían un tercio de la producción total de azúcar del país, y era la tercera zona productora de la materia prima en el mundo. Para su continua expansión, las haciendas precisaban tierras y mano de obra. Esto último lo conseguirían enganchando con métodos coercitivos mano de obra proveniente de los pueblos. Para lo primero buscaron acaparar de nueva cuenta las tierras comunales. El enfrentamiento entre la vertiginosa modernización y los seculares reclamos de tierras auguraban la inminencia de un levantamiento social.

Durante treinta años, los grandes terratenientes cultivadores de caña de azúcar le habían disputado al pequeño pueblo de Anenecuilco, en el estado de Morelos, los derechos sobre las tierras y aguas de la comarca, gracias a que los hacendados influían poderosamente sobre el gobierno federal de la Ciudad de México.

En 1909, los hacendados de Morelos se apoderaron por completo del gobierno del estado e impusieron como gobernador a un miembro de su propia estirpe, el arriba mencionado Pablo Escandón. Ese verano, se decretó una nueva ley de bienes raíces, que reformaba los impuestos y los derechos a tierras aún más en beneficio de los hacendados. Este golpe se sintió duramente en todos los pueblos del estado. Para los campesinos, la querella con las haciendas era tanto un asunto de tierras como una cuestión de dignidad. En Anenecuilco desanimó por completo lo viejos que eran los regentes establecidos del pueblo. Era necesario elegir hombres nuevos, más jóvenes, para que los representaran.

En septiembre de 1908, los vecinos de Anenecuilco votan el nombramiento de presidente del Comité de Defensa de su pueblo. Modesto González fue el primero en ser propuesto. Más tarde Bartolo Parral propuso a Emiliano Zapata y éste a su vez propuso a Parral; se hizo la votación y Zapata se impuso con facilidad.

De acuerdo con las normas del campo, los campesinos eran conscientes de que no eran pobres: los Zapata vivían en una sólida casa de adobe y tierra, y no en una choza. Ni él ni su hermano mayor, Eufemio, habían trabajado nunca como jornaleros en las haciendas. Por falta de tierras, la familia Zapata había comenzado años atrás a tratar con ganado, y Emiliano había aprendido desde joven el oficio.

El apellido Zapata era ilustre en Anenecuilco. Los Zapata y los Salazar (la familia de su madre) llevaban en la sangre la historia de México. Cuando un ejército español puso sitio a los rebeldes en Cuautla, durante la Guerra de Independencia, los muchachos de las aldeas cruzaron las líneas durante semanas llevando tortillas y pólvora a los insurgentes. Uno de los muchachos de Anenecuilco fue José Salazar, el abuelo materno de Emiliano. Dos de los hermanos de su padre, Cristino y José, habían peleado en la Guerra de Reforma y contra la intervención francesa en la década de 1860.

Las disputas entre las haciendas, los pueblos y las aldeas

Mediante decretos del ejecutivo, nuevas leyes y reformas a la Constitución del estado, Escandón se enfrentó abiertamente a los campesinos de Morelos. Desde el siglo XVI, las haciendas azucareras habían dominado la vida del estado: en 1910, era una historia vieja y trillada la de que habían usurpado los derechos de las rancherías y pueblos y campesinos independientes, la de que los abogados de las haciendas habían desposeído mediante trampas legales de sus tierras, bosques y aguas a sus poseedores legítimos, pero más débiles; la de que los capataces de las haciendas azotaban y estafaban a los trabajadores del campo. Un pretexto todavía válido era el racismo señorial de los tiempos virreinales. Para el joven Joaquín García Pimentel, cuya antigua e ilustre familia era dueña de las haciendas más grandes del estado, «el indio tiene muchos defectos para ser jornalero, siendo como es flojo, borracho y ladrón».

Las clases altas porfiaban y se vanagloriaban de su origen criollo. Este grupo buscaba en Europa, y muy particularmente en Francia, su inspiración cultural y su forma de vida. De tal suerte, Pablo Escandón, gobernador de Morelos, era, a decir de sus contemporáneos y amigos franceses: «Le plus parisien des mexicains». En tanto que Landa y Escandón, educado en el prestigiado y añejo Stonyhurst College, en Lancashire, Inglaterra, parecía todo un caballero británico[40]. De igual modo se constituían en auténticas afrentas sociales a los explotados hechos tales como que los palacetes de los hacendados de Morelos hayan sido construidos a imagen y semejanza de los de las orillas del Támesis, o bien la famosa frase de un hacendado morelense: «perdón que te escriba en francés, pero tengo mucha prisa».

Hubo bajo el porfiriato un afrancesamiento afectado y a veces ridículo de parte de la elite, nunca mejor caracterizado que en las palabras del crítico guatemalteco Luis Cardoza y Aragón:

La corte de Porfirio Díaz se retrata con todos sus gustos y aspiraciones en la patética arquitectura de repostería francesa del Palacio de Bellas Artes[41].

A ojos de estas personas, el indio representaba un lastre para el progreso social de México; la inmigración blanca a la argentina era la solución preferida. Bajo tales condiciones, el estereotipo del indio «indolente» sería esgrimido para justificar los bajísimos salarios existentes en todo el país.

En 1876, año en que Díaz tomó el poder, había 118 pueblos registrados en el estado de Morelos, al sur de Ciudad de México. Hacia 1887, a pesar de un pequeño aumento de la población del estado, había únicamente 105.

De entre todos estos fracasos demográficos, el más impresionante sin duda fue el de Tequesquitengo. Los campesinos

---

[40] Allan Knight, Vol. I, p. 27.

[41] Luis Cardoza y Aragón, *Pintura contemporánea de México*. 1974, p. 149.

Emiliano Zapata.

habían ofendido al dueño de la cercana hacienda de San José Vista Hermosa, el cual, a manera de represalia, llenó de agua de riego el lago e inundó todo el pueblo. Hubo un momento en que sólo la torre de la iglesia del pueblo descollaba sobre las aguas, a manera de cruel recordatorio de los riesgos de la rebeldía.

En algunas regiones especialmente tensas, los pueblos que habían logrado sobrevivir estaban perdiendo población de un modo vertiginoso.

Por lo que respecta a los salarios, los de Anenecuilco ganaban solamente 37 centavos al día en la temporada floja en la hacienda del Hospital. Pero, con todo, esto era todavía muy superior al promedio nacional de 25 centavos al día. Desposeídos y en la miseria, muchos campesinos comenzaron a trabajar como aparceros en las peores tierras de las haciendas. De esta manera, además de la tierra, los hacendados adquirieron una mano de obra dependiente.

Los campesinos de la municipalidad de Ayala nunca se habían rendido, ni pagado sobornos a los bandidos merodeadores de la década de 1860. Se habían armado a sí mismos, se habían organizado como vigilantes y se habían enfrentado a los forajidos. En la década de 1890, la municipalidad de Ayala era probablemente la más militante y mejor armada de todas las del estado de Morelos. Y esta tradición insubordinada subsistía intacta.

En el verano de 1910, cuando la guerra de Escandón contra los pueblos del estado alcanzó su etapa crítica, nada tuvo de sorprendente que Ayala fuese la región en la que se desarrollase primero la resistencia armada. Tampoco fue extraordinario que, de los cuatro poblados de la municipalidad, el pueblecito de Anenecuilco haya dado al máximo dirigente de la lucha agraria. Había ocurrido antes en la década de 1860, y había salido de la misma familia Zapata.

Enterados de la cláusula del Plan de San Luis Potosí, que prometía restituir a las comunidades las tierras que habían usurpado las haciendas, los vecinos de Anenecuilco deciden enviar como su representante ante Madero en San Antonio, Tejas, a Pablo Torres Burgos. Mientras tanto, se levantan en armas los primeros revolucionarios agraristas: Gabriel Tepepa, un antiguo veterano de la Guerra de Intervención francesa, en Tlaquiltenango, Morelos; Ambrosio Figueroa, en Huitzuco, Guerrero, y Emiliano Zapata en Anenecuilco. A las pocas semanas caen asesinados Tepepa y Torres Burgos. Zapata se convierte de improviso en el jefe de la rebelión del Sur. Bajo el influjo de Zapata, pueblos y rancherías de Morelos; se sumaron clamorosamente a la proclama de Madero.

La unión de fuerzas que logró formarse en el invierno de 1910-1911, era una coalición informal de rebeldes independientes, que apenas se conocían entre sí, y que sólo recientemente se habían unido. De estas rebeliones la más clara y distinta era la de Morelos. Desde un principio, el estado no le importó mucho a Madero. En sus planes revolucionarios iniciales le asignó un papel de muy poca importancia.

Madero sabía que no podía sostener una insurrección general. De esta manera, su plan revolucionario final estableció pocos centros de acción. Madero propuso dar tres golpes (a las ciudades de Puebla, Pachuca y México) cuando volviese a entrar en el país por el norte.

Cualquier apoyo regional que se pudiera obtener en el campo, alrededor de estos blancos, reforzaría la capacidad de negociación. Ésta sería la utilización conveniente de las guerrillas rurales por parte del movimiento maderista. Pero las ciudades eran la clave.

La rebelión de Morelos tendría ahora que depender de la acción en la ciudad de México. El agente de Madero en Ciudad de México, Alfredo Robles Domínguez, se dio cuenta de que en la capital un golpe de mano tendría muy escasas probabilidades de éxito. Lo más importante era lo que pudiese ocurrir en el sur del estado.

El papel de Morelos, no obstante, seguía siendo de importancia relativamente menor. Robles Domínguez confiaba en tomar Iguala y aislar el estado de Guerrero antes de que llegaran refuerzos federales. Si los rebeldes fracasaban podían esconderse en las montañas y luego operar a lo largo de la Costa Chica. Por lo que respecta a Morelos, los rebeldes servirían como auxiliares de los movimientos en Guerrero o en Puebla.

El papel subordinado de Morelos quedó establecido cuando los dos únicos dirigentes potenciales (Eugenio Morales y Patricio Leyva) se excusaron para no tomar parte en la acción. Al no contar con nadie en el estado, Robles Domínguez dirigió su dinero y sus armas a otras partes. Si sus designios hubiesen prevalecido, el movimiento en Morelos hubiese quedado firmemente bajo el control central. En una revolución organizada de esta manera Zapata mal podría haber surgido como caudillo estatal.

Pero todo el plan revolucionario para el sur se arruinó una semana antes de que comenzara. El 13 de noviembre, Robles Domínguez fue detenido y encarcelado en la capital. Con él fueron encarcelados dos de sus más íntimos colaboradores, Francisco Cosío Robelo y Ramón Rosales. Su confinamiento hizo desaparecer de Ciudad de México la dirección del ala sureña de la revolución. Y el 18 de noviembre desapareció también la dirección de la ciudad de Puebla. Como se ha visto, su principal jefe, Aquiles Serdán, había sido atacado en su hogar y fue muerto con su hermano y varios otros partidarios.

Después de este desastre, agentes revolucionarios siguieron yendo y viniendo entre México, Puebla e Iguala, pero sin ninguna autoridad.

Es notable que bajo tales circunstancias haya llegado a organizarse un movimiento revolucionario en Morelos. Las noticias del cuartel general revolucionario en el norte no eran muy alentadoras; y si no había acción en el norte, los levantamientos en cualquier otro lugar habrían de ser suicidas. El 20 de noviembre, cuando casi nadie salió a recibirlo en Río Grande, Coahuila, Madero, apesadumbrado, se retiró a San Antonio, Texas. Se trasladó en diciembre a Nueva Orleans abandonando, aparentemente, su causa. Mientras tanto, los inconformes de Morelos carecieron de contactos con agentes revolucionarios oficiales y de fondos. Sin embargo, en diversas partes comenzaron a reunirse y a contemplar la posibilidad de sumarse a la lucha de Madero.

Para finales de noviembre, durante la represión revolucionaria nacional que se produjo después de la matanza de Puebla y de la triste retirada de Río Grande, un grupo de inconformes comenzó a reunirse en la casa de Pablo Torres Burgos, situada en las afueras de Villa de Ayala. Probablemente la mayoría de los agricultores del municipio asistieron a algunas reuniones, pero los asistentes asiduos fueron Torres Burgos, Emiliano Zapata y Rafael Merino. El dirigente nominal era Torres Burgos, pero el jefe real era Zapata. De él dependían las decisiones del grupo.

Zapata había visto en un ejemplar del Plan de San Luis Potosí, de Madero, una cláusula de su tercer artículo; era un gancho para atraer el apoyo de las familias campesinas que habían padecido a causa de la política agraria de Díaz. «Abusando de los terrenos baldíos —declaró Madero—, numerosos pequeños propietarios, en su mayoría indígenas, han sido despojados de sus terrenos, siendo de toda justicia restituir a los antiguos poseedores los terrenos de que se les despojó tan arbitrariamente.

En aquel tiempo, este punto de vista pareció correcto. Es verdad que había pocos «indígenas» en Morelos, pero sabían que así era como llamaba la gente de la ciudad a la gente del campo. Hablaban náhuatl, el idioma regional, tan sólo alrededor del 9 por ciento de la población de Morelos en 1910.

Madero les interesaba ahora, precisamente, por su ofrecimiento de justicia social. Si Zapata se lograba convencer de la sinceridad de Madero, se sumaría a la revolución evidentemente moribunda.

El 14 de febrero de 1911, Madero entró nuevamente en México y los espíritus de todo el país comenzaron a reanimarse. Torres Burgos le había confirmado a Zapata la sinceridad de Madero en lo tocante a la cuestión agraria.

El viernes 10 de marzo, Zapata, Torres Burgos y Rafael Merino se reunieron durante la feria anual de Cuautla. Allí se pusieron de acuerdo en los detalles finales y a la noche siguiente, de regreso en Villa de Ayala, pusieron en marcha sus planes. Se amotinaron repentinamente, desarmaron a la policía del lugar y convocaron a una asamblea general en la plaza. Y en medio de las aclamaciones: *«¡Abajo las haciendas y vivan los pueblos!»*, los jóvenes del pueblo se alistaron en las filas de la Revolución. En rebelión formal ahora, de acuerdo con el Plan de San Luis, los de Ayala organizaron una banda de cerca de setenta hombres de diversos poblados y cabalgaron hacia el sur. La revolución maderista había comenzado en Morelos.

Los rebeldes, entonces, cabalgaron hacia el sur. Y luego, recogiendo hombres y monturas en todos los pueblos y ranchos por los que pasaron, cruzaron la línea divisoria con Puebla para organizar su campaña. Y aunque Torres Burgos dio las órdenes y Zapata fue sólo uno de los diversos coroneles revolu-

cionarios, la estrategia de la guerrilla fue obra de Zapata. El objetivo era Cuautla. Pero Zapata y los demás jefes sabían que sus hombres mal armados e inexpertos no podían librar todavía batallas en regla. Zapata tenía que patrullar la línea Puebla-Morelos y Torres Burgos se puso al frente de las fuerzas de Tepepa y avanzó hacia Jojutla.

Escandón, después de las declaraciones de rebelión en su estado, intentó llevar a cabo una demostración de fuerza. Con un piquete de caballería de la guarnición de Cuernavaca y un puñado de rurales se presentó en Jojutla el 22 de marzo para defender la plaza contra los rebeldes. Dos días después, sin embargo, los guerrilleros de Torres Burgos penetraron a caballo en Tlaquiltenango, sin que nadie les estorbase. Y al oír noticias y rumores de que los rebeldes querían secuestrarlo, Escandón huyó sin parar hasta llegar a la capital del estado. A la cola del gobernador iban los soldados, la policía y todos los funcionarios locales. Cuando los rebeldes entraron en Jojutla se negaron a obedecer las órdenes de Torres Burgos, que prohibían el saqueo, y desvalijaron varios comercios.

Ésta no era la reforma en que había pensado el circunspecto hombre de Ayala. Escandalizado por la violencia y también, probablemente, por su propia incapacidad para controlar a Tepepa y a sus hombres, Torres Burgos quiso hacer valer su autoridad. En una junta, para la cual Zapata y Merino hicieron viaje hasta Jojutla para estar presentes, Torres Burgos decidió renunciar. Con sus dos hijos se fue de la ciudad y regresó a pie a Villa de Ayala. Al día siguiente, fueron sorprendidos y capturados en el camino por una patrulla federal. Por ser rebeldes, se les dio muerte a los tres en el lugar.

La muerte de Torres Burgos, que había renunciado sin nombrar sucesor, había dejado la cuestión de autoridad revolucionaria en Morelos tan completamente en el aire como antes de su pretensión de haber recibido el nombramiento de Madero. Retirándose a Puebla, una partida de rebeldes (en la que figuraba Tepepa) resolvió el problema de forma al elegir a Zapata «jefe supremo del Movimiento Revolucionario del Sur». Zapata le pidió al agente Octavio Magaña que notificase a los maderistas que Torres Burgos había sido muerto y que él se había hecho cargo provisional del mando de la región hasta que Madero nombrase un nuevo jefe.

Mientras esperaba las órdenes de Madero, que nunca habrían de llegar, la posición de liderazgo de Zapata en el movimiento local quedó ampliamente fortalecida. Contra sus propias intenciones, fueron los propios científicos quienes habrían de reforzar la posición sobresaliente de Zapata ante los rebeldes de Morelos. Primero, apartaron a todas las demás figuras del estado en torno a las cuales los maderistas podrían haberse agrupado, como, por ejemplo, la familia Leyva. En la medida en que el grupo de los de Ayala fue cobrando fama y renombre, nuevos jefes se fueron pasando periódicamente a su bando. Con cada uno de ellos se unía una partida de entre 50 y 200 reclutas nuevos.

Para mediados de abril, Zapata era el jefe revolucionario indiscutido de su estratégica zona. Para garantizar la posición de los de Ayala en Morelos, Zapata tenía ahora que tomar ciudades y no conformarse simplemente con llevar a cabo incursiones sobre ellas. De manera prioritaria, tenía que establecer un dominio claro e indiscutido sobre la ciudad de Cuautla. A principios de mayo, rebeldes aliados de Zapata se apoderaron de Yautepec, al mismo tiempo que Zapata derrotó a una guarnición federal en Jonacatepec y ocupó la plaza de manera definitiva. A partir de entonces, la prensa metropolitana le comenzó a llamar «el cabecilla de la insurrección en el estado de Morelos».

Poco después, cuando llegaron nuevas de que los revolucionarios habían capturado Ciudad Juárez y de que Madero estaba a punto de concertar un tratado, Zapata acampó en el pueblo de Tecapixtla, situado a unos cuarenta kilómetros al noroeste de Cuautla, y desde allí organizó su ataque sobre la estratégica ciudad.

La victoria tardó en llegar, y cuando lo hizo, fue muy sangrienta. Los hacendados, por fin, habían obtenido del gobierno una fuerza protectora de primera (el quinto «Regimiento de Oro») y lo habían apostado en Cuautla. Llamando a todos sus jefes para que le proporcionasen hombres que le diesen una enorme superioridad numérica, Zapata hizo todo lo que pudo para llevar a cabo un sitio con bandas impacientes, mal entrenadas y escasamente disciplinadas. Finalmente, después de seis de los más terribles días de batalla de toda la Revolución, los federales evacuaron y los revolucionarios ocuparon la extenuada ciudad. Era el 19 de mayo, diez semanas después de que la gente de Ayala se hubiera rebelado con Torres Burgos. Finalmente, Zapata contaba ahora con una base sólida, suficiente para darle el control del estado.

No habría oportunidad de más. Dos días más tarde, el domingo 21 de mayo, se firmó el Tratado de Ciudad Juárez que puso fin a la guerra civil. Zapata tomó la ciudad de Cuautla y los hermanos Figueroa, Cuernavaca, a escasos ochenta kilómetros de la capital del país.

La revuelta agrarista de Zapata muy pronto fue representada por las clases altas del régimen como una «guerra de castas», en la que miembros de una «raza inferior» eran capitaneadas por un «moderno Atila». Para las clases acomodadas del porfirismo, la insurrección en Morelos reveló la otra cara del indígena «indolente»: la del «salvaje, ávido de sangre y atávico». No en vano, en las campañas que se llevaron a cabo para sofocarla, se utilizarían métodos similares a los utili-

*El general Manuel Asúnsolo entrega la ciudad de Cuernavaca a Emiliano Zapata,
acompañados de sus estados mayores, abril 1911.*

zados por los gobiernos coloniales para sojuzgar a las poblaciones nativas de África y Asia[42].

De acuerdo con la Constitución entonces vigente, Díaz fue sustituido por su ministro de Exteriores, Francisco León de la Barra, a la espera de que se celebrasen elecciones extraordinarias para el mes de octubre.

Frente a la indignación general, Madero pactó una transición pacífica al poder con el porfirismo derrotado. La firma de los acuerdos de Ciudad Juárez supuso el desistimiento por parte de Madero de la imposición revolucionaria de sus reivindicaciones del plan de San Luis y su sometimiento a la legalidad vigente, que era la de la dictadura. La

tarea contrarrevolucionaria del gobierno interino habría de comenzar muy pronto.

Era lógico que De la Barra aprovechara todas las ventajas que Madero le brindó para socavar los cimientos de la Revolución. Para sus fines contó con la ayuda y la complicidad de la antigua prensa gobiernista, que, envalentonada por la debilidad revolucionaria, aumentaba su atrevimiento condenando las ideas, los postulados que la Revolución defendía, de la misma manera que deformaba los acontecimientos que en el país se desarrollaban, haciendo aparecer a los jefes populares como simples facinerosos y asesinos. Caso típico de esta situación fue el de Emiliano Zapata y el estado de Morelos,

---

[42] John Womack, *Zapata*, pp. 102 y 142.

en donde los hacendados no cesaron de intrigar en contra del jefe suriano.

El principal objetivo de Madero, como político, era transformar a México en un país democrático (favorable a la intervención del pueblo en el gobierno, elecciones libres de los gobernantes del poder ejecutivo, legislativo y judicial) basado en leyes y no en caudillos. Madero anhelaba un cambio sin violencia.

En la toma de Ciudad Juárez perdonó la vida al comandante porfirista vencido, el general Juan Navarro —el cual antes de su derrota había ordenado que se pasara a bayoneta calada a todos los presos maderistas— , justificando su decisión en la avanzada edad de Navarro, lo que le acarrearía sus primeras desavenencias con Orozco y Villa. Tras una dramática escena, en la que Orozco sacó su pistola, Madero consiguió salirse con la suya y liberar a Navarro.

Pronto surgió un nuevo conflicto para Madero. Esta vez con un antiguo partidario suyo, Francisco Vázquez Gómez, quien pretendía la vicepresidencia; se propuso conseguir la liquidación del Partido Antirreeleccionista y su sustitución por el nuevo Partido Constitucional Progresista. Pese a sus afanes, 1.500 delegados del nuevo partido ungieron, a instancias del propio Madero, al periodista yucateco José María Pino Suárez como candidato a la vicepresidencia, compañero de fórmula de Madero, convirtiendo a este partido en una suerte de partido semioficial. Esto provocó graves rencillas en el interior del antirreeleccionismo con los hermanos Vázquez Gómez denunciando el nombramiento como una imposición de Madero.

La inminencia de los comicios electorales pronto desató las ambiciones políticas de otras figuras. No en vano, Bernardo Reyes regresó a México y lanzó su candidatura ese mismo verano. El general era visto por las fuerzas conservadoras como un guardián de la paz y la pro-

piedad, y único capacitado para restaurar el orden. Reyes pidió el aplazamiento de las elecciones, petición que le fue denegada por el Congreso, por lo que Reyes renunció a su candidatura y abandonó el país.

Por un breve tiempo Reyes se estableció en Texas y planeó una insurrección con sus seguidores. Las autoridades norteamericanas le acusaron de violaciones a la Ley de Neutralidad de ese país, confiscaron las armas acopiadas por su grupo y encarcelaron a los sediciosos. Reyes se las arreglaría para salir libre bajo fianza, cruzar la frontera y comenzar de modo precipitado la revuelta. Muy poco tiempo después, durante la Navidad de ese año, fue sorprendido y arrestado por un destacamento de rurales en las afueras de Linares, Nuevo León.

Encontrándose a la intemperie, muchos de los más destacados científicos se afiliaron entonces al recién fundado Partido Católico Nacional, fundado en mayo de 1911, organización que postuló a De la Barra como candidato a la vicepresidencia. El Partido Católico Nacional, cuyo jefe nato era De la Barra, aprobó la candidatura de Francisco I. Madero para la presidencia de la Republica y la de Francisco León de la Barra para la vicepresidencia.

Se dio así el caso más insólito en la historia del mundo de que las formulas electorales de dos bandos de ideologías políticas diametralmente opuestas coincidieran en la candidatura presidencial, radicando en la vicepresidencia las diferencias de tales ideologías.

Madero hizo su entrada triunfal en Ciudad de México el 7 de junio de 1911, después de un violento seísmo en el que los porfiristas y hacendados quisieron ver un presagio negativo contra el «apóstol de la democracia», convertido para entonces en un auténtico ídolo de masas. Aquélla fue probablemente la recepción más grande que la capital había presenciado desde la que se le tributó al ejército insurgente, noventa años antes. Madero tenía entonces treinta y siete años de edad.

Francisco León de la Barra, un conservador del antiguo régimen, asumió el cargo de presidente interino; cargo desde el cual rápidamente maniobró para neutralizar las ideas más radicales de la Revolución y minar al régimen maderista antes de que éste asumiera el poder. Su mayor éxito en esa dirección fue enemistar a Zapata con Madero.

El interinato supuso un fuerte desgaste político para Madero, quien para todo propósito práctico abdicó de su legitimidad revolucionaria en aras de una supuesta legalidad constitucional. El antiguo régimen llenó el vacío, aprovechó el interludio ofrecido y congregó sus fuerzas para revertir la Revolución. La presidencia provisional de León de la Barra no pudo ser una restauración propiamente, pero sirvió para provocar nuevas discordias entre los revolucionarios. Unos porque vieron frustrado su acceso al poder; otros porque consideraban que pactar era liquidar la Revolución; muchos porque sucumbieron a las intrigas que desde el poder se urdían para dividir al movimiento, los hombres del antiguo régimen. Madero, de modo inconsciente, colaboró con tales afanes al mantener intactas tanto a la burocracia como a la oficialidad militar del antiguo régimen, lo que poco tiempo después habría de costarle no sólo la investidura presidencial, sino la propia vida.

El Congreso convocó a unas nuevas elecciones en octubre de 1911, en las que Madero y su compañero de fórmula, José María Pino Suárez, resultaron electos como presidente y vicepresidente, respectivamente. El binomio Madero-Pino Suárez obtendría el 53 por ciento de los votos frente a cuatro fórmulas alternativas, dentro de los comicios probablemente más pacíficos y limpios dentro de la historia de

Francisco León de la Barra.

México. Se trataba, todavía, de unas elecciones indirectas, en las que un número reducido de electores debían elegir la fórmula ganadora. Madero obtuvo un 98 por ciento de los sufragios. Pino Suárez obtuvo un 53 por ciento de los votos, frente al 29 por ciento de León de la Barra y el 17 de Vázquez Gómez.

La presidencia de Madero. 1911-1913

El 6 de noviembre de 1911 Madero tomó posesión de su cargo para un periodo de cinco años, con el reconocimiento diplomático de Estados Unidos y las principales potencias europeas. La nueva Administración heredó no sólo la disidencia política engendrada por el gobierno de De la Barra, sino que rápida y sistemáticamente pareció cultivar una propia.

Los obreros industriales comenzaron a organizar los primeros sindicatos. Lejos de reprimir tales impulsos, Madero dispuso crear un Departamento del Trabajo, dependiente del Ministerio de Obras Públicas, y obtuvo del Congreso nuevos reglamentos de seguridad laboral para los mineros[43].

El 3 de junio de 1912 Madero decretó el primer impuesto mexicano sobre la producción petrolera, de 20 centavos por tonelada producida o 0,015 dólares por barril. Las compañías petroleras, reclamaron airadas ante el nuevo impuesto, al que calificaron de «confiscación». Como respuesta, Taft envió nuevamente buques de guerra norteamericanos a las costas mexicanas del Golfo y del Pacífico, como medida de intimidación, mientras que en septiembre el Departamento de Estado norteamericano exigió al gobierno de Madero que garantizase la ley y el orden en su territorio o que Estados Unidos habría de considerar medidas para hacer frente a la situación.

Los intentos gubernamentales por desmovilizar a las tropas provocaron también un fuerte malestar de parte de los revolucionarios, que seguían considerando al ejército federal como enemigo. A comienzos de 1912, el descontento de los líderes revolucionarios populares era generalizado y parecía inminente un nuevo levantamiento.

A mediados de enero, Orozco arribó a la capital para entrevistarse con Madero. Aparentemente, después de esa reunión rompieron relaciones. La familia Terrazas, descontenta con la subida de impuestos decretada por el gobernador Abrahán González, entró en contacto con un Pascual Orozco resentido y le azuzó a rebelarse contra Madero, proporcionándole asimismo los medios financieros para que lo hiciera. Al parecer, el magnate del periodismo norteamericano William Randolph Hearst (1863-1951),

con fuertes intereses e importantes propiedades en la región, también participó en el financiamiento de la revuelta, y en general ganaderos de la región de Chihuahua.

En marzo de 1912, estalló la rebelión orozquista que llegó a dominar Chihuahua y amenazó con avanzar sobre Ciudad de México. Los insurrectos exigían la destitución de Madero y Pino Suárez, la puesta en ejecución de las reformas políticas, así como reivindicaciones de carácter social: supresión de las tiendas de raya, aumentos salariales, mejora de las condiciones laborales de los trabajadores, nacionalización de ferrocarriles. El 23 una fuerza de 8.000 orozquistas hizo pedazos una expedición del ejército federal al sur de Chihuahua y se encontró a las puertas de la estratégica ciudad de Torreón, nudo ferroviario del país. El movimiento orozquista hizo de la cuestión agraria su prioridad[44].

En Parral, Pancho Villa y 500 hombres leales a Madero hicieron frente al levantamiento orozquista. El 14 de marzo, un embargo norteamericano de armas decretado por el gobierno de Taft privó de pertrechos a los sublevados. Crecientemente cercada y sin fuentes de aprovisionamiento, la rebelión orozquista se encaminaba al fracaso. Finalmente, una fuerza militar conjunta, comandada por Victoriano Huerta (1854-1916)[45] y Villa lo derrotó sin mayor trámite el 23 de mayo al sur de Chihuahua.

Pese a sus muchas y nobles virtudes, Madero padecía de una completa falta de experiencia política real y un optimismo desmesurado. Su ingenuidad y candor pronto abrieron una brecha insal-

---

[43] Enrique Krauze, *Madero. Místico de la libertad*. Biografía del poder. México, Fondo de Cultura Económica/SARH, 1987.

[44] Michael C. Meyer, *op.cit.*

[45] General mexicano, nacido en Colotán, Jalisco. Miembro prominente del ejército porfiriano,

adquirió sus galones en las campañas contra los mayas de Yucatán y enfrentado a los zapatistas en Morelos. Después de que Díaz partiera hacia el exilio, Huerta juró lealtad al nuevo presidente, Francisco I. Madero.

vable con respecto a sus antiguos aliados, en particular con Emiliano Zapata, el cual sentía que Madero no estaba impulsando la reforma agraria con la necesaria determinación y premura.

Madero fue elegido presidente, pero tuvo que afrontar la temprana oposición de Emiliano Zapata, quien no quiso esperar la puesta en marcha de una reforma agraria gradual y ordenada. Cuando Madero resultó electo presidente, pidió que se desarmaran los ejércitos zapatistas, por lo que a cambio Emiliano Zapata le pidió que devolviera las tierras quitadas a los campesinos durante el porfiriato.

Madero realizó un viaje a Cuernavaca con la idea de cambiar al entonces gobernador, Pablo Escandón, acuerdo al que se había comprometido con Zapata, pero que motivó una campaña en contra del llamado «Caudillo del Sur» por parte de las fuerzas intactas del antiguo régimen, a quien hicieron aparecer como un bandido y rebelde, «El Atila del Sur». La vecindad del estado de Morelos con la capital del país agudizaba los temores de las clases acomodadas.

Zapata inició el licenciamiento de sus tropas, pero las acusaciones en su contra siguieron en la Ciudad de México, por lo que se trasladó para hablar con Madero y pedirle de inmediato la restitución de las tierras, la destitución del gobernador y el retiro de las tropas federales, a cambio de retirarse a la vida privada.

Sin embargo, las tropas federales siguieron avanzando, por órdenes de Huerta, por lo que Zapata mandó un mensaje a Madero, diciéndole que sentía que, en lugar de apoyar la revolución, se estaba entregando a sus enemigos. Zapata perdió la confianza en Madero, mientras que sus lugartenientes le sugerían que le hiciera apresar. Lejos de ello, pidió a Madero que abandonara Morelos y les dejara arreglar solos sus asuntos y se dedicó a formular su propio programa de reforma agraria, conocido bajo el nombre de Plan de Ayala, que pretendía redistribuir la tierra entre los campesinos. Aquí la idea central no era la restitución de la legalidad sino la de la justicia sustantiva: un pueblo dueño sólo «del terreno que pisa» debería serlo también de toda la tierra que necesitase para su sustento. En Morelos, Madero enfureció a los líderes zapatistas al notificarles que las reclamaciones de los poblados contra las haciendas tendrían que esperar a que «se estudiase la cuestión agraria».

El plan de Ayala

Reanudadas las hostilidades, el jefe suriano no tuvo ya nada más que esperar y dio a conocer, el 28 de noviembre de 1911, su célebre Plan de Ayala, el histórico documento que serviría de base agraria a la Revolución y que, en sus artículos 6, 7, 8 y 9 declaraba:

«Como parte adicional del plan que invocamos, hacemos constar: que los terrenos, montes y aguas que hayan usurpado los hacendados, científicos o caciques a la sombra de la tiranía y la justicia venal entrarán en posesión de estos bienes inmuebles y, desde luego, los pueblos y ciudadanos que tengan sus títulos correspondientes a esas propiedades, de las cuales han sido despojados, por la mala fe de nuestros opresores, manteniendo a todo trance, con las armas en la mano, la mencionada posesión, y los usurpadores que se consideren con derecho a ellos lo deducirán ante tribunales especiales que se establezcan al triunfo de la Revolución.

En virtud de que la inmensa mayoría de los pueblos y ciudadanos mexicanos no son más dueños que del terreno que pisan, sufriendo los horrores de la miseria, sin poder mejorar en nada su condición social, ni poder dedicarse a la industria o a la agricultura, por estar monopolizadas por unas cuantos manos las tierras, montes y aguas, por esta causa se expropiarán previa indemnización de la tercera parte de estos monopolios, a los poderosos propietarios de ellas, a fin de que los pueblos y ciudadanos de México obtengan ejidos, colonias, fundos legales para pueblos y campos de sembradura y de labor, y que se mejore en todo y para todo la falta de prosperidad y bienestar de los mexicanos.

A los hacendados, científicos o caciques que se opongan directa o indirectamente a este Plan, se les nacionalizarán sus bienes y las dos terceras partes que a ellos les correspondan, se destinarán para indemnizaciones de Guerra, pensiones para las viudas y huérfanos de las víctimas que sucumban en la lucha por este plan.

Para ajustar los procedimientos respecto a los bienes antes mencionados, se aplicarán leyes de desamortización y nacionalización, según convenga, pues de norma y ejemplo pueden servir las puestas en vigor por Juárez a los bienes de los eclesiásticos, que escarmentaron a los déspotas y conservadores que en todo tiempo han pretendido imponernos el yugo ignominioso de la opresión y el retroceso.»

Bastante moderado era el Plan de Ayala pero daba al fin, al nuevo movimiento armado, características agrarias bien definidas. En su parte política, el plan cuestionaba la autoridad presidencial y se llamaba a un cambio en el gobierno:

Plan de Ayala de noviembre de 1911. 2.º. Se desconoce como jefe de la Revolución al señor Francisco I. Madero y como presidente de la República por las razones que antes se expresan, procurándose el derrocamiento de este funcionario. 3.º. Se reconoce como jefe de la Revolución Libertadora al C. general

Pascual Orozco, segundo del caudillo, don Francisco I. Madero, y en caso de que no acepte este delicado puesto se reconocerá como jefe de la Revolución al C. general don Emiliano Zapata[46].

Se ha estudiado poco la relación entre Orozco y Zapata, aunque resulte imposible aceptar la contención de que no existía la menor relación entre uno y otro; una corriente de simpatía entre ambos fue evidente, cuando Zapata expuso su Plan de Ayala, Orozco figuró de manera prominente en él. Es probable que ambos caudillos jamás se hayan encontrado.

Cuando De la Barra llegó al fin de su administración, los objetivos reaccionarios con los cuales se hallaba plenamente identificado se habían cumplido en su mayoría. No sólo Emiliano Zapata se había levantado en armas, sino que en varias regiones del país se combatía también. En Sonora, en San Luis Potosí, en Jalisco, en Tamaulipas, en Oaxaca, en Durango y en otras entidades federativas campeaban grupos armados en rebelión. Al mismo tiempo, la autoridad del jefe de la Revolución había decrecido de manera notable.

La presidencia de Madero llevó a cabo una reapertura del sistema político mexicano sobre una base más amplia y profunda que la experiencia previa durante la República restaurada. Legalizó la libertad de prensa, los derechos sindicales y de huelga y, mediante una nueva ley electoral, introdujo el voto universal y directo por vez primera en México.

En 1910 Madero había obtenido su legitimidad revolucionaria de su empuje y determinación como precursor e iniciador del movimiento armado y de representar a todos aquellos que buscaban derrocar al dictador. Sin embargo, para 1913, una vez depuesto el enemigo,

---

[46] Manuel González Ramírez (editor), *ob., cit.*

Madero perdió buena parte del enorme apoyo del que alguna vez había gozado. Su impopularidad se debió en gran parte a que, cuando ascendió a la Presidencia, generó muchas expectativas entre los revolucionarios más radicales, de campesinos y de obreros en torno a las medidas que tomaría su gobierno.

La posición moderada y conciliadora que Madero adoptó con respecto a los porfiristas desalentó a quienes esperaban que la Revolución trajera consigo transformaciones más radicales y directas. Muchos revolucionarios se sintieron defraudados e incluso traicionados por Madero y le declararon la guerra (como Emiliano Zapata mediante el Plan de Ayala)[47].

Durante los quince meses que duró su gobierno, Madero afrontó múltiples desafíos: rebeliones armadas, huelgas, conspiraciones e intrigas contrarrevolucionarias.

Hubo otra clase de sublevaciones contra Madero, esta vez de parte de la contrarrevolución, que buscaba restaurar el antiguo régimen: Bernardo Reyes, ministro de la Guerra durante el porfiriato, y Félix Díaz (1868-1945), sobrino de Porfirio Díaz, concertaron lo que se pretendía fuera un termidor a la mexicana. El 16 de octubre de ese año Díaz, se levantó en armas en Veracruz, a la cabeza de un programa restaurador. El gobierno movilizó una fuerza que recuperó el puerto y tomó prisionero a Díaz el 23 de octubre de 1912. Sometido a un consejo de guerra, se le condenó a muerte; no obstante, el presidente Madero le conmutó esa pena por la reclusión perpetua en la Penitenciaría de México. Ambas rebeliones fracasaron y Madero hizo encarcelar a los rebeldes, perdonándoles, no obstante, la vida, gesto muy poco común en esa época y condiciones.

Además de los levantamientos, la prensa de oposición atacó constantemente al presidente e influyó de manera decisiva en incitar la desconfianza de la opinión pública hacia el nuevo régimen. También se opusieron al gobierno los senadores, los terratenientes y los intereses extranjeros. El maderismo no agradaba a los intereses económicos de los Estados Unidos y a lo largo de 1912 el presidente, William Taft, a través de su embajador, Henry Lane Wilson, amenazó y atacó al gobierno de Madero por diferentes medios.

Así, cuando el 9 de febrero de 1913 la Escuela Militar de Aspirantes de Tlalpan y la tropa del cuartel de Tacubaya se amotinaron contra el gobierno, no se tomó la noticia con demasiada sorpresa. La Ciudad de México había permanecido hasta entonces ajena al fragor bélico y, por primera vez durante la contienda, hubo de padecer la muerte de civiles en sus calles, los gritos de los heridos, el retumbar de cañones y la lluvia de balas de ametralladoras. Siete días de cañoneo incesante y de escaramuzas habían transformado el centro de la ciudad y las aledañas colonias o barrios de Juárez y Cuauhtémoc en zona de demolición, en medio de caballos destripados, montones de cascajo y cadáveres todavía humeantes de metralla.

Una de las primeras medidas de los sublevados, al mando de los generales porfiristas Gregorio Ruiz y Manuel Mondragón, fue liberar de su cautiverio a Félix Díaz y Bernardo Reyes. Los sediciosos se dirigieron entonces al Palacio Nacional, sede del gobierno, mas no residencia oficial del presidente, defendido por el general Lauro Villar, que había permanecido leal al gobierno.

En uno de los primeros combates murió Bernardo Reyes, mientras que Díaz y Mondragón tuvieron que recular y

[47] Allan Knight, *ob.cit*. Vol. I.

guarecerse en el cuartel de La Ciudadela, un antiguo arsenal al poniente del Zócalo. Mientras tanto, avisado de los acontecimientos, el presidente Madero salió de su residencia del Castillo de Chapultepec rumbo al Palacio Nacional, escoltado por cadetes del Colegio Militar y en compañía de algunos secretarios de Estado y amigos, dentro de lo que pasó a conocerse como «Marcha de la Lealtad».

Durante un descanso que hizo frente al Teatro de Bellas Artes, el presidente cometió un error lamentable: nombró comandante militar de la plaza a Victoriano Huerta, en sustitución del general Villar, que había caído gravemente herido durante la refriega. Al llegar a palacio, Madero organizó la defensa, mandó llamar a varios cuerpos militares (de Tlalpan, de San Juan Teotihuacán, de Chalco, de Toluca) y el propio presidente decidió ir a Cuernavaca a traer al general Felipe Ángeles[48] (1868-1919) y sus fuerzas.

Huerta, por su parte, perdía tiempo adrede en detrimento del gobierno, pues había entrado en tratos con los sublevados y se había sumado a la conspiración. El 11 de febrero las tropas gubernamentales iniciaron el asalto contra la Ciudadela mediante cargas masivas de artillería y fallidos asaltos de infantería. Al cabo de la jornada se contaron 500 muertos, entre ellos incontables civiles. La Ciudadela parecía inexpugnable. Los cadáveres y la basura se amontonaban por las calles, los alimentos comenzaron a escasear.

El pacto de la embajada

Tras muchas vacilaciones, la tarde del 16 de febrero de 1913, Huerta decidió finalmente pasarse al lado de los rebeldes. Un día más tarde, Gustavo A. Madero, hermano del presidente, quien había descubierto por azar que Huerta había entrado en conversaciones con Díaz, lo hizo arrestar y conducirlo ante Madero. Según tal versión, Huerta protesta inocencia y lealtad, mientras promete capturar a Díaz en «menos de veinticuatro horas». Madero libera entonces a Huerta y le concede dicho plazo para comprobar su lealtad. Antes de ese término, Madero y el vicepresidente, José María Pino Suárez, fueron hechos prisioneros por el general Aureliano Blanquet (1848-1918), tras un tiroteo dentro de Palacio.

Antes de ser prendido Madero abofetea a su captor y le increpa: «Es usted un traidor.» A lo que Blanquet respondió: «Sí, soy un traidor.» Al mismo tiempo, Huerta invitó a Gustavo a comer en el restaurante Gambrinus; una vez allí, le tiende una celada, lo desarma y lo hace apresar. Acto seguido, Gustavo A. Madero es conducido a la Ciudadela, donde fue asesinado por una turba de soldados.

En medio de tales acontecimientos, el embajador Lane Wilson intrigaba en contra del gobierno de Madero, propagando rumores de que sólo con la renuncia de Madero se podría evitar una intervención armada de los Estados Unidos en México.

---

[48] General mexicano nacido en Zacuatipán, Hidalgo. Egresado del Colegio Militar, tuvo una destacada carrera dentro de las filas del ejército porfirista. En 1908 viajó a Francia, becado por el gobierno de Díaz, para estudiar técnicas contemporáneas de artillería. Allí le sorprendió el estallido de la Revolución. Su petición de regresar a México fue rechazada, por lo que no participó en la fase maderista de la Revolución. En 1911 el gobierno francés le concedió la Orden de Caballero de la Legión de Honor. Regresó a México en enero de 1912. Se encontró con el nuevo presidente, Madero, quien le hizo nombrar director del Colegio Militar. Ascendido a general brigadier, fue enviado por Madero a hacerse cargo de la Séptima Zona Militar y combatir a Zapata. En Morelos, Ángeles cambió las tácticas de tierra arrasada y ofreció una amnistía a los zapatistas. Aunque tales medidas no acabaron con la rebelión, sí contribuyeron a reducir el nivel de violencia que se había desatado en el Sur.

El papel de Lane Wilson durante este episodio fue, en el mejor de los casos, ambiguo: el embajador norteamericano hacía también pública ostentación ante miembros del cuerpo diplomático de conocer en detalle los proyectos de conspiración de Huerta y notificó al Departamento de Estado norteamericano que los rebeldes habían aprehendido al presidente y vicepresidente hora y media antes de que esto hubiera ocurrido.

Cuando finalmente Madero y Pino Suárez fueron hechos prisioneros, Wilson ofreció a Huerta y a Díaz el edificio de la embajada norteamericana para que llegaran a acuerdos finales, en lo que pasó a conocerse como el Pacto de la Embajada. Dentro de la historiografía oficial de la Revolución Mexicana y de la imaginación popular acabó por representar al mal extranjero, pérfido e intrigante[49].

En este pacto se desconocía al gobierno de Madero y se establecía que Huerta asumiría la presidencia provisional antes de setenta y dos horas, al frente de un gabinete integrado por reyistas y felicistas; que Félix Díaz no tendría ningún cargo público a fin de poder contender en las elecciones que habrían de convocarse, según tal acomodo; que notificarían a los gobiernos extranjeros el cese del ejecutivo anterior y el fin de las hostilidades.

Al Pacto de la Embajada siguió la brutal tortura y asesinato de Gustavo A. Madero, hermano del presidente. A continuación se presentaron las renuncias del presidente y vicepresidente ante un congreso reunido en sesión extraordinaria. Éste nombró presidente a Pedro Lascuráin, ministro de Relaciones Exteriores con Madero, quien a su vez renunció y nombró presidente a Victoriano Huerta. Desde su aprehensión, Madero y Pino Suárez permanecieron en el Palacio Nacional, esperando en vano un tren que los conduciría al puerto de Veracruz, de donde se embarcarían a Cuba, al exilio.

De nada servirían las gestiones de sus familiares y amigos, los ministros de Cuba, Chile y Japón, ante Lane Wilson para que hiciera valer la influencia que tenía sobre Huerta, ya que el embajador les respondió que él, como diplomático, «no podía interferir en los asuntos internos de México»[50].

Fin de la decena trágica

El general Blanquet dio órdenes, confirmadas por Huerta y Mondragón, para que la noche del 22 de febrero Madero y Pino Suárez fueran trasladados a la penitenciaría de Lecumberri. En el trayecto se simuló una tentativa de rescate por parte de simpatizantes maderistas y los prisioneros fueron asesinados a sangre fría. Su asesinato puso fin al intento de establecer la democracia política en México.

A su caída contribuyeron oficiales del ejército federal incorporados a la Revolución, los «científicos» exiliados y los remanentes del antiguo régimen. Madero se derrumbó también —en forma por demás irónica— ante su propio celo democrático y sobre todo ante una irrestricta libertad de prensa, que él, como pocos, había contribuido a construir y a establecer. Su hermano Gustavo resumió magistralmente tal actitud al afirmar de la prensa mexicana: «los periodistas

[49] Véase, por ejemplo, Ramón Prida, *La culpa de Lane Wilson, embajador de los EE.UU. en la tragedia mexicana de 1913*. México, Editorial Botas, 1962; Luis Manuel Rojas, *La culpa de Henry Lane Wilson en el gran desastre de México*. México, La Verdad, 1928, o Rudolph Stone, Rangel, *Henry Lane Wilson and the fall of Francisco I. Madero*. Washington D.C., American University 1971.

[50] Manuel Márquez Sterling, *Los últimos días del presidente Madero*. México, Instituto Nacional de Estudios Históricos de la Revolución Mexicana, 1985.

muerden la mano de quien les quitó el bozal». En efecto, los periodistas mexicanos, antaño obsecuentes y serviles en su trato con la dictadura de Díaz, dieron rienda suelta al vitriolo y a la ridiculización con una zafiedad y una saña digna de mejor causa, pocas veces vista, antes y después.

El embajador de los Estados Unidos en México, Henry Lane Wilson (1859-1932), estuvo implicado en la conspiración —El Pacto de la Ciudadela— que desembocó en el golpe de Estado de febrero de 1913 —último en la historia mexicana— que derrocó a Madero e instaló en el poder al general Huerta. En realidad, Madero había dilapidado su inmensa popularidad al mostrarse incapaz de contener la Revolución que había aplazado en Ciudad Juárez.

La ciudad se despertó con la noticia de que habían depuesto y asesinado a Madero, y aunque la primera reacción fue de indignación, la mayoría de los habitantes de la capital se alegraron del cese de hostilidades, se lanzaron jubilosos a las calles, adornaron las fachadas de sus casas y, en unión de la prensa, ensalzaron a los vencedores y condenaron a los caídos. La tranquilidad había vuelto a la Ciudad de México.

La alta burguesía, integrada por terratenientes, banqueros, comerciantes e industriales, vio el fin de aquellos días de horror con beneplácito, como la mayoría de la gente, y con la confianza de que el nuevo gobierno restablecería las condiciones políticas, sociales y económicas en las que habían prosperado.

La dictadura de Huerta, 1913-1914

Para dar una apariencia de legalidad a su asunción al cargo de ejecutivo, Huerta renunció y traspasó, de acuerdo con lo estipulado por la Constitución de 1857, la presidencia a su ministro de Relaciones Exteriores, Pedro Lascuráin, (1856-1952). Sólo tres cuartos de hora después, Lascurain haría lo mismo, renunciando y transfiriendo de nueva cuenta la presidencia a Huerta, en lo que sin lugar a dudas debió ser la presidencia más breve en la historia mundial.

Las clases acomodadas albergaban la esperanza de que el régimen de Huerta representase una vuelta sin sobresaltos al porfiriato[51]. Huerta, un notorio maníaco y ávido consumidor de narcóticos, fue bautizado popularmente como *La Cucaracha*, mote que dio origen a la celebérrima canción del mismo nombre.

En un principio, el régimen de Huerta fue bien recibido con beneplácito por las grandes potencias, ya que el gabinete estaba compuesto por hombres «respetables» de capacidad y talento demostrados y ofrecía seguridades de que las inversiones extranjeras no habrían de ser afectadas. No obstante, el origen espurio del régimen y la personalidad de su principal líder pronto pusieron en entredicho tales esperanzas.

Sin embargo, pronto vieron que este gobierno no era lo que esperaban. Victoriano Huerta se instaló en el Palacio Nacional el 20 de febrero de 1913 y permaneció en la presidencia diecisiete meses, pues el usurpador se las arregló para disolver la fuerza de Félix Díaz, a quien nombró embajador en Japón para inhabilitarlo para la candidatura presidencial, ya convocada para finales de octubre. Al principio, su régimen fue recibido con beneplácito por las grandes potencias, con la excepción hecha de Estados Unidos, donde Woodrow Wilson (1856-1924) acababa de asumir la presidencia.

---

[51] Alan Knight , *ob.cit.*, Vol. II, p. 564.

Victoriano Huerta.

Desde 1910 la rivalidad de los intereses norteamericanos y británicos en México se había agudizado, principalmente en materia petrolera. El nuevo gobierno de Woodrow Wilson consideraba al golpe una contrarrevolución de los científicos favorable a los intereses británicos. Gran Bretaña reconoció al régimen de Huerta el 31 de marzo de 1913 y otros gobiernos europeos siguieron pronto el ejemplo. Frente a esta maniobra, Wilson optó por denegar el reconocimiento oficial de su país al gobierno de Huerta.

Pese a las condiciones adversas, el nuevo gobierno logró superar su debut. Uno de los primeros actos de su gobierno fue promulgar una ley de amnistía que ofrecía inmunidad total a los insurrectos que depusieran las armas en un término de dos semanas. Varios rebeldes se acogieron a ésta.

El más prominente entre ellos fue, sin duda, Pascual Orozco, en Chihuahua. Algún jefe zapatista, y algún que otro cabecilla en la importante región algodonera de La Laguna, en Coahuila se acogieron a ella a cambio de prebendas y cargos para ellos, y su gente dentro del nuevo gobierno optó por la amnistía. Muchos consideraban que Madero había sido el peor de sus enemigos. En el sur, los generales agraristas Zapata y Genovevo de la O se negaron a aceptar las componendas ofrecidas y continuaron su guerra de guerrillas en pos de la recuperación de tierras para sus poblados.

Acto seguido, el nuevo hombre fuerte exigió lealtad a los gobernadores de las provincias al nuevo régimen que encabezaba. Algunos lo hicieron con entusiasmo, otros guardaron las apariencias. Los de clara filiación maderista, como Rafael Cepeda, gobernador de San Luis Potosí, o Alberto Fuentes de Aguascalientes, fueron depuestos, encarcelados y reemplazados por gobernadores militares. En general, se dio una abjuración en masa del maderismo. Muchos de sus antiguos aliados temieron correr la misma suerte que su antiguo jefe.

La oposición a la usurpación huertista

Sólo tres estados, Sonora, Chihuahua y Coahuila —los tres fronterizos—, rechazaron frontalmente la usurpación y los asesinatos. El asesinato del gobernador de Chihuahua, Abrahán González, despojó a la rebelión de un liderazgo organizado, pero obtuvo a cambio uno de corte popular con Pancho Villa y sus huestes. Debe recalcarse que los tres estados eran progresistas, industriosos, contaban con una amplia clase media, gozaban de un extenso alfabetismo y eran, por ende, radicalmente distintos al México tradicional, indígena, colonial y católico del centro y sur del país. Su lejanía geográfica con respecto a la capital del país les confería también una mayor autonomía, al tiempo que su colindancia con la frontera facilitaba enormemente el contrabando de armas desde Estados Unidos. Por tanto, no es extraño que hayan encabezado la resistencia, a nivel nacional, a la usurpación desde el principio mismo del movimiento armado.

Pronto surgió un nuevo liderazgo revolucionario en pie de lucha contra el huertismo, encabezado por el gobernador de Coahuila, Venustiano Carranza (1859-1920), el cual se declaró en rebeldía contra el gobierno contrarrevolucionario de Huerta, por medio del denominado Plan de Guadalupe del 26 de marzo de 1913. Carranza era otro miembro de la elite mexicana. Había llegado a ser senador durante el régimen de Díaz y más tarde había coqueteado con el reyismo. Era un terrateniente rico de Coahuila que se había unido de manera circunstancial al antirreeleccionismo a la partida de Reyes y fue premiado por Madero en 1911 al nombrarlo gobernador de su estado. Más allá de su rechazo a Huerta, el Plan no ofrecía gran cosa, mucho menos en materia de reforma social y económica, o el menor atisbo de ideología.

Se trataba de un manifiesto de carácter eminentemente defensivo y conservador, y quizá, incluso, deliberadamente ambiguo. Se limitaba a desconocer a Huerta, a los poderes legislativo y judicial, así como a los gobernadores que se habían adherido a la asonada. La declaración preconizaba la vuelta al orden constitucional y concedía a Carranza plenos poderes, mediante el anticonstitucional nombramiento de «primer jefe del Ejército Constitucionalista», con la facultad de asumir la presidencia provisional y convocar a nuevas elecciones federales, una vez consumada la pacificación del país[52].

El autoproclamado ejército constitucionalista era bastante reducido —no pasaba del millar de efectivos—, su oficial de más alta graduación era un general veracruzano, Cándido Aguilar, y estaba compuesto exclusivamente por milicias locales del estado de Coahuila al mando de Jesús Carranza y Pablo González, hermano y primo, respectivamente, del nuevo caudillo.

Tal vez fue precisamente su falta de definición lo que permitió al plan ser factor aglutinante de todas las fuerzas, desde las urbanas a las rurales, pasando desde los liberales a los agraristas, las clases medias y al lumpenproletariado descontentos con el golpe. En un principio Carranza exhibió una calculada ambigüedad respecto a la asonada, tal vez para ganar tiempo y preparar sus fuerzas.

En Sonora, Carranza encontró un poderoso aliado en el gobernador interino Ignacio Pesqueira, quien sustituía en el cargo al general José María Maytorena (1882-1946). Éste encabezaba, al menos nominalmente, un grupo compacto compuesto por funcionarios y militares estatales, que habían desarrollado una fuerte camaradería y un alto sentido de la disciplina política y militar. Entre ellos cabe destacar a muchos que con posterioridad se encumbrarían al nivel de figuras nacionales. Por ejemplo, Álvaro Obregón, quien al triunfar el maderismo fue nombrado alcalde del puerto de Huatabampo, en la desembocadura del río Mayo, aun cuando ni siquiera había participado en el movimiento de 1910. Plutarco Elías Calles (1877-1945), jefe de policía en la población fronteriza de Agua Prieta; Benjamín Hill (1874-

[52] Alan Knight, *ob. cit.,* Vol. II, p. 747.

1920)[53], Salvador Alvarado (1880-1924)[54]. Todos ellos desarrollarían carreras políticas meteóricas y destacadas al amparo de las armas, consolidándose al cabo del movimiento revolucionario como la clase política hegemónica en el país durante quince años.

En este caso particular, llevando las cosas a un extremo, sería incluso adecuado hablar de un auténtico enfrentamiento entre dos países radicalmente distintos: el estado de Sonora y el resto de la Federación Mexicana. Una oposición y un choque, en suma, entre mentalidades completamente distintas, e incluso antagónicas[55].

Por otro lado, como comandante de un grupo de irregulares maderistas, Villa se había enemistado con Huerta, el cual,

alegando razones de supuesta disciplina militar —acusándole del robo de un caballo—, le formó consejo de guerra sumario, condenándole a ser fusilado en junio de 1912. Madero conmutó la sentencia y Villa fue encarcelado en la prisión de Santiago Tlatelolco. Allí aprendió a leer, enseñado por el zapatista Gildardo Magaña[56] (1891-1939), y el general Bernardo Reyes le inició en el conocimiento de la historia de México y le transmitió principios de instrucción cívica.

En Navidad de 1912, Villa consiguió escapar de prisión y huyó a Toluca; desde allí viajó en tren al puerto de Manzanillo, donde embarcó para Mazatlán y finalmente atravesó el estado de Sonora hasta llegar a la frontera.

Al desencadenarse la Decena Trágica, Villa cruzó nuevamente la frontera, en

---

[53] Militar y revolucionario mexicano, nacido en Choix, Sinaloa. Hill se unió a la Revolución en 1910, siguiendo la llamada de Francisco I. Madero; por tal razón fue apresado en 1911 en la ciudad de Hermosillo y fue liberado al triunfar la Revolución. En 1912 combatió la rebelión de Pascual Orozco y en 1913, al ocurrir el cuartelazo de Victoriano Huerta, se unió al ejército constitucionalista, en el cuerpo de ejército del noroeste, que llegó a comandar el general Álvaro Obregón, de quien fue importante aliado durante las batallas del Bajío contra las tropas de Francisco Villa; al triunfo de Venustiano Carranza, fue ascendido a general de División. En 1920 fue de los principales adherentes al Plan de Agua Prieta y combatió en la rebelión militar que le siguió y que llevó a la presidencia a Obregón; éste al tomar posesión el 1 de diciembre de 1920 lo designó secretario de Guerra y Marina y casi inmediatamente comenzó a ser visto como «presidenciable» para la siguiente elección, lo que le enfrentó con el secretario de Gobernación, Plutarco Elías Calles; apenas unos días después de su designación, en 1920, Benjamín Hill murió en circunstancias extrañas, después de haber asistido a una comida, por lo que siempre ha quedado la sospecha de haber sido envenenado, crimen del que se ha acusado a Plutarco Elías Calles.

[54] Militar, ideólogo de la Revolución Mexicana y de la reconstrucción del país después del porfiriato. Nacido en la ciudad de Culiacán, Sinaloa, el 16 de septiembre de 1880. En 1906, Salvador Alvarado es nombrado elector en los comicios del Estado

de Sonora, y al entrar en relaciones con mineros inconformes con el régimen se adhiere al Partido Liberal Mexicano, iniciándose de ese modo en actividades antiporfiristas y convirtiéndose en propagador clandestino del ideario político de Ricardo Flores Magón. En 1910, al promoverse la candidatura a la presidencia de la República de don Francisco I. Madero en Sonora, fue uno de los primeros que se afilió al Partido Antirreeleccionista, que era encabezado por el sinaloense Benjamín Hill. A finales de ese año, Salvador Alvarado, en compañía de otros jóvenes revolucionarios idealistas, participó en un frustrado asalto al cuartel militar de Hermosillo. Algunos fueron pasados por las armas y otros, como Salvador Alvarado, escaparon rumbo a Arizona, Estados Unidos.

[55] Héctor, Aguilar Camín, *La frontera nómada. Sonora y la Revolución Mexicana.* México, Siglo XXI, 1977.

[56] Político y revolucionario mexicano, nacido en Zamora, Michoacán. Ingresó en las filas antirreeleccionistas y se incorporó al grupo integrado por Camilo Arriaga, Francisco J. Mújica, Agustín Maciel, José Vasconcelos y otros que tomaron parte activa en el complot de Tacubaya. Concurrió a las juntas maderistas de San Antonio, Texas. En 1912, cuando los latifundistas lanzaron la campaña de desprestigio contra Zapata, Magaña se encontraba desempeñando una comisión en el Norte en defensa de la causa agraria, y fue aprehendido y recluido en la Penitenciaría del Distrito Federal. Gobernador del estado de Michoacán (1936-1939).

marzo de 1913, listo para reintegrarse a la lucha revolucionaria y combatir contra Huerta y Orozco. En esta decisión habría de pesar grandemente no sólo la lealtad guardada por Villa a los ahora difuntos Madero y Abrahán González, sino a la voluntad de ajustar cuentas con Huerta.

Huerta hizo caso omiso del compromiso que había hecho con Félix Díaz de dejarle el camino libre a la presidencia y, lejos de ello, purgó su gabinete de felicistas y aplazó indefinidamente la convocatoria a elecciones para presidente y vicepresidente que se habían convenido en el Pacto de la Embajada. En medio de la purga, Mondragón y León de la Barra tomaron el camino del exilio. A mediados de julio, Huerta desterró a Díaz, enviándolo como «embajador especial» ante el Japón y liberó de su cautiverio a Felipe Ángeles para que se exiliara en Francia. Con el camino desbrozado de oponentes, Huerta instaló rápidamente a sus partidarios incondicionales en el gobierno. Huerta, con pleno control del ejército federal, aumentó el presupuesto militar y el número de efectivos hasta los 85.000.

Al plan se adhirieron pronto los gobernadores maderistas de los estados de Sonora, José María Maytorena, y de Chihuahua, Abrahán González. Este último caería asesinado por fuerzas federales al servicio de Huerta, antes de que pudiera hacer efectiva su adhesión[57]. Sólo en Sonora y Coahuila existía una rebelión organizada. En el resto del país cabría hablar más bien de una ilimitada proliferación del bandolerismo.

México se hallaba ahora sumergido en una sangrienta guerra civil que vería aumentar al ejército federal en más de diez veces su tamaño de lo que había sido al final del porfiriato.

Durante el primer año de la revuelta (febrero de 1913 a febrero de 1914) Estados Unidos negó a los constitucionalistas el *status* de beligerantes, con lo cual se les vedaba el derecho a adquirir armamento, por lo que los insurrectos debieron recurrir al contrabando, que para entonces ya se había convertido en una industria floreciente en la zona fronteriza.

Por parte del gobierno establecido no hubo el menor intento de conciliación. Bajo la dictadura de Huerta los antiguos altos cargos porfiristas fueron restituidos en sus puestos, y con ellos volvieron las políticas del antiguo régimen; las reformas realizadas bajo el gobierno de Madero quedaron sin efecto. La contrarrevolución se había quitado la máscara. Muy pronto tendrían lugar arrestos, persecuciones, ejecuciones y asesinatos políticos. Excesos. Huerta estableció una brutal dictadura militar.

En el verano de ese año, una vez consolidado en el poder, Huerta lanzó su primera ofensiva en contra de los insurrectos del nordeste. El primer encuentro de las fuerzas carrancistas con el ejército federal no auguraba nada bueno: fueron derrotados en una escaramuza. Tras un intento fallido de tomar la ciudad de Saltillo, capital de Coahuila, Carranza estableció brevemente su cuartel general en Monclova, Coahuila.

Las fuerzas federales, engrosadas por Orozco y sus milicias, volvieron a hacerse con el control de las principales poblaciones y vías férreas de la región. A finales de julio dispersaron de manera tan aplastante el ataque de los constitucionalistas contra Torreón que Carranza estuvo cerca de perder el mando supremo. Un mes más tarde, acabaron con las fuerzas del general González y recuperaron el completo control sobre la zona, excepción hecha de las poblaciones fronterizas de Piedras Negras, Coahuila y Matamoros, Tamaulipas.

---

[57] Charles Cumberland, p. 26.

En ese contexto se daría un resurgimiento del zapatismo a finales de 1912. El movimiento agrarista recibió un nuevo impulso cuando las tropas federales abandonaron el estado de Morelos durante la Decena Trágica. En un principio Huerta intentó ganarse la adhesión de los zapatistas. Ante el nulo eco que sus apelaciones tuvieron entre los zapatistas, el dictador impuso la ley marcial en el estado.

Allí, las fuerzas de Huerta al mando del general Juvencio Robles desarrollaron una estrategia contrainsurgente de tierra quemada, incendiando poblados y sembradíos, internando a la población en campos de concentración, practicando ejecuciones sumarias y persiguiendo a las elusivas huestes de Zapata y Genovevo de la O que se dispersaban y huían a los cerros (para aniquilarlas con el apoyo de los hacendados de Morelos). Por su proximidad geográfica directa con Ciudad de México, la rebelión de Morelos provocaba una alarma inusitada entre los habitantes de la capital, atizada por el prejuicio clasista y racista contra las fuerzas de Zapata.

La prensa de la capital propagaba escalofriantes historias acerca los vejámenes y maltratos sufridos por la gente decente a manos de la salvaje horda revolucionaria: profanaciones de templos, saqueos, violaciones de señoritas de alta sociedad, asesinatos, mutilaciones. Para las clases altas, las colonias extranjeras, tales historias eran la prueba última de los horrores de la Revolución y justificación de la política de mano dura de Huerta. Los informes diplomáticos de las legaciones extranjeras reflejaban el sensacionalismo de dichas versiones periodísticas, aumentando la alarma de que pudieran repetirse atrocidades como las cometidas en China durante el levantamiento de los bóxers en 1900, cuando las embajadas occi-

Venustiano Carranza.

dentales en ese país fueron sitiadas durante cerca de dos meses por hordas enfurecidas[58].

Ante la creciente embestida de las fuerzas federales, Carranza tuvo que desplazarse en septiembre en busca de resguardo a Sonora, un bastión del constitucionalismo, para reunirse con los líderes rebeldes de las juntas revolucionarias de Sonora y Sinaloa. Allí fue objeto de una cálida recepción y se encontró un ejército disciplinado y altamente pertrechado, que controlaba toda la entidad, salvo el puerto de Guaymas, Sonora, donde ya tenía arrinconadas a las fuerzas federales. Al ser Carranza el político de mayor prestigio en el país, los revolucionarios sonorenses habrían de otorgarle su reconocimiento como «primer jefe» del Ejército Constitucionalista.

---

[58] Alan Knight, *ob. cit.*, Vol. II, p. 597.

Una vez en territorio sonorense, en un claro afán de dotarse de una nueva legitimidad, Carranza asumió las reivindicaciones sociales de otras facciones revolucionarias, al declarar que a partir de ese momento «debía empezar la lucha social, la lucha de clases, con todo su poder y su grandeza»[59].

Carranza reorganizó el Ejército Constitucionalista y nombró al general Álvaro Obregón comandante en jefe del ejército del noroeste, mientras Pablo González conservaba su cargo como comandante supremo del ejército del nordeste. Asimismo, Carranza anunció la formación de un gobierno provisional, en el que figuraba como ministro de Guerra y Marina el general Felipe Ángeles, recién llegado de su destierro en Francia. Muy pronto, sin embargo, las intrigas de Obregón en su contra, provocadas tal vez por celos y envidias, le obligarían a dimitir de su cargo y pedir su traslado a Chihuahua, donde quedaría bajo las órdenes directas de Pancho Villa.

Por otra parte, Carranza expidió una serie de decretos para poder recaudar impuestos federales y ordenó la incautación de varias propiedades de individuos acusados de huertistas. También acordó la disolución del ejército federal, una vez que triunfase la revolución constitucionalista.

Meses antes, para sufragar su causa, ya había decretado la emisión de billetes sin respaldo, conocidos popularmente como *bilimbiques*. Carranza había optado por financiar la revolución tal como lo habían hecho, en sus respectivas épocas, la Revolución Francesa y la guerra de Secesión norteamericana, emitiendo masivamente billetes. Otros caudillos revolucionarios seguirían muy pronto su ejemplo, lanzando emisiones propias de sus ejércitos y facciones, provocando con ello la más grave dislocación financiera en los anales de la historia mexicana, que incluiría el colapso de la moneda y la catástrofe económica generalizada. De este modo, entre enero de 1913 y diciembre de 1916, el peso mexicano habría de devaluarse de un valor de 49,55 centavos por dólar a 0,0046[60].

Ese mismo mes las dispersas bandas constitucionalistas de Chihuahua, Durango y Zacatecas se habían unido bajo el mando de Pancho Villa, constituyéndose en lo que a partir de entonces pasó a ser conocida como la División del Norte, el ejército más poderoso por entonces existente en México. Menos de un mes más tarde habían obtenido su primera victoria de importancia al conquistar la estratégica plaza de Torreón, Coahuila, que el gobierno de Huerta consideraba barrera primordial en el camino al centro de México, donde se hicieron con importantes pertrechos militares de la guarnición local, así como con cuantiosos fondos y avituallamientos.

El general Felipe Ángeles, un brillante ingeniero militar y matemático, gran maestro de artillería del Colegio Militar México, egresado de la prestigiosa academia de Saint Cyr, en Francia, y antiguo oficial del ejército federal se pasa a las huestes de Villa. No dejaba de ser insólito el hecho de ver al más sofisticado oficial del ejército mexicano aliado con el más brutal guerrillero. Bajo la asesoría de Ángeles, las antaño dispersas gavillas de guerrilleros se habían transformado en una poderosa y disciplinada columna, dotada del más moderno armamento de la época, que ahora incluía artillería pesada y ametralladoras de repetición.

[59] Jesús Carranza Castro, *Origen, destino y legado de Carranza*. México, B. Costa-Amic, 1977, p. 199.

[60] Edwin W. Kemmerer, *Inflation and Revolution. Mexico's Experience of 1912-1917*. Princeton, 1940, pp. 14, 45-46 y 100-101.

Por su parte, las fuerzas del general González atacaron la ciudad de Monterrey en Nuevo León, el 23 de octubre, saldándose la tentativa con un sonado fracaso. Paralelamente, Félix Díaz reapareció tras meses de exilio para presentarse como candidato a las elecciones convocadas para ese mismo mes.

El gobierno huertista se tornaría abiertamente dictatorial a partir del 10 de octubre de 1913, cuando disolvió el Congreso de la Unión y convocó elecciones para formar una nueva Cámara y Senado, coincidentes con las elecciones presidenciales anunciadas. Durante esta dictadura, la vida en la ciudad se militarizó y muchos ciudadanos, maderistas o no, fueron torturados o asesinados. La consecuencia más trascendente del golpe fue acentuar la división política y entre clases[61]. El senador chiapaneco Belisario Domínguez (1863-1913) del Partido Católico fue brutalmente asesinado tras ser torturado por haber pronunciado un vehemente discurso desde la tribuna del Congreso contra el usurpador. Serapio Rendón (1867-1913), diputado federal por el Partido Constitucional Progresista, pronunció también candentes discursos en la Cámara acusando a Huerta de asesino en agosto de 1913, sufriendo similar destino.

El recrudecimiento de la represión provocó incluso la repulsa de los círculos políticos conservadores contra el régimen. Una cosa era cazar zapatistas y *pelados* y muy otra era eliminar a sangre fría a respetables miembros del Congreso. Al conocerse el asesinato del senador Domínguez, la Cámara de Diputados, por voz de José María de la Garza, exigió una explicación oficial enfrentándose al Ejecutivo; además se nombró una comisión investigadora que recabó pruebas y rindió su informe; la Cámara de Diputados exigió garantías con la advertencia que de no obtenerlas se instalaría en otro lugar de la República.

La respuesta de Victoriano Huerta a tal desafío fue el despacho de policías al recinto del Congreso. Pese a la medida, los diputados continuaron sus sesiones; mientras tanto el 29 Batallón de Línea, comandado por el general Blanquet, rodeaba el edificio. La cámara legislativa sostuvo su determinación y entonces el inspector de policía ordenó desalojar el recinto y aprehender a ochenta y cuatro diputados conforme a una lista que llevaba preparada, entre ellos muchos antiguos luchadores antirreeleccionistas. Todos fueron llevados a pie hasta la penitenciaría en medio de dos filas de soldados, mientras escuchaban las aclamaciones del pueblo y los *mueras* al general Huerta. El Senado, al conocer los hechos anteriores y en solidaridad con la Cámara de Diputados, acordó su propia disolución.

El 11 de octubre, el ministro británico Lionel Carden presentó sus cartas credenciales en medio de la nueva asonada que suprimía al poder legislativo en México, con lo cual otorgó su aprobación *de facto* a la nueva subversión del orden constitucional, llevada a cabo por Huerta[62].

A finales de mes, Huerta decretó la ampliación del ejército hasta alcanzar el número de 150.000 efectivos. El 26 de octubre se celebraron elecciones y una mayoría manipulada en un nuevo Congreso domesticado y dominado por diputados católicos lo confirmó como presidente interino, dando la vicepresidencia a Blanquet y la mayoría de los escaños a los candidatos del Partido Católico; pero como tanto Huerta como su ministro de la Guerra estaban impedidos constitu-

---

[61] Alan Knight, *ob. cit.*, Vol. II, p. 564.
[62] Richard V. Salisbury, «Anglo-American Competition in Central America, 1905-1913: The Role of Sir Lionel Carden», en *Diplomacy and Statecraft*, Vol. 13, Number 1, Routledge, marzo del 2001, pp. 75-94.

cionalmente para ocupar cargos electivos, las elecciones fueron declaradas inválidas y Huerta permaneció en su puesto como presidente *provisional*. Huerta convocó nuevas elecciones programadas para el 5 de junio.

El vecino del Norte interviene

Para esas alturas ni siquiera se cuidaban las apariencias; la imposición era franca y brutal. A medida que Huerta se fortalecía, la animosidad del gobierno norteamericano en su contra iba creciendo.

Una nueva ofensiva constitucionalista en el mes de noviembre condujo a la conquista de la ciudad de Culiacán, Sinaloa, por las fuerzas de Obregón el día 14, en tanto que cuatro días después el ejército del nordeste se hacía con Ciudad Victoria, Tamaulipas, en posición inmejorable para avanzar sobre el puerto de Tampico, en la zona petrolera, controlada por la compañía Standard Oil.

El declarado antagonismo de los Estados Unidos hacia el gobierno de Huerta se agudizó. Cuando Huerta disolvió el Congreso con el aval de Carden, la enemistad de Wilson se tornó implacable. El 13 de octubre, el presidente norteamericano advirtió que su país no reconocería los resultados de las elecciones programadas para el día 26. El 1 de noviembre amenazó abiertamente a Huerta, exigiendo su dimisión y ofreciendo por vez primera su apoyo a los constitucionalistas. El 3 de febrero de 1914 revocó el embargo de armas a México y permitió la exportación indiscriminada de pertrechos militares.

El hundimiento de un buque tanque por las facciones revolucionarias en pugna llevó al secretario de Estado William Jennings Bryan (1860-1925) a advertir a los contendientes que la zona petrolera del país, bajo control de empresas norteamericanas, debía ser neutral o que los Estados Unidos intervendrían militarmente para salvaguardar sus intereses en México[63].

En la primavera de 1914, a medida que las tensiones que habrían de desembocar en la Primera Guerra Mundial se agudizaban, el Tercer Escuadrón de la Armada norteamericana, con el USS *Dolphin* como buque insignia, navegó hacia las costas de Tampico para «proteger» vidas y propiedades norteamericanas. El 9 de abril de 1914, nueve marinos y un oficial norteamericanos del acorazado USS *Dolphin* fueron arrestados por error cuando cargaban gasolina en un bote.

Indignado por la «afrenta», el gobierno de los Estados Unidos exigió la inmediata liberación de sus hombres y una disculpa pública de parte de las autoridades mexicanas. El gobierno de Huerta accedió a tales demandas, pero cuando un buque de guerra de la Armada del Káiser hizo su arribo al puerto mexicano con un cargamento de artillería y municiones para el gobierno de Huerta, la amenaza de la guerra se hizo inminente. Así, según declaró Wilson, «este incidente no puede ser tomado como una cosa insignificante, especialmente porque (los marineros) fueron arrestados en el barco mismo, es decir, en territorio estadounidense...».

Ahora Estados Unidos exigía perentoriamente que se izara la bandera de las barras y las estrellas en un lugar prominente de la plaza, se disparara una salva de veintiún cañonazos y castigo a el o los responsables, o que el gobierno mexicano «se atuviera a las consecuencias». Esta vez Huerta rechazó la humillación, y los *marines* norteameri-

[63] Meyer, México, pp. 77-78.

canos bombardearon el puerto de Veracruz el 20 de abril.

Wilson ordenó además a las fuerzas navales norteamericanas ocupar el puerto de Tampico, propósito que no se conseguiría. Para salvar la cara, Wilson aceptó el ofrecimiento de Argentina, Brasil y Chile, los países «ABC», para mediar en el conflicto y evitar una guerra entre México y Estados Unidos. Bajo esos auspicios tuvo lugar una conferencia en Niagara Falls, Ontario, el 20 de mayo de 1914.

Dicha coyuntura fue aprovechada por Wilson para intentar impedir el desembarco de armas alemanas desde el barco *Ypiranga*, destinadas para Huerta. El dictador no se dejó intimidar por las presiones norteamericanas. Las fuerzas federales recibieron las armas transportadas por el *Ypiranga* y otras más serían desembarcadas por los vapores alemanes *Kronprinzessin Cecilie* y *Bavaria* en Puerto México, los días 7 y 25 de mayo, respectivamente.

En lugar de renunciar a la presidencia, Huerta obtuvo del Congreso poderes dictatoriales y movilizó multitudinarias manifestaciones patrióticas, como parte de su programa de militarización de civiles, instando a todas las facciones rebeldes a unirse al ejército federal para hacer frente a la invasión yanqui. Una ola de exaltada yanquifobia se apoderó de manera vertiginosa del país entero, provocando graves disturbios que afectaron propiedades e intereses norteamericanos. La estatua de Washington en Ciudad de México fue derribada por multitudes enfurecidas, se pisotearon e incendiaron banderas norteamericanas en las principales ciudades del país; incluso se encarceló al cónsul de Estados Unidos un par de días.

Huerta se mostró lo suficientemente hábil como para canalizar en su favor el descontento popular por la ocupación de Veracruz, al convocar manifestaciones de apoyo a su régimen, sustentadas más bien en despecho nacionalista que en una auténtica simpatía por su gobierno. Aprovechando la aversión popular a los Estados Unidos, Huerta había creado un programa de adiestramiento militar para la población civil, que gozó del apoyo de considerables sectores de población. A tal grado llegó el clima de exaltación patriótica que el 22 de abril Carranza se sintió obligado a denunciar públicamente la ocupación de Veracruz, tachándola de violación inaceptable a la soberanía de la nación y exigiendo la retirada inmediata de las fuerzas norteamericanas.

Para contrarrestar la subversión, a partir del 25 de abril, el gobierno de Huerta levó a cabo intensas campañas de reclutamiento forzoso, levas forzosas en los estados centrales del país, crecimiento del ejercito federal que pasó de 200.000 efectivos a 250.000.

«Ningún individuo mal vestido estaba a salvo de ser aprehendido aun cuando no haya cometido delito alguno para llevarlo al cuartel próximo o distante. Allí se le cortaba el pelo al rape, se le ponía el uniforme de soldado y de prisa se le enseñaba a manejar el rifle. Después de dos o tres días de elementalísima enseñanza militar era enviado a combatir contra los revolucionarios. Muchos pobres reclutas, centenares y miles, no volvieron a sus hogares; murieron sin gloria, anónimamente, por defender ambiciones e intereses que no eran los suyos. Carne de cañón sacrificada por la insensatez y la maldad»[64].

No obstante, el ejército federal reforzado y aumentado pronto se revelaría

---

[64] Jesús Silva Herzog, *Breve historia de la Revolución Mexicana. La etapa constitucionalista y la* lucha de facciones. México, Fondo de Cultura Económica, 19.

incapaz de hacer frente y sofocar a la guerrilla rural.

Como la disputa de Veracruz amenazase con precipitar una nueva guerra entre México y Estados Unidos —un conflicto no deseado por ninguna de las dos partes—, Argentina, Brasil y Chile ofrecieron sus buenos oficios de mediación para evitar una escalada del conflicto. En esa dirección, las naciones autodenominadas naciones ABC gestionaron una conferencia de paz en la ciudad de Niagara Falls, Canadá, en mayo de 1914, en la que se sentaron a la mesa de negociaciones representantes tanto de Estados Unidos como de México. Tras infructuosas deliberaciones, un compromiso fue finalmente alcanzado a finales de junio, en el que se proponía lo siguiente:

Huerta habría de entregar las riendas del gobierno a un nuevo régimen.

Los Estados Unidos no recibirían indemnizaciones por daños provocados durante los incidentes recientes. Wilson conseguiría su propósito de derrocar a Huerta, pero las relaciones entre ambos países quedarían profundamente deterioradas, por lo menos durante una década.

La caída de Victoriano Huerta

A mediados de año habría de estallar una crisis en el seno del movimiento constitucionalista. Desoyendo las órdenes de Carranza, Villa lanzó sobre Zacatecas la totalidad de sus fuerzas, con Ángeles como estratega, a finales de junio de 1914. Cinco mil efectivos armados con cincuenta cañones iniciaron la batalla más sangrienta de la época. Las fuerzas federales fueron aniquiladas. La población civil fue presa de saqueos, asesinatos y violaciones en una escalada descomunal. El 29, Carranza nombró a Obregón y González generales de División, dejando a Villa en el limbo. Villa anunció que continuaría su avance hacia la céntrica plaza de Aguascalientes, y de allí hasta la capital. Las relaciones entre Carranza y Villa comenzaron a deteriorarse seriamente. Carranza no quería que Villa tomara la plaza.

A instancias de González se entrevistaron delegados constitucionalistas y villistas en Torreón el 4 de julio. Se acordó zanjar las diferencias y celebrar negociaciones en la ciudad de Torreón el 8 de julio. Se acordó entonces que Carranza seguiría siendo el primer jefe y Villa comandante de la División del Norte. Dicho ejército reiteró solemnemente su adhesión al primer jefe. También acordaron llevar a cabo cambios radicales al Plan de Guadalupe para la reconstitución de un gobierno regular:

Conseguido el triunfo, el ejército federal habría de ser disuelto, y su lugar ocupado por el ejército constitucionalista, Carranza sería nombrado presidente provisional, se convocaría una junta de jefes constitucionalistas, los cuales debían nombrar delegados para una gran convención. Esta sería encargada de proponer un programa de reforma mínima tendente al bienestar de los trabajadores y la «emancipación económica» de los campesinos, y que a su vez castigara a la Iglesia católica por el apoyo que había dado a Huerta.

Dicha convención estaría también encargada de supervisar la celebración de nuevas elecciones, de las que habría de emanar un gobierno estable encargado de cristalizar las reformas. En ningún momento Carranza habría de aprobar los acuerdos emanados de la convención.

El 7 de julio un contingente de 15.000 hombres al mando de Obregón aniquiló una fuerza federal compuesta por 12.000 soldados, en la terminal de la vía férrea al oeste de Guadalajara, ocupando al día siguiente la segunda ciudad en importancia del país.

Privado de los ingresos de la aduana de Veracruz, el gobierno de Huerta comenzó a tambalearse. En un gesto desesperado, el 27 de mayo el dictador ordenaba la clausura de la Casa del Obrero Mundial[65].

El régimen de Huerta sucumbiría ante el doble efecto de las presiones diplomáticas, económicas y militares de los Estados Unidos y el avance vertiginoso de las fuerzas constitucionalistas. El día de la caída de Guadalajara, Huerta nombró a Francisco S. Carvajal ministro de Relaciones Exteriores. Acto seguido, el 15 de julio Huerta presentó su dimisión y Francisco Carvajal se convirtió por disposición constitucional en presidente interino. Cinco días más tarde, Huerta zarpaba en un barco alemán de Puerto México (hoy Coatzacoalcos) hacia el exilio. Hasta la fecha, Huerta conserva su inicua reputación y sigue siendo vilipendiado por los mexicanos en general, quienes usualmente siguen refiriéndose a su persona como «El Chacal».

Su sucesor, Venustiano Carranza, rechazó el acuerdo pactado por las naciones ABC, al no querer aparecer asociado a una potencia que ocupaba militarmente una parte del país. Los Estados Unidos, por su lado, se abstuvieron de dar respuesta formal a la posición mexicana, limitándose a retirar unilateralmente sus fuerzas de Veracruz y otorgando al cabo de unos meses el deseado reconocimiento diplomático al gobierno de Carranza. Siguió un periodo de calma relativa, pero por eso pronto fue hecho añicos por las acciones de Pancho Villa, como se verá posteriormente.

Con la caída del régimen de Huerta y la destrucción del ejército federal se vino abajo también la autoridad formal del Estado mexicano, quedando el poder real del país en manos de los diversos caudillos y facciones revolucionarias. La incapacidad de cualquiera de ellas por controlar la integridad del territorio nacional dio lugar a la movilización popular espontánea en pos de objetivos y reivindicaciones específicas o localizadas.

Por su parte, las fuerzas del general Jesús Carranza ocuparon la ciudad de San Luis Potosí, dejando vía franca para que el ejército del nordeste penetrase por la región del Bajío hacia la capital. Carvajal solicitó un alto el fuego para entablar negociaciones, a lo que Carranza se negó. El 23 de julio lanzó una advertencia Carranza en la que le amenazaba con negarle el reconocimiento a su gobierno en caso de que no respetara los intereses extranjeros o que tomase represalias contra sus adversarios.

En todo momento, Carranza buscó impedir que Villa y Ángeles tuvieran participación en la victoria final. Inmovilizados a las puertas de Torreón, ordenó a González y su contingente de 22.000 soldados que cruzaran San Luis Potosí y penetraran por el Bajío hacia la capital. Al mismo tiempo, Carranza dispuso también que Obregón avanzara desde el oeste y obligara al ejército federal a una rendición sin condiciones. El 9 de agosto Obregón recibió a las afueras de la capital la notificación, por parte de los comandantes federales, de su rendición.

Por medio del Tratado de Teoloyucan del 13 de agosto de 1914, se ponía fin a las hostilidades, al tiempo que se procedía al licenciamiento y desarme del ejército federal. Fueron signatarios de dicho acuerdo los generales revolucionarios Álvaro Obregón y Lucio Blanco, lo que provocó los celos del general Pablo

---

[65] Durante el gobierno de Francisco I. Madero se fundó la Casa del Obrero Mundial a partir del grupo anarquista Luz y con representantes de la Unión de Canteros, Textiles de la Fábrica «Linera», sastres, tranviarios y conductores de carruajes, que celebraron un mitin el 22 de septiembre de 1912, declarándose «partidarios del sindicalismo revolucionario» y considerando a la Casa como un «centro de divulgación doctrinaria de ideas avanzadas».

González. Los oficiales federales más odiados huyeron del país. Sólo algunos pocos recalcitrantes se refugiaron en la sierra que marca los límites entre Puebla y Oaxaca, manteniéndose en pie de lucha. Por otra parte, muchos antiguos servidores de Díaz y Huerta fueron recuperados por las fuerzas villistas y zapatistas e incorporados a sus filas.

El primer jefe de la revolución constitucionalista

El 12 de agosto Carvajal y su gabinete partieron hacia Veracruz con rumbo al exilio. El 15 de agosto Obregón hizo su entrada en la capital al frente de 6.000 efectivos del Ejército del Noroeste. Cinco días después Carranza hacía su entrada triunfal. Lo hacía bajo el título de «primer jefe de la Revolución Constitucionalista», sin ninguna legitimidad más allá de la fuerza de las armas, por lo que gobernó por decreto. Al día siguiente instaló su gobierno en Palacio Nacional y comenzó una radical depuración de la burocracia estatal, que incluyó también al servicio diplomático.

Los revolucionarios impusieron entonces la ley marcial: cerraron cantinas y fusilaron a los saqueadores. Desde el principio fue manifiesta la hostilidad de los revolucionarios venidos del norte del país hacia la Ciudad de México. Hubo, entre las fuerzas revolucionarias en general, un fuerte rechazo a la política de conciliación seguida por Madero después del triunfo de 1911; llegaba la hora del ajuste de cuentas.

Como objetivo prioritario, las fuerzas revolucionarias se incautaron de los periódicos huertistas. Carranza no habría de tolerar en lo más mínimo que la prensa lo ridiculizara, tal como había hecho con Madero. En ese contexto, las recién creadas oficinas de bienes intervenidos se volvieron fuente de enriquecimiento personal.

Para los elementos del antiguo régimen, y en especial para aquellos que habían apoyado el golpe de Huerta, la revolución significó alarma, persecución, muerte y exilio. Muy pronto comenzaría la expropiación de latifundios. Entre los principales afectados por tales medidas cabe destacar a los odiados latifundistas Enrique Creel (1834-1931) y Luis Terrazas en Chihuahua. Hubo saqueos, excesos y venganzas de parte de las postergadas clases bajas del país. Al amparo de la «justicia revolucionaria» se dirimieron venganzas populares. La gente «bien» se espantaba por el saqueo de iglesias y la arbitraria orden del general Álvaro Obregón, comandante en jefe del ejército de Venustiano Carranza, quien puso a barrer las calles a miembros del clero católico, por negarse a cooperar económicamente con la causa revolucionaria. Mostrarse elegante resultaba peligroso. En las provincias tuvo lugar una acelerada extinción de las elites locales. Las mansiones de la vieja elite fueron pronto ocupadas por los generales revolucionarios en ascenso y saqueadas por la tropa: «Todos los que tienen alguna queja, real o figurada, tratan ahora de cobrarla»[66].

En última instancia, la caída de Huerta significó la completa destrucción del Estado mexicano, el agotamiento del tesoro público y el dislocamiento del sistema financiero. Las reservas metálicas entonces disponibles, de tan sólo 90.000 pesos, amparaban de manera precaria un circulante de 340 millones de pesos. La deuda externa ascendía a un monto superior a los 600 millones de pesos, sin perspectivas reales de realizar pagos en virtud de que los marines seguían ocupando Veracruz, aduana fuente de ingresos. Por lo demás, se acumulaban

---

[66] Alan Knight, *op. cit*, p. 754.

onerosas reclamaciones de gobiernos extranjeros por la muerte y destrucción de bienes propiedad de sus súbditos. La destrucción de ferrocarriles y el abandono de las minas y fábricas ahondaban la depresión económica nacional.

Carranza, después de ocupar la Ciudad de México el 14 de agosto, declaró que tenía 60.000 rifles para combatir a Zapata y que no permitiría su entrada en la capital, porque era un bandido. Se negó a acatar el Plan Ayala y manifestó que la paz sólo habría de conseguirse con la sumisión incondicional de las fuerzas zapatistas a las constitucionalistas, y que los hacendados tenían derechos sancionados por las leyes, por lo que no era posible quitarles sus propiedades para dárselas a quien no tenía derecho.

Zapata lanzó entonces otro manifiesto, «Al Pueblo Mexicano», en el que reiteraba que la Revolución no se había hecho para conquistar «ilusorios» derechos políticos que no daban de comer, sino para procurarse un pedazo de tierra que habría de proporcionarle alimento. Las fisuras sociales de la Revolución comenzaban a resultar dolorosamente obvias.

La pregunta de hasta dónde y cuán rápido debía avanzar la Revolución, dividía a las distintas facciones y había obsesionado a líderes rebeldes desde los días de lucha contra Díaz, de un modo que haría la reconciliación imposible. Tras el asesinato de Madero y los continuos reclamos de Villa y Zapata para llevar a cabo reformas más audaces, su apoyo al frente unido de los anteriores cinco años menguaba rápidamente. Ninguna de las facciones en pugna tenía en realidad una plataforma de gobierno clara o definida. Una vez que consiguieron deshacerse de Huerta, todas parecieron extraviadas en cuanto a sus objetivos respectivos. Las diferencias no sólo reflejaban las controversias personales entre los principales líderes, sino las diversidades regionales del país.

En franca insubordinación a las órdenes de Carranza, Villa llevó a cabo la toma de Zacatecas, localidad estratégicamente situada para iniciar el asalto final hacia la capital, que era precisamente lo que el primer jefe no quería que hiciera el «Centauro del Norte».

La toma de Zacatecas por parte de Villa y Felipe Ángeles provocó la práctica destrucción del ejército federal. Entre tanto, Obregón derrotaba en Jalisco a otros reductos de las fuerzas federales. A toda costa Carranza intentaba que Villa no avanzara hacia Ciudad de México y nuevamente le ordenó regresar al Norte, mientras que Obregón recibía luz verde para continuar su marcha. Villa no acató tampoco esa orden y se estableció la necesidad de dialogar para llegar a un acuerdo, pláticas que se efectuaron el 8 de julio de 1914 y que pasaron a conocerse como el Pacto de Torreón.

Por otra parte, se proponían reformas y adiciones al Plan de Guadalupe, las cuales exigían que el presidente interino, Carranza, convocara una convención para fijar la fecha de las elecciones, discutir sobre las reformas sociales emanadas de la lucha revolucionaria, elaborar el programa de gobierno y, finalmente, negaba a los jefes constitucionalistas su participación como candidatos a la presidencia y vicepresidencia en las próximas elecciones.

El pacto no sirvió de gran cosa, pues las desavenencias entre Carranza y Villa continuaron, el primero impidiendo que Villa llegara a la capital de la República y el segundo cada vez más dispuesto a luchar contra Carranza. Pero no sólo Villa constituía un problema para Carranza, también entró en conflicto con el gobernador de Sonora, José María Maytorena, por haber designado unilateralmente a Plutarco Elías Calles comandante militar del Estado. También con Zapata entró en dificultades por no sumarse a los planteamientos del Plan de Ayala.

Por su parte, las fuerzas victoriosas no se ponían de acuerdo acerca de la clase de nuevo régimen que pretendían construir. Aunque habían luchado unidos en torno al objetivo común de acabar con Huerta, no existía entre los caudillos el menor consenso: sus aspiraciones eran diversas e incluso antagónicas. Con el derrocamiento del régimen huertista tales discrepancias entre las distintas facciones habrían de saltar a la superficie, crecer y agravarse.

El 15 de julio de 1914 renunció Huerta a la presidencia y fue disuelto su ejército, pero las divergencias entre los jefes revolucionarios no permitían que diera fin la guerra civil. Cuando el usurpador Victoriano Huerta huyó del país, en 1914, el sector revolucionario quedó dividido en tres poderosas facciones: la de los agraristas de Emiliano Zapata, la de los políticos profesionales, que comandaba Venustiano Carranza, y la de los Dorados de Villa. Las tres facciones se disputaban el apoyo de Washington, y el general Hugh Scott, jefe del Estado Mayor Presidencial norteamericano, llegó a asegurarle a Villa que él era el favorito para que ocupara la presidencia de la República. Esto ocurrió en 1915, cuando la famosa División del Norte contaba con 50.000 hombres.

Dado que Carranza había ocupado la presidencia sin la mediación de Estados Unidos, Wilson se abstuvo de reconocer su gobierno. Como mal menor, Estados Unidos apostó por Villa con la esperanza de que construyese un nuevo régimen. Villa, aparentemente el más pro norteamericano de todos los jefes constitucionalistas, parecía hallarse sometido a la renovada influencia conservadora de los maderistas, además de dominar al ejército más poderoso del país.

Aunque Carranza ya había ocupado Ciudad de México, no podía ejercer el poder como presidente interino mientras se viera amenazado por las distintas facciones revolucionarias.

En ese contexto, Carranza consideró necesaria la reconciliación, particularmente con Villa y Maytorena, por lo que Obregón se dirigió al norte para entablar el diálogo con dichos personajes.

Después de no pocos desacuerdos que provocaron la destitución de Maytorena, Villa condicionó su participación con Carranza al cumplimiento del Pacto de Torreón.

Un nuevo acuerdo fue firmado el 9 de septiembre de 1914 en la ciudad de Chihuahua, en el cual se conjugaban las aspiraciones sociales que habían dado lugar a la lucha revolucionaria: tener un gobierno democrático y resolver los problemas sociales y económicos del país.

En cuanto al gobierno, el acuerdo reconocía a Carranza como presidente interino con las siguientes atribuciones: nombrar al gabinete, convocar elecciones de gobernadores, formar el Congreso cuyos legisladores debían discutir las reformas constitucionales, convocar elecciones presidenciales en las que el primer jefe no podría participar.

El pacto de Chihuahua fue suscrito por Villa y Obregón; no obstante, Carranza alegó que un documento de tal trascendencia debía ser debatido en una asamblea representativa nacional. De hecho, la propuesta de Villa impulsaba una asamblea nacional para que los cambios se dieran dentro de un marco republicano en tanto que Carranza, en realidad, convocaba a militares y gobernadores que le eran leales.

Carranza seguía sin ceder a las propuestas villistas, determinando que finalmente Villa rompiera con él, desconociera al primer jefe como presidente interino y se negara a que la División del Norte participara en la Convención.

De nuevo Obregón se dirigió a Chihuahua, donde estuvo a punto de ser fusilado por las fuerzas villistas, para convencer a Villa de participar en la Convención convocada por Carranza en Ciudad de México para el 1 de octubre. La División del Norte aceptó asistir al encuentro siempre y cuando dicha convención tuviera lugar en un terreno neutral, es decir, una ciudad que fuera el punto intermedio entre la ciudad de México y Chihuahua, proponiendo Aguascalientes, y relativamente cercana a Torreón, sede del cuartel general de Villa. Tocaba ahora a Obregón convencer a Carranza sobre la propuesta villista, de todas maneras.

La Convención de Aguascalientes: el 10 de octubre de 1914, se reunieron los tres ejércitos convergentes en la ciudad central de Aguascalientes. La Convención Revolucionaria inició sus trabajos el 1 de octubre de 1914, en Ciudad de México. A ella asistió la fracción del ejército constitucionalista leal a Carranza, quien propuso reformas que debían aprobarse antes de las elecciones.

La convención de Aguascalientes

Aguascalientes fue escogida en octubre de 1914 como sede para realizar la Convención Revolucionaria con el propósito de evitar la escisión entre las distintas facciones revolucionarias, determinar sobre quién y en qué forma recaería el gobierno del país y acordar la elaboración de un programa de gobierno. En retrospectiva, la Convención puede verse como el intento del escenario institucional en donde midieron fuerzas las distintas corrientes revolucionarias que habían conformado la coalición antihuertista antes de disputarse el poder del Estado por la fuerza.

Aun antes de alcanzar la victoria sobre el régimen huertista eran evidentes ya las divisiones entre los tres principales jefes militares de la Revolución: Carranza, Villa y Zapata.

Sus diferencias, tanto personales como de enfoque, sobre cómo resolver los principales problemas nacionales e internacionales del país, se fueron ahondando de manera acelerada una vez que Carranza, con base en el Acuerdo de Guadalupe, exigió de Villa obediencia absoluta en materia civil y militar. El jefe de la División del Norte venía haciendo pública gala y ostentación de su dominio sobre el estado de Chihuahua, dando órdenes al gobernador, imprimiendo papel moneda, dictando confiscaciones y enviando a sus propios representantes a los Estados Unidos. La rivalidad entre los dos caudillos se había extendido ya hacia el vecino estado de Sonora, en donde el gobernador, José María Maytorena, con apoyo de Villa, disputaba la autoridad militar que en el estado le había sido conferida a Plutarco Elías Calles por Carranza.

Con la toma de Zacatecas en junio de 1914, se produjo un rompimiento entre las dos partes, relación que sin embargo lograría restablecerse mediante la firma del Pacto de Torreón en julio de ese año, en el que se reiteraba el reconocimiento de Carranza como «primer jefe», aunque con autoridad limitada, y se confería a Villa mayor potestad militar. El acuerdo disponía también que al triunfo de la Revolución se reuniera una convención representada «a razón de uno por cada mil hombres», para que formulara el programa a desarrollar por el gobierno que resultara elegido[67]. El pacto había servido para conjurar lo que parecía ser un inminente choque armado entre las dos facciones, pero sólo de manera formal y temporalmente. En la realidad ni Villa ni Carranza acatarían los

[67] González Ramírez, Manuel. Planes Políticos y otros documentos. T. I. México, Fondo de Cultura Económica, 1954. 355 p. LXXII *(Fuentes para la historia de la Revolución Mexicana)*, pp. 152-157.

términos fijados por el acuerdo. El jefe constitucionalista continuaría cortando los suministros a su oponente e impidiendo su avance hacia Ciudad de México, en tanto que Villa aprovecharía el tiempo ganado para preparar a sus hombres y apertrecharse.

La tercera fuerza en discordia, el zapatismo, se había manejado hasta entonces con relativa independencia, si bien existían en su interior voces como las de los antiguos miembros del COM o Juan Sarabia, Antonio I. Villarreal y Luis Cabrera, todos ellos del grupo de intelectuales adheridos a esta corriente, que con diferencia de matices venían aconsejando un mayor acercamiento con las demás fuerzas revolucionarias para dar mayor proyección al credo agrarista. Zapata y los jefes locales preferían el aislamiento y en una postura extrema; Manuel Palafox era hostil a cualquier arreglo.

Cuando en septiembre de 1914 Carranza hace un intento de acercamiento, será esta última posición la que prevalecerá. La respuesta de Zapata a los enviados carrancistas será contundente en cuanto a que en ella se plantea una falsa disyuntiva: o Carranza renunciaba de inmediato al poder ejecutivo o lo compartía con un zapatista[68]. La respuesta de rechazo de Carranza a lo que más que un acuerdo parecían ser las condiciones impuestas por una fuerza vencedora tampoco se hizo esperar.

El conflicto interno en Sonora se agudizó con la sublevación de la guarnición de Navojoa y de las tribus yaquis, que proclamaron como máxima autoridad militar al gobernador Maytorena. Para agravar la situación, los constantes enfrentamientos entre rivales cerca de la línea divisoria creaba el peligro de que éstos pudieran propagarse hacia el otro lado, generando un conflicto con los Estados Unidos. El 3 de septiembre, Obregón y Villa negocian suspender hostilidades, relevar de sus respectivos cargos a Maytorena y a Calles, y formular un nuevo programa de gobierno nacional. Del acuerdo Carranza acepta sólo el punto de hacerse cargo de la presidencia provisional, difiriendo la discusión de los demás a una junta a la que convoca para el 1 de octubre en Ciudad de México. Los choques armados continúan en Sonora. En un último intento de mediación, Lucio Blanco, Ignacio L. Pesqueira y Rafael Buelna organizan la Junta Permanente de Pacificación y envían a Obregón a Zacatecas, para convencer al mayor número de generales favorables a una reconciliación, a reunirse en Aguascalientes el 10 de octubre[69]. A la reunión convocada por Carranza acuden sesenta y nueve delegados, quienes acuerdan trasladarse a tierras más cálidas (de Aguascalientes).

La reunión de Aguascalientes se inicia en la fecha convenida por Villa y Obregón con la asistencia de 150 militares y con el despliegue de un importante contingente militar que Villa decide apostar en la cercana estación de Guadalupe. El carrancista Antonio Villarreal es nombrado presidente de la mesa directiva de la Junta y como vicepresidentes a los villistas José Isabel Robles y Pánfilo Natera. Privaba en el ambiente la esperanza de que de este cuerpo emanara una tercera fuerza con autoridad legítima independiente del primer jefe y de los demás caudillos revolucionarios. Los delegados representantes de tres corrien-

[68] Luis Cabrera y Antonio Villarreal, «Informe de la entrevista con Zapata», en Jesús Silva Herzog, Breve Historia de la Revolución Mexicana. T. II. México, Fondo de Cultura Económica 1960. pp. 150-155

[69] Berta Ulloa. Historia de la Revolución Mexicana. Periodo 1914-1917, IV. La revolución escindida. México, 1979, El Colegio de México, pp. 21-22.

tes distintas: la carrancista, dividida y sin representación oficial del «primer jefe»; la que aglutinaba a la Junta Permanente de Pacificación encabezada por Obregón, y la de los villistas dirigidos por Felipe Ángeles acordaron constituirse en convención y declararla soberana, comprometiéndose a cumplir y a hacer cumplir las disposiciones de ella emanadas.

Las reacciones de los tres jefes serán distintas: Carranza les niega el derecho a declararse soberana. Villa, por su parte, se presentará personalmente en Aguascalientes para reconciliarse con Obregón y designar a Roque González Garza su representante oficial. Zapata, a quien se invita a través de Felipe Ángeles a la Convención, enviará en su lugar a una pequeña comisión de civiles con grados militares presidida por Paulino Martínez y con los hermanos Magaña y Antonio Soto y Gama entre sus miembros. Por último, a sugerencia de Obregón, la Convención aprueba el cese de Carranza como primer jefe y encargado del Poder Ejecutivo, y el de Villa como jefe de la División del Norte (el caso de Zapata sería discutido una vez que éste ingresara en la Convención) y elige como presidente de la República a Eulalio Gutiérrez, antiguo miembro del PLM y ex gobernador de San Luis Potosí.

La Convención acuerda crear dos comisiones para notificar a Carranza y a Villa estos acuerdos. Aunque este último acepta someterse a lo convenido y fanfarronea sobre su disposición para que «en nombre de la paz» incluso puedan matarlo en compañía de Carranza y de Zapata[70], con el pretexto de abastecerse de provisiones, el 2 de noviembre se presenta en Aguascalientes con 6.000 hombres y varios trenes con artillería. Días más tarde ocupa esa ciudad. El 7 de ese mes Eulalio Gutiérrez lo nombra jefe de operaciones militares para combatir la insurrección de Carranza, a quien había dirigido un ultimátum que vencía el día 10. El despliegue de fuerzas por parte de los villistas, lejos de constituir un acto de buena fe encaminado a garantizar el cumplimiento de las disposiciones convencionistas, parecía ser uno de intimidación que tuvo como efecto perjudicar no sólo la neutralidad de la Convención sino cualquier legitimidad que hubiera podido tener este proyecto.

Carranza rechaza la notificación de su cese y convoca de inmediato a los jefes del ejército constitucionalista para combatir a los convencionistas por incumplimiento de las tres condiciones previas que había exigido para renunciar, esto es, el establecimiento de un gobierno que llevara a cabo las reformas que requería el país, la separación de Zapata y Villa de sus respectivos ejércitos, y su expatriación simultánea con la del propio Carranza[71]. Si bien Obregón, Villarreal, Hay, Blanco y Pablo González ofrecieron en un principio apoyar a la Convención si ésta comisionaba a Villa y a Carranza fuera del país, para el 17 de ese mes la mayoría se había adherido al «primer jefe».

Esta decisión, determinante para el rumbo que habría de tomar la Revolución, posiblemente se basó en dos consideraciones, una de orden regional y la otra nacional. La primera tenía que ver con la reticencia mostrada por Villa a conceder a Obregón y, al grupo de generales sonorenses el control sobre su

---

[70] Alan Knight. *La Revolución Mexicana. Del Porfiriato al nuevo régimen constitucional. Volumen II. Contrarrevolución y Construcción*. México 1996, Ed. Grijalbo, p. 821.

[71] Carranza, Venustiano. «Respuesta a la Convención de Aguascalientes», en González Ramírez, *ob. cit.*, pp.158-164.

propio estado y, en contraste, el apoyo que venía brindando a la facción rival. En términos nacionales este grupo habrá calculado tener mayores posibilidades para influir sobre el débil movimiento de Carranza que sobre los de Villa y Zapata[72].

El 3 de diciembre Villa instala a Eulalio Gutiérrez en el Palacio Nacional. Tres días más tarde, los ejércitos de Villa y de Zapata entran triunfalmente en la capital. Los dos líderes celebran en Xochimilco un encuentro en el que entre acuerdos canjean enemigos personales y acuerdan una alianza militar. El Pacto de Xochimilco entre Villa y Zapata, que establecía una alianza militar entre la División del Norte y el Ejército Libertador del Sur.

El inmediato regreso de algunos jefes militares como Felipe Ángeles, garantes de cierto orden entre las tropas ocupantes, a sus respectivas campañas, aunado a la incapacidad de Gutiérrez por imponer orden dentro de su propio gabinete[73], debilitó aún más al gobierno de la Convención.

Durante ese periodo la Ciudad de México fue víctima de saqueos, secuestros y de la violencia sobre todo de parte de los villistas. En pocas semanas el número de asesinatos creció hasta alcanzar los doscientos. En algunos casos se trataba de crímenes políticos, como el del zapatista Paulino Martínez, perpetrado por oficiales villistas, pero en la mayoría fue consecuencia del vandalismo y la extorsión comunes. La violencia no se circunscribió a la capital sino que se extendió a Guadalajara y a San Luis Potosí.

Cuando el presidente Eulalio Gutiérrez se lamentó porque la población fuera víctima de estos atropellos, Villa lo puso bajo arresto domiciliario. En enero de 1915, en un intento por salvar a su gobierno, Gutiérrez busca una alianza coyuntural con Obregón. Al enterarse de estas maniobras, Villa ordena su ejecución y la de cualquier miembro de la Convención que intente abandonar la capital. Advertido, Gutiérrez huye de Ciudad de México el 16 de enero de 1915 y traslada su gobierno a San Luis Potosí, donde declara a Villa y a Carranza traidores del «espíritu revolucionario». Acosado por tropas villistas y sin el apoyo que esperaba conseguir, renuncia formalmente al cargo el 2 de julio de 1915.

Si bien con la huida de Gutiérrez el poder ejecutivo del Constituyente se derrumba, la soberana asamblea permaneció en funciones, asumiéndose como el gobierno legítimo de la nación. Como presidente de la Convención quedó Roque González Garza, quien de inmediato se hizo cargo del ejecutivo, pero sin ocupar el rango de presidente provisional. Con la ocupación de la capital por fuerzas obregonistas el gobierno de la Convención hubo de buscar refugio con los zapatistas en Cuernavaca. La situación de González Garza en esta ciudad fue bastante precaria, pues además de quedar aislado del campo villista desde su llegada los asambleístas habían limitado severamente sus facultades como presidente de la asamblea y el estatus de refugiado, constreñido a su gobierno en lo económico, político y militar.

La Convención fue reinstalada el 11 de marzo en la capital de la República. Uno de los primeros debates de la Asam-

---

[72] Katz, Friedrich. *The Secret War in Mexico.* P. 268.

[73] El gabinete estaba integrado por Lucio Blanco en Gobernación; José Vasconcelos en Instrucción Pública y Bellas Artes; Valentín Gama en Fomento; Felícitas Villarreal en Hacienda; José Isabel Robles en Guerra y Marina; Manuel Palafox en Agricultura; Manuel Chao como regente del Distrito Federal; Mateo Almanza como comandante de la Guarnición de México, y Pánfilo Natera como presidente del Supremo Tribunal Militar. Vasconcelos, Felícitas Villarreal, Lucio Blanco, José I. Robles y los zapatistas Palafox y Rodrigo Gómez.

En Xochimilco esperando la llegada de Francisco Villa. Sentados, de izquierda a derecha, general Benjamín Argumedo, Emiliano Zapata y el coronel Manuel Palafox. De pie, de izquierda a derecha, Ignacio Campos Amescua, Mr. Carothers y Amador Salazar, 1914.

blea giró en torno a las ventajas entre un gobierno presidencialista y uno parlamentario, inclinándose finalmente la Asamblea por este último. Menos suerte corrieron otros temas, como la disposición de ferrocarriles, las campañas contra las fuerzas carrancistas, la asignación de fondos, las reformas laborales y agrarias, donde cada vez se hicieron más notorias las diferencias entre los convencionistas del norte y los del sur.

Encabezados por Federico Cervantes, los primeros mantenían la posición más moderada del espectro político de la Convención sobre la mayoría de las propuestas. Uno de los aspectos en los que chocaron con sus homólogos del Sur fue en su defensa de la propiedad privada, incluso de aquella de los hacendados, anatema para el ejército del Sur. Otra fricción con los zapatistas derivaba de lo que calificaban como un débil combate contra los carrancistas. El radicalismo de delegados como Palafox y Antonio Soto y Gama en materia agraria y laboral, así como su insistencia en exigir igualdad de derechos para formular la política nacional y obtener las armas y pertrechos prometidos por Villa en Xochimilco, también fue materia continua de conflicto.

De estos debates iniciales surgió el llamado «Proyecto de Reformas Político-Sociales de la Revolución». Con ellas se buscaba cumplir con uno de los mandatos por los que había sido creada la Convención, pero también competir con las diversas iniciativas de ley que salían del campo carrancista[74]. Los debates entre los dos grupos regionales fueron agrios y los discursos inflamatorios, particularmente por la parte sureña, en temas como el derecho a huelga y al boicot o la supresión de la tienda de raya y a la remuneración con vales.

Los zapatistas encontraron apoyo para estas propuestas y las relativas al divorcio y a la educación laica entre los delegados anarcosindicalistas de la COM; aunque sobre esta última iniciativa cabe señalar que también fue respaldada por el grupo norteño y su líder, Cervantes, quien aunque no radical sí era anticlerical. De hecho, quizá sea éste uno de los legados más importantes de la Convención, ya que la forma final en que fue expresado el artículo habría de influir en la redacción final del artículo 3.º de la Constitución de 1917[75].

Esta coincidencia no impidió el rompimiento casi anunciado entre las dos facciones. En el informe que González Garza rindió el 20 de mayo reprochaba a los zapatistas multitud de agravios y amenazaba a la Convención con cerrar filas incluso con carrancistas. La Convención lo destituye. En su lugar nombran como titular del Ejecutivo, que no presidente de la asamblea, a Francisco Lagos Cházaro, quien con menos poder y apoyo que su antecesor y obligado por el ultimátum que le hiciera Pablo González para someterse al primer jefe, a refugiarse en Toluca, disuelve finalmente a la Convención el 16 de mayo de 1916.

Con ello fracasaba un genuino intento por lograr la unidad y la democracia del país. El verdadero destino de la Revolución habría de decidirse en el campo de batalla entre dos caudillos con diferentes proyectos regionales, reflejo de mentalidades muy diversas.

En su intervención ante la Convención, Carranza prácticamente se dedicó a explicar sus desavenencias con el villismo, movimiento al que definió como una «minoría indisciplinada». Para finalizar su discurso, Carranza renunció a la

---

[74] Alan Knight. *Op. cit.*, p. 860.

[75] Berta Ulloa, *op. cit.*, p. 138.

presidencia interina y al cargo de primer jefe del Ejército Constitucionalista.

Su renuncia no fue aceptada en tanto no hubiera alguien que lo sustituyera, por lo que Obregón informó del acuerdo con Villa de trasladar la Convención a Aguascalientes, donde se elegiría al nuevo presidente.

La discusión al respecto terminó aceptándose el traslado a Aguascalientes y se invitó tanto a Carranza como a Zapata para concurrir a la Convención; el primero no aceptó ir y el segundo se comprometió a enviar una representación. La Convención aprobó «en principio» el Plan de Ayala para la redistribución de tierras entre los campesinos[76].

Los trabajos de la Convención de Aguascalientes se iniciaron el 10 de octubre de 1914, teniendo en cartera dos problemas fundamentales a resolver: la elección de un nuevo presidente interino y establecer la armonía entre Villa y Carranza. Cerca de 150 delegados hicieron su arribo a la Convención, de los cuales 37 eran considerados adictos a Villa, 26 zapatistas y el resto eran considerados más o menos independientes; había muy pocos carrancistas, dado que se había acordado excluir a los civiles de participar en la conferencia. Mediante el respaldo de los villistas, se consiguió que la Convención suscribiera las reivindicaciones agraristas del Plan de Ayala. El 30, la Convención votó a favor de deponer a Carranza y el día siguiente eligió a un nuevo presidente interino.

La elección de presidente recayó en el general potosino Eulalio Gutiérrez (1881-1939), quien prestó juramento cinco días más tarde. Villa acordó reconocer a Gutiérrez, pero Carranza se negó a hacer lo propio, levantando todas las clases de objeciones legalistas. El 5 de noviembre se emplazó a Carranza mediante un ultimátum de cinco días para que entregara el poder ejecutivo a Gutiérrez. Carranza rechazó el requerimiento y denunció a la convención como una «junta», por lo que ésta le declaró en rebelión. Al mismo tiempo, Villa fue nombrado comandante en jefe de las fuerzas militares de la convención.

Fue, sin duda, un giro irónico de la fortuna: se le otorgaba a un antiguo bandido y cuatrero el mando supremo de las fuerzas armadas del país, mientras que a un miembro ultrarrespetable del *establishment* mexicano se le declaraba rebelde y se le proscribía como a un forajido. En diciembre, Villa y Zapata tenían un dramático encuentro en Ciudad de México, mientras que sus fuerzas ocuparon la capital. Como símbolo de respeto por Zapata, el abstemio Villa se obligó a tomar un trago de aguardiente, con el que brindó con su nuevo aliado. El día 10, en virtud de que Carranza se negaba a retirarse, la Convención lo declaró en rebeldía y Gutiérrez nombró a Villa comandante de los ejércitos de la Convención; en relación con Villa y Carranza, la Convención determinó que ambos renunciaran a sus respectivos cargos.

Villa aceptó, aunque de hecho seguía controlando a su gente, y Carranza, quien juzgaba que la Convención de Aguascalientes era ilegal, sin esperar los acuerdos tomados por sus propios delegados, salió rumbo a Orizaba, Veracruz, donde estableció su gobierno.

La Convención declaró en rebeldía a Carranza y restituyó la jefatura de la División del Norte a Villa, con órdenes de ocupar la capital.

En cuanto los otros jefes carrancistas se enteraron de que el primer jefe había partido para Veracruz, abandonaron la Convención para seguir a Carranza ante

---

[76] John Womack, *ob.cit.*, pp. 217-218.

los inútiles esfuerzos del presidente Eulalio Gutiérrez para que regresaran. De este modo, los generales Aguilar, Jesús Carranza, Pablo González, Calles, Hill y Obregón declararon su adhesión al carrancismo.

De acuerdo con Gutiérrez, sin el concurso de los carrancistas su gobierno encontraría obstáculos para gobernar por parte de los villistas, de ahí su intención de hacerlos regresar, actitud que causó malestar entre villistas y zapatistas, quienes efectivamente procuraron dificultar el ejercicio del presidente provisional.

La Convención de Aguascalientes siguió con sus sesiones hasta el 13 de noviembre del mismo año, fecha en que entró en receso, para más tarde continuar sus trabajos en la Ciudad de México. Cuando los norteamericanos abandonaron Veracruz el 23 de noviembre, el general Cándido Aguilar procedió a ocuparla tres días después, lo que permitió a Carranza instalar su gobierno en el puerto, donde además pudo contar con los ingresos de la aduana, así como una salida a las exportaciones de productos provenientes de las zonas ocupadas por los constitucionalistas, con que financiar la importación de armamento y municiones.

A partir de la Convención de Aguascalientes se originó la designación de una comisión permanente, cuyo objetivo principal fue la elaboración de un programa de gobierno que se llevaría a discusión en la próxima Convención, proyectada para el mes de enero de 1915. Por breve tiempo la Convención difirió el enfrentamiento armado entre las fuerzas villistas y constitucionalistas, sin embargo no pudo evitar dicha confrontación.

La evacuación carrancista había dejado inerme a la Ciudad de México. El 3 y 4 de diciembre, entran Francisco Villa y Emiliano Zapata en la capital al frente de sus respectivas fuerzas, transformadas en el ejército convencionista de unos 50.000 hombres; los norteños vestidos con sobrio uniforme caqui y los surianos ataviados con manta y algodón blanco con sus enormes sombreros campesinos de palma, enarbolando como símbolo de su lucha un estandarte de la Virgen de Guadalupe.

El pánico se apoderó de los habitantes de la ciudad al ver aparecer a las «hordas» del «Atila del Sur», como las había calificado con histeria alarmista la prensa capitalina. Hubo desde luego excesos. Así, el presidente Gutiérrez no pudo reprimir por la fuerza los desórdenes públicos que se dieron, por ejemplo, cuando el general Villa estacionó parte de su caballería en el elegante Paseo de la Reforma.

A lo largo de toda la zona bajo su control, los generales villistas reclutaron miles de hombres para reforzar a sus ejércitos. A mediados de diciembre las fuerzas villistas habían conquistado Guadalajara y lanzado ofensivas contra las guarniciones carrancistas desde Sonora a Tamaulipas. Por su parte, los zapatistas tomaron la ciudad de Puebla.

Para salvar su vida, Eulalio Gutiérrez tuvo que salir apresuradamente de la ciudad con parte de su gabinete. Fugazmente intentó establecer su gobierno en San Luis Potosí, pero fracasó, por lo que se exilió en los Estados Unidos. Mientras tanto, Eulalio Gutiérrez no lograba la estabilización del país y hubo de trasladar su gobierno a San Luis Potosí, donde al revelarse impotente finalmente renunció, siendo sustituido por Roque González Garza, quien tampoco pudo sostenerse en el gobierno, por lo que la asamblea nombró a Francisco Lagos Cházaro. Con la huida de Gutiérrez se desplomó el poder ejecutivo emanado de la Convención, aunque la asamblea permaneció en la capital y siguió considerándose a sí misma como legítima depositaria del gobierno de la República y portavoz de la Revolución.

Guerra civil, 1913-1915

El gobierno de Lagos Cházaro hubo de enfrentarse con mayor virulencia a las fuerzas carrancistas y recibir un ultimátum que exigía su rendición. Paso a paso el ejército carrancista avanzaba hacia la ciudad de México, quienes dirigidos por el general Pablo González, tomaron definitivamente la capital de la República. El 15 de enero Obregón, al frente de un nuevo ejército de 12.000 hombres perfectamente adiestrados y pertrechados, reconquistó Puebla. Ante el avance del ejército obregonista, la guarnición de villistas y zapatistas evacuó la capital, al tiempo que la Convención se replegaba a Morelos.

Villa instaló un gobierno independiente en el Norte, demostrando con ello la fragilidad de su compromiso con la Convención. Zapata acabó por ignorarla. Washington presenció con desánimo la caída de la Convención. Los Estados Unidos aumentaron su apuesta a favor de Villa, y Pershing se reunió públicamente con Villa en Juárez y en El Paso en enero de 1915. Ángeles derrotó a Villarreal y tomó Monterrey el 10 de enero.

Finalmente, el 28 de enero, Obregón ocupó la capital del país. Impuso préstamos forzosos a la Iglesia, obligó a las grandes empresas mercantiles a pagar impuestos especiales y se incautó los grandes bancos.

Obregón forjó también una importante alianza con las organizaciones del movimiento obrero de Ciudad de México, agrupadas en torno a la Casa del Obrero Mundial, lo que puso a su alcance de inmediato nuevos reclutas para su ejército, los llamados batallones rojos. Dicha medida le granjeó a su vez el apoyo incondicional de la clase obrera, logro que ni Villa ni Zapata pudieron conseguir.

La Casa, que aseguraba contar con 52.000 afiliados, se comprometió con Obregón a conseguirle 15.000 reclutas para su ejército. Al final los batallones rojos que fueron dispuestos y adiestrados con premura para ser enviados al frente no llegaron a sumar más de 5.000 hombres. Los batallones rojos fueron formados justo a tiempo para participar en la gran confrontación entre los ejércitos villista y carrancista. Batallas del Ébano en San Luis Potosí y Guanajuato.

Ante el nuevo equilibrio de fuerzas existente en el país, Wilson adoptó una actitud más retadora hacia los constitucionalistas, buscando favorecer con ello a Villa. De este modo, el 6 de marzo amenazó abiertamente a Carranza y Obregón con hacerlos «personalmente responsables» de los sufrimientos causados a vidas o bienes norteamericanos». Frente a tales advertencias Carranza ordenó a Obregón evacuar el 10 de marzo Ciudad de México, azotada por una devastadora epidemia de fiebre tifoidea y el hambre. La capital fue reocupada casi de inmediato por las tropas zapatistas y lo que quedaba de las fuerzas de la Convención.

Tras abandonar la capital, Obregón desoyó las exhortaciones de Carranza de dirigirse al este hacia Veracruz y decidió, en cambio, avanzar hacia el norte y provocar un enfrentamiento con las fuerzas villistas, calculando que sus fuerzas y líneas de comunicación y avituallamiento se hallaban desperdigadas. Para ello, hizo fortificar la plaza en Querétaro y se dirigió al norte hacia la región del Bajío.

Obregón sabía que si peleaba en el Bajío, las fuentes de aprovisionamiento villista estarían a 1.500 kilómetros de distancia. Según su propia confesión, siempre había pensado que para derrotar a Villa habría que hacerlo en el centro del país[77].

---

[77] Álvaro Obregón, *Ocho mil kilómetros de campaña*. México, Fondo de Cultura Económica.

Acto seguido, ocupó con sus tropas la ciudad de Celaya, asiento del empalme ferroviario de la región, el 4 de abril, donde esperó el ataque de los villistas. Contra el consejo de su lugarteniente, el general Felipe Ángeles, Villa aceptó el desafío y atacó precipitadamente con 12.000 hombres y artillería pesada. Villa superaba a Obregón en armamento, equipo y municiones. Su táctica, como siempre, será la carga brutal. Un Obregón en situación de inferioridad buscaba, en cambio, ahorrar fuerzas y material bélico. Para lograr su objetivo, eligió la atracción y la resistencia como estrategia.

El día 6 iniciaron finalmente las hostilidades. La situación parecía favorable al principio para los villistas, los cuales estuvieron muy cerca de vencer a sus adversarios el día 7, pero las fuerzas obregonistas consiguieron resistir el embate. Para el 8, los villistas habían llevado a cabo más de treinta cargas de caballería sin lograr doblegar las trincheras de Obregón. Las bajas de Villa en aquel primer encuentro se elevarían hasta los 5.000 hombres, entre muertos, heridos y prisioneros, pero la mayor catástrofe para su causa habría de llegar una semana después.

La batalla de Celaya del 13 de abril de 1915 fue tal vez el encuentro más sangriento de la Revolución Mexicana. Las fuerzas de la Convención encabezadas por Pancho Villa fueron derrotadas sin rodeos por las fuerzas bajo el mando de Álvaro Obregón, el cual apoyaba la presidencia de Venustiano Carranza.

Villa perdió cerca de 4.000 hombres caídos en vertiginosos ataques frontales. En esa batalla, Obregón, quien esta vez pudo contar con refuerzos de 5.000 efectivos, desarrolló una astuta defensa «a profundidad» que demostró ser muy eficaz contra los ataques de caballería y las técnicas de artillería propias de la época. Los «dorados» que no fueron hechos prisioneros, emprendieron una desbandada colosal y, poco a poco, Villa se fue quedando casi solo, hasta encontrarse con unos cuantos centenares de hombres, dispersos en bandadas de guerrillas.

La batalla de Celaya fue un hito para el futuro de Villa, la Revolución y la historia mexicana del siglo XX. Aun cuando los contrincantes volvieron a medir fuerzas poco tiempo después en otros puntos del Bajío (batallas de Trinidad y León), y más tarde en Aguascalientes, el ejército villista quedó herido de muerte, física y moralmente.

Obregón se perfiló desde entonces como el principal instrumento para la derrota de los movimientos populares. En enero ya dominaba la capital y las ciudades aledañas de Puebla y Tlaxcala, haciendo retroceder a las fuerzas zapatistas.

La espectacular derrota del villismo a manos de Obregón permitió al carrancismo concentrar sus esfuerzos para lograr la aniquilación del zapatismo en el sur.

En agosto de 1915 da comienzo la ruina de la revolución zapatista, en palabras del historiador norteamericano John Womack. Impulsado por un grosero racismo y un profundo desprecio del campesinado, el general González busca destruir a los zapatistas «en sus mismas madrigueras». Para ello practica tácticas de guerra colonial de tierra quemada. Así, hace prisioneros a 225 zapatistas en Jonacatepec y los hace fusilar.

En abril de 1915, Orozco, junto con una coalición de felicistas y huertistas, se había puesto en comunicación con obispos católicos norteamericanos, representantes de Wall Street y con rebeldes norteamericanos de origen mexicano para iniciar una nueva sublevación. El 12 de abril Huerta hizo su arribo a Nueva York con fondos alemanes para iniciar una nueva contrarrevolución. El día 27 de ese mes el Departamento de Justicia norteamericano hizo encarcelar a Orozco y Huerta en El Paso, Texas. El 2 de julio muere Díaz en el exilio, en París. Orozco conseguiría escapar de su cautiverio, sólo para caer muerto a manos de los *rangers* tejanos; Huerta salió de la cárcel para cumplir un arresto domiciliario, murió en El Paso, de cirrosis hepática, el 13 de enero de 1916.

Hubo un nuevo enfrentamiento en León entre las tropas obregonistas, reforzadas por tropas de los generales Diéguez y Murguía, y los villistas, engrosados por los batallones de Ángeles que había abandonado apresuradamente Monterrey y dejado de presionar Tampico, a instancias de Villa. La relación de fuerzas entre ambos ejércitos era todavía de 35.000 villistas contra 30.000 obregonistas. El 1 de junio tuvo lugar el combate decisivo, que se saldaría con una nueva y apabullante victoria de Obregón.

Como resultado de la derrota y de la destrucción de la División del Norte, Felipe Ángeles se exilió en el Paso, Texas, en diciembre de 1915. Durante su destierro, Ángeles se estableció en las cercanías de El Paso, Texas; pero amenazado de secuestro por los agentes carrancistas, se trasladó a Nueva York, donde vivió colaborando con artículos políticos en diferentes publicaciones, sin distinguir bando ni partido, de suerte tal que adquirió fama de tolerante y unificador. Influido por la lectura de Karl Marx, efectuó una conversión al socialismo que se reflejó en sus escritos, cuando todavía no había tenido lugar la revolución bolchevique. Así, auguró que la guerra europea podría dar al mundo «los más preciados frutos de libertad y justicia»[78]. Ángeles regreso a México en diciembre de 1918 para entrevistarse con Villa y unir a todos los grupos revolucionarios levantados en armas contra Carranza. Este intento fracasó y decidió seguir por su cuenta; en noviembre de 1919 fue traicionado por uno de sus oficiales, siendo aprehendido por tropas del gobierno el 15 de noviembre de 1919.

Conducido a la capital de Chihuahua, se le formó consejo extraordinario de guerra, el cual le condenó a muerte por el delito de rebelión. La sentencia se ejecutó el 26 de noviembre. Durante el juicio, Ángeles habló largas horas; no tanto para defenderse, sino para justificar su vida y formular su testamento político. De esas palabras, como de sus discursos y escritos, se desprende con claridad la tragedia de un hombre que, formado en el antiguo régimen, quiso sinceramente abrazar la causa revolucionaria, pero no pudo olvidar ni hacer a un lado su pasado y fue víctima de sus propias contradicciones. Fue fusilado el 26 de noviembre de 1919.

En la medida en que el carrancismo crecía militarmente y controlaba mayores zonas del territorio nacional, su posición se volvió más atractiva para los inversionistas y gobiernos extranjeros, que vieron en él un factor de estabilidad emergente.

Presidencia de Venustiano Carranza, 1915-1920

Carranza asumió la presidencia el 1 de mayo de 1915. El 2 de agosto González tomó la ciudad de México, esta vez de forma definitiva. El 4 de septiembre los villistas habían perdido Saltillo, su último baluarte en el nordeste; el 19 evacuaron Torreón y se replegaron desordenadamente hacia su antigua base de operaciones en Chihuahua.

Para esas mismas fechas, las fuerzas carrancistas habían conseguido avanzar desde Acapulco, obligando con su embate a los zapatistas a replegarse hacia Morelos. Casi un año de guerra tocaba a su fin, saldándose con una victoria carrancista. El 19 de octubre Wilson hizo

[78] José C. Valadés, *Historia general de la Revolución Mexicana. Intromisión extranjera*. Vol. 6. México, Secretaría de Educación Pública/Ediciones Gernika, 1985.

a un lado las últimas objeciones y reparos que todavía le embargaban, concediendo finalmente su reconocimiento *de facto* al gobierno de Carranza, lo que redujo a villistas y zapatistas a la condición de rebeldes.

El 19 de octubre de 1915 Estados Unidos reconoció al régimen de Carranza como gobierno *de facto* y reimpuso, e consecuencia, el embargo de armas municiones a Villa, e incluso el ejército norteamericano ayudó al general Plutarco Elías Calles a defender la ciudad fronteriza de Agua Prieta, Sonora, contra el ataque de las fuerzas villistas, que fueron derrotadas. La disolución de la amenaza villista parecía definitiva.

El 1 de noviembre Villa atacó Agua Prieta con la esperanza de abrir un nuevo frente de guerra en el estado de Sonora y de desacreditar al gobierno que acababa de ser reconocido. Las autoridades norteamericanas permitieron el paso de tropas carrancistas de refuerzo provenientes de Torreón a través de territorio de Estados Unidos (Eagle Pass, Texas y Douglas, Arizona) y los villistas, tomados por sorpresa, quedaron reducidos a un puñado.

Villa acusó públicamente a Carranza de haber vendido el país a los Estados Unidos a cambio del reconocimiento diplomático de su gobierno. El 1 de enero de 1916, Villa disolvió los restos de su ejército, formó guerrillas y se refugió en las montañas de Chihuahua. En represalia, contra lo que consideró una deslealtad y una traición de parte de los Estados Unidos hacia su causa, entre el 9 y el 10 de enero de 1916 Villa había asaltado un tren en las cercanías de la estación de ferrocarril de Santa Isabel, Chihuahua, e hizo ejecutar a dieciocho de los diecinueve norteamericanos que viajaban en el convoy. Esta matanza produjo indignación en Estados Unidos; en El Paso, Texas, durante los funerales

d[...]
[...]

cieron haber perdido tan[...]
hombres.
Los villistas pudi[...]
las arcas del banc[...]
arrastrando rama[...]
para levantar gr[...]
a sus posible[...]
muchos. R[...]
cano sin [...]
Villa a ll[...]
ratado[...]
fue [...]

madruga[...]
al frente de 500 [...]
partido el día anterior de [...]
Grande, donde hizo prisione[...]
negro, llamado Tomás, para que [...]
mostrara el camino a Columbus. Las fuerzas villistas llegaron al centro del pueblo sin ser notadas. Poco después ardían dos manzanas del corazón de la ciudad y los gritos de «¡Villa, Villa!» estremecían a los lugareños.

En Columbus había un destacamento de 300 soldados norteamericanos. Tenían noticias de que el día 7 Villa había robado ganado en Palomas, a quince kilómetros de Columbus, y que pensaba cruzar la frontera, pero no tomaron en serio los informes y hubo un general que aseveró que probablemente Villa deseaba penetrar en Estados Unidos para entregarse a las autoridades norteamericanas. Los soldados que protegían Columbus fueron atacados por sorpresa.

Disponían de cuatro ametralladoras, pero éstas se encontraban bajo llave, porque ya se había dado el caso de que militares desertores las robaban para venderlas en seiscientos dólares a los revolucionarios mexicanos. Sin embargo, a la luz del incendio los asaltantes se convirtieron en blanco fácil y hubo entre ellos muchas bajas. No se sabe cuántas, pero se habla de que fueron más de un centenar. Según los informes oficiales de la época, los norteamericanos recono-

...sólo diecinueve

...eron, aun así, vaciar ...local y se retiraron ...atadas a sus caballos ...n polvareda y hacer creer ...s perseguidores que eran ...gresaron a territorio mexi- ...ayor dificultad. ¿Qué llevó a ...evar a cabo aquel ataque dispa- ...? Sus partidarios afirman que todo ...producto de un arranque de cólera.

En un tiempo Villa había sido el revo-lucionario preferido de los norteameri-canos. Como no fumaba, ni bebía alcohol, ni tenía ideas sociales bien formadas, que pudieran haber conducido a la repartición de latifundios propiedad de extranjeros, muchos políticos norteamericanos se desvivían por complacerle e incluso por retratarse junto a él y salir a su lado en los periódicos.

Irónicamente, entre quienes se foto-grafiaron, muy sonrientes, en compañía de Villa se contaba el que más tarde sería su más tenaz perseguidor, el general John J. Pershing. Algunos historiadores afirman que Villa atacó Columbus para vengarse de Carranza, ya que suponía que los norte-americanos, en represalia, invadirían México y de algún modo obligarían a Carranza a abandonar el poder. Sea como fuere, mientras Villa se perdía en su refugio de la sierra de Chihuahua, la situación internacional alcanzaba un punto crítico.

El ataque a Columbus suscitó una oleada de indignación en Estados Unidos en un año de elecciones presidenciales en aquel país, que se tradujo en una aguda crisis en las relaciones entre Estados Unidos y México. El *World* de Nueva York editorializó que «únicamente la muerte de Villa» podría vengar «el ultraje de Columbus». Y los diarios del zar de la prensa amarilla norteamericana, William Randolph Hearst (1863-1951), al tiempo que decían que lo que había hecho Estados Unidos con Texas y Cali-

fornia debía repetirse hasta más allá del Canal de Panamá, añadían: «nuestra bandera debe ondear sobre la capital de México como símbolo de la rehabilita-ción de ese infeliz país».

Menos de un mes después, el 15 de marzo de 1916, John Joseph, «Black Jack», Pershing (1860-1948), veterano de la guerra contra los apaches y de la guerra contra España en Cuba y Filipinas, en 1898, y futuro comandante supremo de las fuerzas norteamericanas en la Primera Guerra Mundial, penetró en territorio mexicano al mando de un regimiento de unos 10.000 soldados, en lo que se deno-minó la «expedición punitiva».

Los norteamericanos invocaban derechos para evitar tal expedición, fundándose en un viejo tratado, firmado en 1882, producto de las guerras apaches del siglo XIX, en el que ambos gobiernos autorizaban el paso recíproco de sol-dados de una nación por el territorio de la otra para perseguir a los indios y a los saqueadores. Las tropas norteamericanas se afanaban en la busqueda de un fan-tasma. La prensa y el Congreso nortea-mericanos, enfurecidos por el ridículo de Pershing, cuyas tropas sumaban ya 12.000 hombres, exigían el inicio de una guerra formal con México.

A lo largo de la crisis Carranza ejerció una diplomacia sagaz en defensa de la soberanía nacional y el manteni-miento de la paz. Wilson vivía horas amargas. Con la experiencia de la inva-sión de Veracruz, en la que el pueblo armado hizo pasar serios apuros a las fuerzas norteamericanas, el Estado Mayor de Washington calculaba que se necesi-tarían 500.000 hombres para ocupar México y que la lucha habría de ser sangrienta.

Por otra parte, hacía dos años que Europa estaba envuelta en la Primera Guerra Mundial. Los comerciantes norte-americanos hacían negocios insólitos vendiendo armas a los beligerantes, y los alemanes comenzaban a mostrarse decididos a impedir que prosiguiera el tráfico. Tarde o temprano Estados Unidos tendría que ingresar en el conflicto europeo, y no podía distraer medio millón de hombres en una guerra con México.

Pero la opinión pública mexicana parecía a estas alturas no estar dispuesta a soportar nuevas intervenciones. Carrizal es un pueblo polvoriento situado en pleno desierto a unos cuantos kilómetros de Villa Ahumada, en Chihuahua, y de la vía del ferrocarril.

Allí se encontraba estacionado el segundo regimiento de la brigada Canales, unos trescientos hombres, mal armados y sin caballos, al mando del general carrancista Félix Gómez. En la población de El Carrizal tuvo lugar un enfrentamiento el 21 de junio, cuando el ejército de Carranza, al mando del general Jacinto B. Treviño (?), impidió el avance de una patrulla norteamericana con un saldo de 50 y 74 bajas, respectivamente. Y la mitad de sus hombres murieron o fueron hechos prisioneros en el enfrentamiento. El 24 Wilson amenazó con llevar a cabo una importante intervención militar en México, por lo que Carranza ordenó que los prisioneros fueran liberados.

El estado de Sinaloa llegó al extremo de hacer formal declaración de guerra a las autoridades de Washington, y Wilson reforzó sus guarniciones fronterizas con otros 65.000 hombres. Por su parte, Carranza ordenó la movilización general y la concentración de varios batallones armados en Villa Ahumada, Chihuahua. Pese a la alarma generalizada, la guerra no estalló. Wilson estaba enterado de que los diplomáticos alemanes no cesaban de acosar a Carranza con propuestas de ayuda.

El 25 de enero de 1917 Wilson firmó la orden para que las tropas de la Expedición Punitiva abandonaran territorio mexicano. Pershing cruzó la frontera el 3 de febrero; el último destacamento de norteamericanos regresó a su país el 5 de febrero, justo en el momento en que se promulgaba en Querétaro la nueva Constitución, en un intento carrancista por neutralizar las demandas sociales de Zapata. Dos meses más tarde Estados Unidos declaraba la guerra a las Potencias Centrales, marcando con ello su entrada en la Primera Guerra Mundial del lado de los aliados.

Carranza convocó entonces la celebración de un congreso constituyente que habría de reunirse en la ciudad de Querétaro, en el centro de México. El Parlamento inició sus sesiones el 1 de diciembre de 1916. El proyecto constitucional sometido a la consideración de los legisladores por Carranza legitimaba en más de un sentido el antiguo orden, reducía las facultades del legislativo y judicial, fortaleciendo enormemente las del poder ejecutivo. Los legisladores aprobaron el proyecto carrancista, si bien le añadieron varios artículos de corte social, en los que se incorporaron las reivindicaciones de la Casa del Obrero Mundial, de los magonistas y del zapatismo.

En cuanto a la relación entre el gobierno constitucionalista y las organizaciones obreras comenzó a ser evidente un grave distanciamiento, en el que diversos historiadores, particularmente marxistas, han querido ver, no exentos completamente de razón, una ofensiva contrarrevolucionaria de parte de la facción victoriosa contra las reivindicaciones de clase más radicales.

En efecto, ya desde finales de 1915, el gobierno de Carranza habría de reaccionar con medidas draconianas frente a las reivindicaciones de la clase trabajadora. Así, cuando en diciembre de ese año los sindicatos amagaron con ejercer el derecho de huelga, el gobierno de Carranza amenazó con severos castigos a los huelguistas. En enero de 1916 expide la orden de concentrar en la Ciudad de México a los batallones rojos para disolverlos. Ese mismo mes, en represalia por una huelga de ferrocarriles en solidaridad con los obreros textiles de Orizaba, Carranza ordena la militarización de los trabajadores ferroviarios. Días más tarde ordena a los gobernadores prohibir las concentraciones obreras y encarcelar a los sindicalistas cuya «labor tienda a trastornar el orden público».

Agosto sería el mes crucial dentro de esa pugna. El Sindicato Mexicano de Electricistas había convocado una huelga general. Por toda respuesta, a la «desagradecida clase trabajadora», Carranza exhumó y puso en vigor una vieja ley juarista de 1862, por la que se castigaba con pena de muerte a todo aquel que:

«incite a la suspensión del trabajo en las fábricas o empresas destinadas a prestar servicios públicos o la propaguen; a los que presidan reuniones en que se la proponga, discuta o apruebe; a los que la defiendan y sostengan; a los que la aprueben o suscriban; a los que asistan a dichas reuniones o no se separen de ella tan pronto como sepan su objeto, y a los que procuren hacerla efectiva una vez que se haya declarado»[79].

Al día siguiente la Casa del Obrero Mundial cerró sus puertas y dejó de existir. Las organizaciones proletarias habrían de esperar el relevo en el poder y la llegada de una nueva facción con mayor intuición política y social para institucionalizar un pacto político entre la Revolución y las reivindicaciones de la clase obrera.

Por lo que respecta al frente internacional, desde el 25 de septiembre de 1914, al poco tiempo de haberse iniciado la contienda europea, Carranza había definido ya su postura: México observaría una estricta neutralidad frente al conflicto armado. Como fundamento a tal declaración se esgrimieron las condiciones de guerra doméstica que prevalecían en el país, así como el propósito mexicano de «no agraviar ni apoyar a las partes en conflicto»[80]. No obstante, a lo largo de 1915, el espionaje alemán, por medio de sus agentes, había tratado de atraerse a Victoriano Huerta, para utilizarlo como un punto de apoyo contra los Estados Unidos en caso de que ese país se decidiera a intervenir en la guerra europea, tal como ya se esperaba.

El proyecto de los servicios secretos alemanes contemplaba el envío de submarinos a la zona del Atlántico y que México atacase por tierra a su vecino del norte, ya que en la lógica de los estrategas alemanes era esencial mantener a los Estados Unidos al margen del conflicto europeo, atrayéndole hacia sus propias fronteras. Esto es, siempre y cuando se pudiera poner a Huerta nuevamente en el poder, ya que de otra manera difícilmente habría probabilidad alguna de persuadir a México para que atacase a los norteamericanos.

Tal escenario —la restitución de Huerta— se vislumbraba como harto difícil, después de que el 9 de enero el gobierno alemán decidiera reanudar la guerra submarina sin restricciones. Unos días antes, el 17 de enero, el gobierno alemán había ordenado a su embajador en México que propusiera a Carranza una alianza bélica contra Estados Unidos, con la promesa de que al terminar las hostilidades se le devolvieran los territorios perdidos de Texas, Nuevo México y California. Un mensaje cifrado fue interceptado y enviado al departamento criptoanalítico del gobierno británico, conocida como Sala 40.

[79] Enrique Krauze, *Venustiano Carranza. Puente entre siglos.* «Biografía del poder», n.º 5, México, Fondo de Cultura Económica, 1987.

[80] José C. Valadés, *ob.cit..*

Dos funcionarios de guardia comenzaron la monótona tarea de descifrarlo, ignorantes de que contenía la clave para lanzar a los Estados Unidos del lado de los aliados y tal vez terminar con la más cruenta guerra jamás conocida hasta la fecha.

El mensaje, que pasó a la historia como el «telegrama Zimmermann», estaba cifrado con una clave diplomática alemana, conocida como clave 0075, y fue enviado por el ministro alemán de exteriores, Arthur Zimmermann, al embajador alemán en Washington, Conde von Bernstorff. Los criptoanalistas ingleses consiguieron desentrañar parcialmente el significado del documento; desciframiento que posteriormente fue confirmado gracias a una segunda copia del telegrama, enviado por Von Bernstoff a su homólogo en Ciudad de México, el embajador Von Eckardt, y transcrito mediante la clave 13042 (variante a su vez de la clave diplomática alemana 13040).

De acuerdo con Barbara Tuchman, los británicos tenían en su poder una copia de la clave 13040 tras habérsela arrebatado a un agente alemán en Persia. David Kahn, por contra, afirma que el conocimiento de dicha clave vino descodificado por los medios criptográficos acostumbrados: captura de mensajes cifrados, análisis de redundancias y frecuencias, y mucha inventiva. El hecho de que los dos expertos más distinguidos en este campo hayan sido incapaces de ponerse de acuerdo puede dar una idea acerca del grado de confidencialidad que incluso hoy envuelven ciertos acontecimientos de hace casi cien años[81].

Pero cualquiera que fuese su origen, las consecuencias finales son incontestables. El telegrama Zimmermann, una vez descifrado, ponía al descubierto las intenciones alemanas por llevar a México y Japón a una guerra con Estados Unidos, con objeto de mantener a este país lejos del teatro de guerra europeo. Un frente de guerra al sur de su frontera no resultaba conveniente a los norteamericanos —cuyo Estado Mayor llegó a calcular en medio millón las bajas potenciales en un hipotético conflicto con México— y mucho menos que los alemanes se hicieran con el control de la riqueza petrolera en la zona conocida como La Faja de Oro, entre los estados de Tamaulipas y Veracruz.

Pero su consecuencia última fue precisamente la opuesta a lo que los alemanes esperaban: la opinión pública norteamericana, indignada ante la conspiración alemana, obligó al pacifista presidente Woodrow Wilson a entrar en guerra del lado de los aliados.

El telegrama Zimmermann contenía la siguiente comunicación cuando fue enviado de Bernstorff a Eckardt. Estaba dirigido a la embajada alemana en Ciudad de México [German Legation, Mexico City] y firmado por un tal «Bernstorff»:

« (Telegrama) 130, (clave) 13042. Telegrama del Ministerio de Asuntos Exteriores, 16 de enero: número 1. Alto secreto. A descifrar por usted mismo. Tenemos la intención de comenzar la guerra submarina sin restricciones a partir del primero de febrero. Se intentará, no obstante, que los Estados Unidos se mantengan neutrales. Para el caso de que no sea posible lograrlo, ofrecemos a México una alianza sobre las siguientes bases: prosecución conjunta de la guerra, firma conjunta de la paz, generosa ayuda financiera y conformidad por nuestra parte de que México podrá reconquistar los territorios de Texas, Nuevo México y Arizona, perdidos en el

[81] Barbara Wertheim Tuchman, *The Zimmermann Telegram*, Nueva York, Dell, 1965. David Kahn, *The Codebreakers: The Story of Secret Writing*. Londres, Weidenfeld and Nicolson, 1966.

pasado. Dejo los detalles a Su Excelencia. Sírvase usted comunicar lo anteriormente dicho al presidente, en el más absoluto secreto, tan pronto como la declaración de guerra contra Estados Unidos sea algo seguro, y sugiérale que invite inmediatamente, por iniciativa propia, a Japón para unirse y que haga de intermediario entre nosotros y Japón. Sírvase advertir al presidente que el uso despiadado de nuestros submarinos ofrece ahora la perspectiva de que Inglaterra sea forzada a la paz en pocos meses. Acuse recibo. Zimmermann. Fin del telegrama.»

Al parecer, Carranza llegó a considerar el plan, al menos brevemente, y pidió a sus generales estudiar la viabilidad de la alianza, misma que carecía de la más mínima posibilidad. Por otra parte, un sector considerable de la opinión pública, encabezada por el director del influyente diario capitalino, Félix Palavicini, era abiertamente aliadófila. El país estaba desgarrado y la guerra mundial amenazaba con dividirlo todavía más. Incluso muchas voces que se alzaban contra el monroísmo y las pretensiones de tutela norteamericana, clamaban igualmente contra las «intrigas alemanas».

En consecuencia, Carranza declinó la oferta de Zimmermann el 14 de abril de ese mismo año, fecha para la cual los Estados Unidos ya habían entrado en la Gran Guerra y retirado a sus tropas de suelo mexicano[82]. El 14 de abril de 1917 Von Eckhardt, ministro alemán en México, telegrafió a Alemania: «Presidente Carranza permanecerá neutral en cualquier circunstancia…», echando por la borda las ilusiones alemanas, pero sin doblegarse a las presiones inglesa y norteamericana.

De esta manera, Carranza ascendió al poder sin asuntos complejos a sus espaldas y pudo dedicarse a reorganizar la política interna de México. El 1 de marzo Wilson hizo público el telegrama, generando con ello un previsible escándalo en el país. El 6 de abril Estados Unidos declaró la guerra a las potencias centrales.

Mientras tanto, Obregón, fue nombrado ministro de la Guerra. Desde ese cargo se dedicaría a comprar voluntades y a prevenir sublevaciones mediante un uso discrecional del erario público: «No hay general que resista un cañonazo de 50.000 pesos», sería el *dictum* de la corrupción generalizada de la Revolución Mexicana, y al mismo tiempo, como en toda revolución, vía y mecanismo de movilidad social acelerada. Los testimonios acerca de la corrupción carrancista de comprar la voluntad de generales y militares por medio del peculado y la prebenda habrían de proliferar. Los manifiestos zapatistas y felicistas denunciaron una y otra vez la voracidad y venialidad del carrancismo. El pueblo, con malicia, habría de acuñar la expresión *carrancear* como sinónimo de robo, proverbial rapacidad carrancista en tanto que los constitucionalistas pasaron a ser conocidos en la imaginación popular como los «*consusuñaslistas*».

En una de las batallas en que Obregón derrotó a Villa, el primero perdió el brazo en una refriega. Un chiste de la época, atribuido al propio Obregón, decía que para encontrar entre los despojos destrozados de los combatientes en el campo de batalla cuál era la extremidad de Obregón, sus generales lanzaron al aire varias monedas de oro y que la mano muerta había saltado y resucitado «volando como ave de cinco alas» para atraparlas, despejando con ello de toda duda

---

[82] Friedrich Katz, *The Secret War in Mexico: Europe, the United States and the Mexican Revolution*. Chicago, Chicago University Press, 1981.

sobre a quién había pertenecido. La corrupción se había convertido en «el aceite que lubrica la máquina del progreso» y, por ende, en un evidente mecanismo de movilidad social.

Dentro de la nueva elite había muchos hombres tenaces y prácticos que nunca perdieron de vista el provecho personal. Por debajo de los generales, aunque al cabo del tiempo hubieran de superarlos, prosperaban civiles y burócratas revolucionarios, líderes obreros tales como Morones, intelectuales como Lombardo Toledano o Vasconcelos, o funcionarios como Portes Gil, para los cuales, entre muchos otros, la educación representaba un medio de ascenso social. Los civiles criticaban abiertamente a los militares en el Congreso. El peculado conseguía lealtades y servía también para enriquecer a la nueva elite revolucionaria. Políticos y militares adquirieron y administraron cantinas, casinos y burdeles, lo que constituía una contradicción fundamental entre la teoría y práctica del constitucionalismo moralizante[83].

El constitucionalismo había sido en sus orígenes un movimiento con un marcado carácter puritano, manifiesto en sus denuncias contra la bebida, el vicio, la falta de higiene y otros «horrores»: intentó prohibir el alcohol, el juego, inculcar hábitos de salud e higiene y conseguir en suma la regeneración social del país.

La Revolución de 1910, y el desplazamiento de la elite del viejo régimen por los nuevos señores de la guerra, dieron a las armas la posibilidad de ser el vehículo ideal para acumular riqueza y oportunidades. Generales como Ángel Flores, Abelardo L. Rodríguez[84] (1889-1963), Maximino Ávila Camacho[85] (1891-1945) y Gonzalo N. Santos (1896-1979) conforman apenas un puñado de ejemplos entre centenares de personajes enriquecidos en forma estratosférica a través del poder revolucionario.

No fue sino hasta mediados de abril de 1916 cuando Carranza se instaló en Ciudad de México. Al poco tiempo, envió hacia Morelos un gran ejército, al mando del general Pablo González, con la misión de exterminar los focos de la rebelión zapatista. Ante la implacable ofensiva, los zapatistas tuvieron que abandonar ciudades y pueblos y ocultarse en las montañas. El 18 de agosto de 1918, los carrancistas se apoderaron nuevamente de las plazas principales del estado. Las actividades militares en forma de guerrillas se redoblaron y gracias a eso los carrancistas no pudieron expulsar al jefe de la revolución agraria, quien tuvo que trasladar su cuartel general a las estribaciones del volcán Popocatépetl.

En ese año, el movimiento zapatista atravesó por graves circunstancias; no sólo tuvo que enfrentarse a las tropas constitucionalistas, sino que se suscitaron algunas divisiones y deserciones. Algunos zapatistas aceptaron la amnistía que les ofrecía el gobierno, e incluso llegaron a enfrentarse a sus ex compañeros de lucha. El zapatismo perdió, por tanto, terreno, posiciones y hombres.

A pesar de su notoria debilidad, el zapatismo seguía siendo uno de los principales problemas del gobierno de Carranza. El mayor desafío de Emiliano Zapata al régimen carrancista lo constituyó su carta abierta del 17 de marzo de 1919, en la que acusaba públicamente al presidente de ser la causa de todos los males que sufría el país.

---

[83] Alan Knight, *op. cit.* Vol. II.
[84] Político y general mexicano nacido en Guaymas, Sonora. Fue presidente de México de 1932 a 1934.

[85] General y político mexicano nacido en Teziutlán, Puebla. Muy pronto se convirtió en el cacique de su estado natal. Notable por su corrupción y prepotencia. Gobernador de Puebla (1937-1941). Célebre por sus desplantes violentos y su condición mujeriega.

La constitución política de 1917

El 16 de septiembre de 1916, en la ciudad de Hermosillo, Carranza expidió otro decreto en el que se incluían importantes modificaciones al Plan de Guadalupe, bajo cuyo ordenamiento se emplazaba a la celebración de elecciones extraordinarias para integrar un Congreso Constituyente. Una vez que el Congreso concluyese sus trabajos, habrían de convocarse elecciones para la presidencia. Los villistas y zapatistas quedarían excluidos de la representación política de la nación, al ser vetados de participar en los comicios electorales. Las adiciones al Plan de Guadalupe preveían también la creación del municipio libre y la independencia del poder judicial.

La asamblea quedó constituida el 1 de diciembre de ese año en la ciudad de Querétaro. La mayoría de los más de doscientos diputados representaban nominalmente distritos de los populosos estados del México central, desde Jalisco hasta Veracruz. En el terreno ideológico, la gran mayoría eran de filiación liberal y anticlerical. Carranza pretendía cambios cosméticos a la Constitución de 1857 —poco más que una nueva declaración de principios del liberalismo clásico— y las únicas transformaciones sustantivas por él propuestas iban dirigidas a reforzar la presidencia y debilitar a los poderes legislativo y judicial, y a los gobiernos estatales, así como la creación de un banco central.

Los delegados de la asamblea tenían otros objetivos en mente. Un grupo de diputados radicales, entre los que destacaban Francisco J. Múgica (1884-1954) y Froylán Manjarrez, que consultaban a menudo y habían establecido alianzas secretas con Obregón, exigieron que se incluyesen provisiones de carácter social y económico que incorporaban los planteamientos de los floresmagonistas, zapatistas y de la Casa del Obrero Mundial. De inmediato se hicieron con el control de la asamblea y redactaron una carta que resultó sorprendentemente radical para esta época inmediatamente anterior al bolchevismo.

Pese a las objeciones de Carranza, la mayoría jacobina-obregonista lograría imponer estas reivindicaciones, que quedarían plasmadas en las más importantes previsiones de la carta magna. Entre ellas cabe destacar:

El artículo 3.º, que prohibía la educación religiosa y prescribía la educación laica, gratuita y obligatoria; el 27, que reservaba a la nación mexicana la propiedad de los recursos naturales del país, otorgando al Estado la facultad de realizar expropiaciones por causa de utilidad pública, y ordenaba que se expropiaran los latifundios para subdividirlos en granjas pequeñas y propiedades rurales de carácter comunal; el 82, que prohibía la reelección en el cargo presidencial, reivindicación original del maderismo; el 123, que limitaba la jornada laboral a ocho horas (en una época en la que en Estados Unidos y Europa occidental seguía siendo de diez y doce horas), garantizaba el derecho a la libre sindicalización, establecía un arbitraje obligatorio por parte del Estado, salarios mínimos, indemnización por despido y participación de los trabajadores en las utilidades de las empresas en que laborasen, derechos del trabajador inéditos para la época, y el 130, que reglamentaba el culto religioso, establecía una serie de restricciones a los religiosos, que iban desde limitar su número hasta la prohibición de vestir hábitos religiosos en la vía pública y prohibía al clero su participación en la política nacional.

Estas medidas, radicalmente avanzadas para su época, confirieron a la Revolución Mexicana su carácter de primera revolución social del siglo XX y le granjearon el reconocimiento a su constitución como la más progresista y radical de las entonces existentes. Los reflejos socialistas permeaban la constitución. De súbito se hizo evidente que lo que se había iniciado como una simple insubordinación de algunas elites contra Díaz amenazaba ahora con convertirse en una auténtica revolución social y con cambiar las relaciones de poder y propiedad en México. A partir de 1917, todo aspirante al poder político en México tendría que adoptar cuando menos una postura retórica a favor de obreros y campesinos.

El 31 de enero de 1917 Carranza asistió a la clausura del Congreso de Querétaro y el 5 de febrero fue promulgada la nueva Constitución. Al día siguiente convocó comicios para elegir presidente, senadores y diputados federales, fijadas para el siguiente 11 de marzo. En el recuento oficial, Carranza obtuvo 797.305 votos, contra 11.615 para el general Pablo González, principal adversario de los zapatistas, y 4.008 para Obregón, aunque ninguno de ellos era candidato, al menos oficialmente. No obstante, el Partido Liberal Constitucionalista, un membrete creado *ex profeso,* sostuvo la candidatura de Carranza, y al resultar triunfador éste, tomó posesión el 1 de mayo de 1917 como presidente Constitucional de la República.

Carranza fue elegido presidente de la nación el 11 de marzo de 1917. Comenzó entonces la «reconstrucción» del país, según el término al uso de la época. Pese a su aparente derrota, el movimiento popular seguía siendo fuerte. El tercer desafío al control carrancista fue el bandolerismo endémico que padecía la mayor parte del país y ante el cual la autoridad parecía impotente.

En esta época es más difícil que nunca distinguir entre rebelión rural y bandolerismo. El gobierno catalogaba a Villa y Zapata de «bandidos». Ciertamente los métodos y prácticas de ambas facciones eran comparables a las de los bandidos, en la medida en que evitaban batallas convencionales y utilizaban en cambio tácticas sorpresivas e incluso terroristas. No obstante, aquí cabría recordar la noción de «bandolerismo social» de Eric Hobsbawm (el bandido como *Robin Hood* y el bandolerismo como una forma de protesta social sustituta), que se ha probado de manera extensiva en el contexto latinoamericano[86].

En Francia, Rusia y China, el bandolerismo y las grandes revoluciones han ido de la mano, en la medida en que éstas abundan la ferocidad y la destreza militar. En ese sentido, en toda gran revolución el fenómeno ha formado parte de la marea de la revolución social y ha sido muy difícil distinguirlo de ésta. Dentro de México, las regiones más afectadas por este fenómeno fueron los estados de Michoacán, donde, por ejemplo, el general Chávez se distinguió por su codicia y salvajismo; Jalisco y Guanajuato, aunque también en Durango, Zacatecas y Tamaulipas. Todas las clases sociales fueron víctimas de la violencia indiscriminada, ejecutada a veces con cierto cinismo sádico.

Sin embargo, la existencia de un nuevo gobierno central con legitimidad revolucionaria había para entonces cambiado las reglas del juego. Si en el bienio 1913-1914 robar ganado y asaltar trenes habían sido actos «loables» y «aceptados», en 1916 eran considerados delitos capitales[87].

El crimen y el bandolerismo eran reflejo de la miseria en que se encontraba el país. Tras años de revuelta constante, la economía nacional estaba hecha trizas. La producción había caído a niveles insólitos y muy pronto apareció una inflación desbordada e incontrolable; la bancarrota

---

[86] E. J. Hobsbawm, *Bandits*. Londres: Weidenfeld & Nicolson, 1969.

[87] Alan Knight, op.cit., Vol II, p. 967.

y el desempleo se sumaban de este modo a las muchas tribulaciones nacionales.

La Revolución había devastado la red ferroviaria del país y había acabado con la solidez de la moneda. Descuido inevitable, falta de inversión y sabotaje deliberado: vías arrancadas, puentes y convoyes dinamitados para impedir el avance de los enemigos. Las deficiencias de los ferrocarriles entorpecían el comercio y agravaban el problema de abastecimiento de alimentos.

Por su parte, la política monetaria seguida por Carranza para proveerse de fondos y financiar al constitucionalismo había llevado a un profundo descalabro económico. Durante la Revolución cada facción había hecho imprimir sus propios billetes para financiar sus campañas. El propio Huerta había aumentado la emisión de billetes y moneda circulante de forma astronómica, lo que sacó de la circulación al oro y provocó la devaluación del peso frente al dólar. Así, el peso mexicano pasaría de 49,5 centavos de dólar en enero de 1913 a dos por dólar tres años más tarde. El resultado neto de dicha depreciación fue una hiperinflación sin precedentes en los anales de la historia financiera de México y el desquiciamiento general de la economía del país.

En un intento desesperado por hacer *tabula rasa* del pasado y comenzar desde cero, el gobierno carrancista puso en circulación en mayo de 1916 nuevos billetes por un valor de 800 millones, los llamados «infalsificables», impresos en Estados Unidos. De inmediato quedó sin valor la antigua moneda. La tasa oficial del nuevo instrumento fue fijada en 10 centavos de dólar por peso; sin embargo, la nueva moneda cayó a lo largo del año

y al finalizar éste ya había perdido casi todo su valor[88].

El 11 de noviembre de 1918 terminó la Primera Guerra Mundial. Para México, al igual que para el resto de la América Latina, la principal repercusión del conflicto europeo fue el desalojo y alejamiento de las potencias europeas en el hemisferio occidental —de ésta manera, a medida que avanzara el siglo XX sería notorio el retroceso de las inversiones británicas en el subcontinente y un paralelo incremento de las estadounidenses— y la afirmación de la nueva tutela, política y económica, de los Estados Unidos sobre la región. En el caso mexicano, esto significó el inicio de una serie de nuevas presiones diplomáticas y de no tan veladas amenazas de intervención militar en el país. Tras muchas postergaciones los Estados Unidos otorgaron finalmente el reconocimiento diplomático al gobierno de Carranza condicionándolo, sin embargo, a la revocación del artículo 27 constitucional.

La epidemia de la influenza o gripe «española» alcanzó, al igual que en el resto del mundo de la época, proporciones apocalípticas, al tiempo que se reducían la producción y el comercio a un nivel de mera subsistencia. No está claro cómo llegó a México el virus. Una versión dice que la «influenza española» llegó a México, en junio de 1918, procedente de los Estados Unidos. Por otro lado se especula que la influenza de 1918 llegó a los puertos de Tampico y Veracruz, traída por los barcos de la compañía Trasatlántica Española. Un cálculo sitúa en 400.000 las personas que fallecieron en México —que entonces tenía catorce millones de personas— a causa de ella, o sea entre el 2,5 y el 3 por ciento de la población[89]. Al ser más elevada la morta-

---

[88] Álvaro Matute, Las dificultades del nuevo Estado, 1917-1924. *Historia de la Revolución mexicana*. México, El Colegio de México, 1995, pp. 202-214.

[89] Leslie Betthell, 132.

lidad entre los hombres, la proporción entre sexos varió también de manera sensible.

En lo que respecta a la «pacificación» del país, prioridad fundamental del carrancismo, ésta pareció hacer avances simultáneos. Zapata había conseguido mantener activa la insurrección en el sur, hasta que, víctima de una estratagema preparada por el general Pablo González, cayó en una emboscada en la hacienda de San Juan Chinameca, donde el 10 de abril de 1919 fue asesinado. Jesús Guajardo, un coronel aparentemente desafecto con el carrancismo, alardeó públicamente, en una borrachera de cantina, acerca de sus supuestas intenciones de dejar las filas del general Pablo González y unir sus fuerzas al zapatismo.

Un Zapata cada vez más cercado y aislado por las fuerzas federales, pareció esperanzado con la idea de contar con un nuevo aliado e invitó a Guajardo a unirse a sus fuerzas. Hubo prolongados tanteos y negociaciones mutuas en las que Guajardo tuvo que demostrarle al llamado «caudillo del sur» su lealtad a la causa agrarista, haciendo apresar y fusilar a un número de desertores zapatistas que se habían pasado al bando carrancista.

Finalmente, el 10 de abril, como colofón de su nueva alianza, Guajardo invitó a Zapata para comer juntos en la hacienda de Chinameca. Zapata aceptó, saliendo a caballo con diez hombres, pero las órdenes eran que cuando llegara a la hacienda, a la primera llamada de honor se le hicieran honores de general y la segunda hicieran fuego contra él. Así, al entrar en la hacienda, Zapata fue emboscado y cayó muerto antes de poder desenfundar su pistola. El cadáver del prócer fue llevado a la ciudad de Cuautla y exhibido públicamente «para escar-miento» de los insurrectos. Guajardo fue ascendido a general y recibió de Carranza 50.000 pesos como recompensa a su «lealtad». Si bien muchos hombres dejaron las armas, otros como Gildardo Magaña o Genovevo de la O hicieron públicas su voluntad y compromiso de consumar los ideales por los que tantos años habían luchado y vengar la muerte de Zapata.

El movimiento agrario morelense no fue liquidado por la desaparición de su principal dirigente, quien con su muerte se volvió un mito, y se mantuvo en rebeldía hasta 1920, fecha en la que estableció una alianza con la facción revolucionaria obregonista, que triunfó en la rebelión de Agua Prieta.

En vísperas de las elecciones presidenciales de 1920 Carranza parecía un hombre cansado y rebasado por los acontecimientos. Las circunstancias se le habían venido encima; levantamientos, fermentos políticos, inquietud social, desastre económico, epidemias, hambrunas, boicots, huelgas. La nueva elite política estaba soliviantada ante la sucesión presidencial y sus antiguos aliados y subordinados ignoraban la autoridad de Carranza en sus prematuros y desbocados afanes por hacerse con la primera magistratura. Para colmo, buena parte de la nueva clase política usufructuaba los cargos públicos como propiedad privada, constituyéndose en una auténtica cleptocracia. «El Viejo no roba, pero deja robar», se decía.

El poder real del país ya no se encontraba en sus manos, sino en las del compacto grupo sonorense que desde tiempos del cuartelazo de Huerta y del Plan de Guadalupe había jugado un papel preponderante en el movimiento revolucionario[90].

En un intento por emular el ideario «civilista» de Juárez contra la odiosa

---

[90] Héctor Aguilar Camín, *La frontera nómada. Sonora y la Revolución Mexicana*. México, Siglo XXI, 1977.

banderola del «militarismo» Carranza decide desterrar de una vez por todas a los militares de la vida política de México. Carranza estaba convencido de su fuerza política y prestigio personales, y que ninguno de los jefes revolucionarios, pese a sus muchas hazañas militares e insignias de triunfo, podría disputarle, aunque lo desease, la supremacía política en la república. Así lo declara al periodista español Vicente Blasco Ibáñez. El gobierno de Carranza no duraría tampoco. El que fuera su lugarteniente y ministro de la Guerra, el general Álvaro Obregón, se levantó en armas junto con otros dos prominentes generales sonorenses, Plutarco Elías Calles y Adolfo de la Huerta (1881-1955.)

«El mal de México ha sido y es el militarismo. Sólo muy contados presidentes fueron hombres civiles. Siempre generales, ¡y qué generales! Es preciso que esto acabe, para bien de Méjico; deseo que me suceda en la presidencia un hombre civil, un hombre moderno y progresivo que mantenga la paz en el país y facilite su desarrollo económico. Hora es ya de que México empiece a vivir como otros pueblos»[91].

Entre esos hombres a quienes Carranza subestimaba estaba Obregón. Para la gente común y corriente resultaba inaceptable que Carranza pretendiese no recordar ahora que su triunfo había sido fraguado en gran medida en los campos de batalla por Obregón, por lo que la imposición de Bonillas tenía todos los visos de una ingratitud.

Obregón no desconocía el prestigio y la fuerza de los que gozaba. En octubre de 1919, Obregón se autoproclama como candidato a la presidencia, lanzando un manifiesto a la nación. El general recorre el país en medio de demostraciones multitudinarias y encendidos discursos. Poco después el general Pablo González lanza su candidatura. Carranza calculó que los dos grandes caudillos militares en competencia por el poder se harían pedazos entre sí, dejando el camino libre para una tercera candidatura en liza.

Carranza quería imponer a un civil en vez de un militar como presidente; en ese sentido apoyó la candidatura del embajador de México, Ignacio Bonillas (1858-1944), un ingeniero educado en el Massachusetts Institute of Technology (MIT), prácticamente desconocido en México, carente de una carrera política destacada y tan afín al gobierno norteamericano, que la maledicencia popular lo bautizó como «Mister Bonillas». Por lo demás, Bonillas carecía de la agresividad y el arrojo tan característicos de esos tiempos revueltos, y tan vitales para desenvolverse en ellos, por lo cual se le percibía como timorato y excesivamente dependiente de Carranza.

En ese sentido, se rumoraba también que Carranza pretendía hacer con Bonillas lo que Porfirio Díaz había hecho con Manuel González, al dejarle un término en la presidencia y que al cabo de su mandato habría de pagarle el favor derogando el principio constitucional antirreeleccionista. Sea como fuere, Bonillas fue unánimemente repudiado como un hombre de paja; su designación resultó tan disparatada que la opinión pública se la tomó a guasa.

Al estilo de Díaz, la maquinaria carrancista intentó controlar las elecciones y manipular a la opinión pública. La prensa oficial y la domesticada hostigaban sistemáticamente a Obregón y sus partidarios, acusándolos de corrupción

[91] Vicente Blasco Ibáñez, *El militarismo mexicano*. Estudios publicados en los principales diarios de los Estados Unidos/Vic.

y deslealtad en un vano intento por intimidarlos.

Ante el flagrante rechazo popular a la imposición se habló brevemente de que Carranza buscaría sustituir la candidatura de Bonillas por la del general Pablo González. Pero para entonces ya era demasiado tarde. No habría más tiempo para rectificaciones. La popularidad de Obregón se acrecentaba inexorablemente, en medio del júbilo de sus partidarios, culminando con su arribo desafiante a Ciudad de México, el 24 de noviembre, donde presidió un mitin masivo.

Ante la ostentación del obregonismo, González se volvió más discreto y cauteloso, por lo que limitó sus actividades electorales. Seis meses más tarde, el gobierno de Carranza parecía hacer agua por todas partes. La tensión entre Obregón y Carranza se transformaba día a día en abierto encono mutuo.

Al comenzar 1920 Carranza percibió señales que le dieron motivos de alarma: el obregonismo parecía penetrar no sólo en el aparato burocrático-administrativo, en el cual muchos funcionarios comenzaban a hacer gala pública de su adhesión al general, sino, hecho más grave, dentro de las filas del ejército constitucionalista, donde no sólo los generales, sino también oficiales y tropa se unían al nuevo caudillo, haciendo altamente probable la eventualidad de una nueva algarada militar en su contra.

Paralelamente, el líder sindical Morones estableció un pacto secreto tras bambalinas con Obregón, quien buscaba apoyo entre los sindicatos para su postulación presidencial. En agosto de 1919, ambos acordaron una versión pacífica y electoral de los Batallones Rojos de cuatro años antes, que puso a la CROM al lado de Obregón, a cambio de concesiones ventajosas para el movimiento obrero, entre las que destacarían la concesión de la Secretaría de Agricultura para un cromista y la creación de la Secretaría de Industria, Trabajo y Comercio. De dicho acuerdo surgiría también el Partido Laborista mexicano, brazo político de la CROM, que contribuiría al arribo de Obregón a la presidencia, a Morones a adquirir poder y riqueza y a sellar la alianza histórica entre el movimiento sindical y los sucesivos gobiernos de la Revolución Mexicana.

En ese clima de creciente desasosiego, el general Calles presentó su renuncia como secretario de Industria el 4 de febrero. La estratagema por la cual Carranza creía haber desvinculado a Calles del obregonismo yacía hecha añicos. Con la partida de Calles, Carranza perdía uno de los principales sostenes de su gobierno.

En abril, el gobierno de Carranza intentó tender una emboscada a Obregón, al citarle a declarar en el proceso que se le seguía al general rebelde Roberto F. Cejudo, a quien supuestamente se le habían encontrado instrucciones de levantamiento que comprometían a Obregón. Éste acudió a la ciudad, pero, avisado por sus simpatizantes dentro del gobierno de que Carranza lo acusaba de estar de acuerdo con los rebeldes y de que intentaba someterlo a un proceso penal por sedición en Ciudad de México, consiguió evadir la trampa, protagonizando una huida digna de la mejor película de aventuras. A punto de ser capturado por la policía, Obregón cambió su sombrero panamá por uno de fieltro, con lo que consiguió despistar a sus perseguidores, que ya le pisaban los talones. Poco después, disfrazado de ferrocarrilero, logra huir en tren hacia el sur. En el estado de Guerrero ya lo esperaba un gobierno obregonista «a ultranza» y dispuesto, con tal de defenderlo, a romper el pacto federal.

El día 20 Obregón lanzó desde Chilpancingo, capital del estado, una proclama en la que acusaba a Carranza de intentar imponer un candidato impopular —Bonillas— y de apoyar su campaña política con fondos del erario público. Desde ese momento, Obregón se ponía «a las órdenes del gobernador de Sonora» para apoyar su decisión y cooperar con él «hasta que sean depuestos los altos poderes».

Tres días después, los sonorenses proclamaron el Plan de Agua Prieta, en el que se desconocía la autoridad de Carranza[92]. Sólo cinco semanas más tarde, el jefe supremo del Ejército «Liberal Constitucionalista», general Adolfo de la Huerta, haría su arribo a la capital y asumiría la presidencia de la República.

Carranza, sorprendido por el giro de los acontecimientos, decidió, de acuerdo con su experiencia de 1914, retirarse a Veracruz, para reagrupar sus fuerzas y desde allí marchar victorioso para volver a tomar el resto del país, no sin antes publicar un largo manifiesto patriótico el 5 de mayo, en la que defendía su gestión y denunciaba a sus adversarios. En dicha proclama, Carranza insistía en la disyuntiva entre civilismo y militarismo, dándole una carga positiva al primero y negativa al segundo como un poder arbitrario, brutal e ilegítimo.

Carranza decidió entonces trasladar su gobierno, junto con los poderes legislativo y judicial y con todo y la impedimenta de su cobertura legal, a Veracruz, donde esperaba contar con la ayuda de su yerno, el general Cándido Aguilar, en una evacuación que se antojaba suicida. Para tal efecto, una caravana de sesenta vagones salió de la estación de ferrocarriles de Colonia el día 6 de mayo, llevando consigo a sus partidarios, los archivos gubernamentales, armas, haberes y el tesoro federal.

Un primer contratiempo tuvo lugar en la propia estación, donde los trabajadores ferroviarios boicotearon locomotoras y vagones, lo cual impidió que saliera el convoy completo. Poco después se tendría noticia de innumerables defecciones de militares cuyo apoyo se esperaba.

La caravana fue hostigada por las fuerzas obregonistas a las afueras mismas de la ciudad y sufrió una carga de dinamita en Villa Guadalupe. El 7, cortado el avance hacia Veracruz, la menguada comitiva de Carranza decide cambiar el rumbo. Carranza abandonó el convoy y marchó a caballo a través de la Sierra Norte de Puebla. Sólo un puñado de generales lo acompañan; otros, como Urquizo, Diéguez y Aguilar, le seguían siendo fieles, pero estaban lejos. Carranza fue asesinado en Tlaxcalaltongo en la sierra de Puebla el 21 de mayo de 1920. Fue enterrado cuatro días más tarde en Ciudad de México en la mañana misma del día en el que el Congreso elegiría a Adolfo de la Huerta como presidente sustituto, el jefe civil de la rebelión de Agua Prieta y el primero en una serie de cuatro presidentes sonorenses que habría de tener el país en los siguientes catorce años.

Inmediatamente después, se desataron las especulaciones y el futuro en torno a la sucesión presidencial de 1920, y entre los más fuertes contendientes se hablaba de Álvaro Obregón, apoyado por la facción agrupada en torno al llamado Partido Revolucionario Sonorense, y Pablo González,

[92] Plan de Agua Prieta, fragmento: «Considerando: II.- Que el actual presidente de la República, C. Venustiano Carranza, se ha constituido en jefe de un partido político, y persiguiendo el triunfo de ese partido ha burlado de una manera sistemática el voto popular, ha suspendido, de hecho, las garantías individuales; ha atentado repetidas veces contra la soberanía de los estados y ha desvirtuado radicalmente la organización de la República.

Plan Orgánico del Movimiento *Reinvindicador* de la democracia y de la ley. Art. I. Cesa en el ejercicio del Poder Ejecutivo de la Federación el C. Venustiano Carranza. Art. II. Se desconoce a los funcionarios públicos cuya investidura tenga origen en las últimas elecciones de poderes locales verificados en los estados de Guanajuato, San Luis Potosí, Querétaro, Nuevo León y Tamaulipas. En Silva Herzog, *op. cit.*

por unos grupos denominados pomposamente como Partido Liberal Independiente y Gran Partido Progresista, en todo caso facciones locales o rebeldes construidas en torno a las candidaturas de los caudillos.

En abril de 1919 se inició la rebelión contra Carranza, cuando Adolfo de la Huerta, gobernador de Sonora, se autoproclamó jefe del ejército libertador constitucionalista.

Con el argumento de supuestas violaciones a la soberanía de Sonora, y secundado por la movilización de fuerzas federales a cargo de Plutarco Elías Calles, De la Huerta proclamó el Plan de Agua Prieta, desconociendo a Carranza como presidente. Pronto, la rebelión se extendió por todo el país y Carranza tuvo que abandonar la Ciudad de México para refugiarse en Tlaxcalantongo, Puebla, donde murió asesinado.

El 24 de mayo de 1920 un Congreso atestado de diputados obregonistas nombraba como presidente provisional a Adolfo de la Huerta por 224 votos contra 29 votos a favor del general Pablo González. De la Huerta contaba con treinta y nueve años de edad, y pertenecía al grupo sonorense, de cuya entidad federativa era gobernador; cantante de ópera y político de talante negociador.

Una semana más tarde, De la Huerta rindió juramento como presidente interino, cargo que habría de ocupar hasta el 30 de noviembre de ese mismo año. El 10 de junio, el general Pablo González daba a la prensa un manifiesto en el que anunciaba el retiro de su candidatura a la presidencia por «razones patrióticas». Era más bien una retractación pública frente a la fuerza popular del hombre fuerte del momento, Álvaro Obregón. No obstante, la venganza de los sonorenses sería implacable. El 19 de julio se le inició consejo de guerra, que lo declaró culpable y lo condenó a muerte. A regañadientes, Calles ordenó que fuera puesto en libertad y un mes más tarde tomó la ruta de un exilio que se prolongaría durante cerca de veinte años[93].

La breve presidencia de De la Huerta tendría, no obstante, logros notables. El mayor de ellos quizá fuera avanzar en la reconciliación del país. A lo largo de la presidencia de Carranza uno de los mayores desafíos a la política de pacificación nacional había sido la renovada lucha de Pancho Villa. En ese sentido, uno de los mayores éxitos de la Administración de De la Huerta, si no el mayor, fue haber conseguido, finalmente, y contra el consejo de Obregón y Calles, la rendición de Villa, el cual todavía encabezaba un ejército de 700 hombres.

Hombre de talante negociador, De la Huerta ofreció la amnistía a todos aquellos irregulares que depusieran las armas. Tras una serie de negociaciones secretas con el gobierno, Villa aceptó dispersar sus tropas a cambio de un retiro concertado en la hacienda del Canutillo en Durango, de 10.000 hectáreas de extensión y adquirida por el gobierno federal en 600.000 pesos; otra finca para que 250 de sus soldados se dedicaran a la agricultura, y el derecho a conservar una guardia privada de cincuenta hombres para su seguridad, financiada por la propia Secretaría de Guerra y Marina. A los demás villistas se les ofreció la opción de percibir un año entero de sueldo a cargo de la misma dependencia o incorporarse al ejército federal. Otros grupos se acogieron a la nueva política de amnistías y pacificación a cambio de tierras. Casi todos los felicistas se rindieron y depusieron las armas, mientras su principal dirigente, Félix Díaz, partía hacia un exilio del cual no volvería hasta 1936. En pocos meses se consiguió un ambiente

93 Álvaro Matute, *ob.cit.*, pp.142-143.

de paz que no se había visto desde hacía años.

Otro signo de los tiempos lo constituyó el retorno al país de muchos exiliados de la Revolución. Entre éstos destaca quien habría de ser secretario de Educación de Obregón, José Vasconcelos, a quien se le encargó la rectoría de la recién reabierta Universidad de México.

Durante un tiempo la postura del gobierno fue la misma que había seguido Carranza de considerar a Villa como un forajido fuera de la ley, tendiéndosele un cerco dentro de los límites de la región de Chihuahua por él dominada.

Fue en julio, a un mes escaso de la toma de posesión de De la Huerta, cuando, por intermediación del ingeniero sonorense Elías Torres, Villa envió una carta al presidente en la que le anunciaba su voluntad de llegar a un acuerdo y deponer las armas. De la Huerta le respondió diez días más tarde, ofreciéndole toda clase de garantías para que se reintegrara a la vida civil. Finalmente, el 28 de julio se firmó el acta de rendición de Villa en la población de Sabinas Coahuila, en lo que, sin duda, fue un gran éxito del gobierno de De la Huerta.

Las elecciones presidenciales tuvieron efecto el 5 de septiembre, y en ellas Obregón obtuvo una aplastante victoria sobre su contrincante, Alfredo Robles Domínguez, un ingeniero sucesivamente zapatista y carrancista, y que había sido gobernador del Distrito Federal, por el inverosímil margen de 1.132.000 votos contra 47.000.

El 20 de noviembre de ese año, ya con el nuevo régimen revolucionario firmemente asentado en el poder, se conmemoró por primera vez, de manera oficial, el décimo aniversario de la Revolución Mexicana, queriéndose significar con ello el triunfo irreversible de la misma. Lo cierto es que había pocos motivos para conmemorar.

Diez años de luchas intestinas habían dejado un país devastado. Es generalmente creído, aunque no aceptado, que un millón de personas habían perdido la vida a consecuencia de la guerra (1910-1920). A las bajas producidas por el enfrentamiento bélico vino a sumarse además la propagación de la gripe española, que, al igual que en el resto del mundo, provocó un considerable incremento en la mortandad pública; todo ello en medio de una destrucción material formidable, que había afectado la infraestructura nacional: vías férreas dinamitadas, tendido telegráfico destruido, etc.

Hubo también por efecto de la Revolución una migración sin precedentes del campo a las ciudades[94], pero también de las ciudades, en especial las de provincia, al campo. A ello había que sumarle el lastre adicional de mantener un ejército de 100.000 mil hombres que consumía el 62 por ciento del erario público.

El 1 de diciembre Obregón asumía la presidencia de la República sin conseguir el reconocimiento diplomático de Estados Unidos, Francia y el Reino Unido. Pese a ello, Obregón demostró ser, no sólo un hábil estratega militar, sino un muy competente y hábil estadista. Obregón pactó una alianza histórica de la Revolución Mexicana con los sindicatos y consiguió atraer hacia su grupo a la facción agraria zapatista, cooptando su ideario, al hacer suyas, entre otras, la exaltación del indio, la reforma agraria y el apoyo a la clase trabajadora, con lo cual se aseguró una legitimidad interna nada despreciable.

---

[94] Como producto del despoblamiento de muchas ciudades de provincia que habían sido frentes de guerra, la Ciudad de México aumentó su población de 1910 a 1921 en un 25 por ciento. Alan Knight, *ob.cit.*, Vol. II, p. 1071.

En un claro afán de obtener legitimidad, Obregón comienza a poner en práctica las metas sociales de la Constitución de 1917. La Revolución pasó entonces de su fase militar a lo que se conoce historiográficamente como su etapa reconstructiva.

La reforma agraria, la política sindical y la educación entraron al proscenio. Entre 1921 y 1924 ocupó la Secretaría de Educación Pública José Vasconcelos[95] (1882-1953), desde la cual impulsó la difusión de la cultura popular y la reorganización del sistema de enseñanza, presidiendo uno de los períodos más notables, creativos y fructíferos de la cultura mexicana.

Pese a la crisis económica de la posguerra y de la devastación material provocada por la lucha armada, Obregón habría de contar con un valioso expediente a su favor: el auge petrolero. A ello había contribuido de manera notable la Primera Guerra Mundial, cuyas voraces necesidades había generado un incremento geométrico de la producción para alimentar sus necesidades bélicas, marinas y terrestres. El incremento de la explotación petrolífera en México fue espectacular, tanto por el aumento de la demanda como por el progresivo perfeccionamiento de las técnicas de explotación de los yacimientos.

A la sazón, México con una producción de 191 millones de barriles en 1921, tenía el tercer lugar mundial, sólo por detrás de Estados Unidos y Rusia, y generaba aproximadamente una cuarta parte de la producción mundial de petróleo, hecho que habría de garantizar la prosperidad del nuevo Estado revolucionario y su viabilidad, al menos a medio plazo. Por otra parte, entre 1916 y 1917 Carranza había decretado nuevos impuestos a la producción petrolera que le reportaron sumas considerables al gobierno por ese concepto de 58 millones de dólares en 1922[96].

El *boom* petrolero mexicano alcanzaría su clímax en 1921, fecha a partir de la cual entraría en un declive acelerado, transfiriendo su posición de principal productor de petróleo en el hemisferio occidental a Venezuela, donde se acababan de encontrar nuevos y vastos yacimientos.

Las nuevas políticas anticlericales del régimen revolucionario propiciaron revueltas sangrientas, entre los años de 1929 y 1933, principalmente por los cristeros (católicos romanos militantes) que, eventualmente, serían aplastados por la nueva fuerza militar gubernamental, encabezados por el general y ministro de la Guerra, Joaquín Amaro[97].

Como parte de la embestida contra la Iglesia católica, Ernesto Filippi, arzobispo de Sardina (Sofía, Bulgaria) y representante oficioso del Vaticano en México (1921-1923), fue expulsado por Obregón, por oficiar servicios religiosos al aire libre, cuando el artículo 130 constitucional expresamente lo prohibía.

El secretario de Hacienda, Adolfo de la Huerta, y el financiero y representante de la Comisión Internacional de Banqueros (y de la banca norteamericana J. P. Morgan), Thomas William Lamont (1870-1948), suscriben en 1922 el Tratado Lamont-Huerta, por el que el gobierno de

---

[95] Político, pensador y educador mexicano, nacido en la ciudad de Oaxaca, capital del estado del mismo nombre. Partidario en su juventud de Francisco I. Madero, tras pasar algunos años en el exilio, en 1920 fue nombrado rector de la Universidad Nacional y entre 1921 y 1924 ocupó la Secretaría de Educación Pública, desde la cual impulsó la difusión de la cultura popular y la reor-ganización del sistema de enseñanza. Durante esta etapa de su vida cultivó de forma especial el ensayo histórico y filosófico. De esta última época data su ensayo más célebre: *La raza cósmica* (1925).

[96] Leslie Bethell, et al., *ob. cit.*

[97] Jean Meyer, *La Cristiada*. 4 vols. México, Editorial Clío, 1997.

México reconoce su deuda con los Estados Unidos en 700 millones de dólares, los plazos y el monto de los pagos para redimirla —entrega anual de exhibiciones monetarias, garantizadas por determinada parte de los impuestos petroleros y las ganancias de la líneas ferroviarias intervenidas por el gobierno— y en el cual, a cambio, la banca internacional se comprometía a abrir las líneas de crédito. A la postre, ni el CIB concedió préstamos ni el gobierno pudo cumplir con los términos del acuerdo. En 1924 el gobierno tuvo que declarar la suspensión de pagos de la deuda externa.

Un año después, las negociaciones se iniciaron el 15 de mayo de 1923 y terminaron el 13 de agosto del mismo año, concluyendo con los llamados Acuerdos de Bucareli por los que los Estados Unidos le otorgaban el reconocimiento diplomático al gobierno de Obregón a cambio de las siguientes concesiones:

Las propiedades agrícolas expropiadas a estadounidenses se pagarían con bonos, si no eran mayores a 1.755 hectáreas. En el caso de propiedades que rebasaran dicha extensión, el pago sería de inmediato y al contado. Para tal efecto, se integraría una comisión que se encargaría de revisar las reclamaciones pendientes a partir de 1868; las reclamaciones originadas por la Revolución se resolverían aparte.

Con relación al petróleo, el artículo 27 no era retroactivo para los norteamericanos que habían adquirido sus concesiones antes de 1917, lo que les permitía seguir explotando libremente el hidrocarburo. Las concesiones hechas por la parte mexicana anulaban virtualmente las disposiciones contenidas en el artículo 27 constitucional, además de que

las condiciones pactadas para solventar la deuda externa eran claramente ruinosas para el país[98].

Los célebres Tratados de Bucareli, que implicaban una capitulación total de parte del gobierno revolucionario y una abjuración de los principios mismos de la Constitución de 1917, nunca llegarían a entrar en vigor, en la medida en que no fueron confirmados ni por vía legal ni diplomática. Su mayor efecto se sintió, en todo caso, el 31 de agosto de ese mismo año, cuando Obregón recibió la notificación diplomática del reconocimiento formal de los Estados Unidos a su gobierno, producto de una rebelión que la Casa Blanca había considerado en su momento como un golpe militar. Ese mismo año caería asesinado Francisco Villa en Chihuahua. Como en el manido tópico, la Revolución devoraba a sus hijos.

En efecto, desde su rendición en 1920, Villa había vivido temeroso de sufrir un atentado de sus enemigos políticos o de aquellos que querían cobrarle viejas cuentas pendientes. Y el día le llegó el 20 de julio de 1923. Después de asistir como padrino a una ceremonia de bautismo en Río Florido, se dirigió a Parral, donde permaneció varios días para arreglar asuntos personales con la única compañía de unas pocas personas de confianza. A las ocho de la mañana abandonó el hotel y se subió a su auto Dodge para regresar conduciendo hasta Canutillo. Un viejo vendedor de golosinas dio a los victimarios la señal de que el auto iba a pasar. Y al doblar la esquina una ráfaga de tiros terminó con la vida de Villa, héroe y villano de la Revolución Mexicana. Su tumba fue profanada en 1926, y robado su cráneo, que no ha vuelto a aparecer desde entonces.

---

[98] José C.Valadés, *Historia general de la Revolución Mexicana*. México, Gernika, 1985.

La clase política del obregonismo era una casta de políticos guerreros, de a caballo, astutos, oportunistas, pragmáticos, corruptos y prestos al uso de armas. En 1923, cuando Obregón concluía su periodo presidencial, estallaría una nueva algarada, esta vez protagonizada por sus antiguos correligionarios. Obregón postuló la candidatura de Calles para sucederle en la presidencia. De la Huerta también presentó su candidatura, dudando en todo momento antes de declararse en rebeldía en contra del gobierno de Obregón y trasladándose al puerto de Veracruz, desde donde esperaba encabezar la nueva rebelión, apoyado por el general Guadalupe Sánchez. Fue sólo después de que el diputado Jorge Prieto Laurens le presentara evidencias incontrovertibles de que Obregón pretendía asesinarlo, cuando De la Huerta decidió sublevarse.

La insurrección pronto cundió por todo el país. Cerca de la mitad de los generales se declararon a favor de De la Huerta. Los insurrectos dominaban casi todo el estado de Veracruz, y desde allí avanzaron hasta capturar la estratégica ciudad de Puebla. En un primer momento llegaron a controlar asimismo Campeche, Yucatán, Tabasco, Chiapas y gran parte de los estados de Jalisco y Michoacán.

Los últimos brotes de la rebelión fueron sofocados. Las partidas de José Elizondo, «El Colorado», fueron batidas en el rancho Las Espalas, y las de José E. Santos, en el rancho de Santa Lucía; las de Sabinas Hidalgo fueron perseguidas por las fuerzas del general García Cantú. A escala nacional la revolución delahuertista fracasó y fue perdiendo terreno hasta culminar con la salida de Adolfo De la Huerta hacia los Estados Unidos, donde pasó gran parte de su exilio en Los Ángeles, California, ganándose la vida como instructor de canto.

Mientras tanto, el general Calles dejó la jefatura militar del Norte para lanzar su candidatura como presidente, cargo del cual tomó posesión el 1 de diciembre de 1924.

Tras unas elecciones rituales, se proclama el triunfo de Calles. Una vez en el poder, Calles nombra a su gabinete, entre cuyos miembros destacan Alberto Pani, secretario de Hacienda, liberal ortodoxo, el cual consiguió renegociar y reducir la deuda externa mexicana en unos 220 millones de dólares; Moisés Sáenz, pastor protestante educado en la Universidad de Columbia, en Nueva York, designado como secretario de Educación Pública, pone el énfasis de la política educativa en la escuela rural como centro comunitario sustitutivo de la «perniciosa» influencia de la Iglesia católica en el campo; para ello promovió la instrucción en higiene, deportes y oficios, y Morones, a la cabeza de la Secretaría de Trabajo y Previsión Social. La política sindical del nuevo presidente sella de una vez por todas la alianza del régimen con las organizaciones obreras; unión que se reflejaría en las relaciones privilegiadas que mantendría primeramente con la Confederación Regional Obrera de México (CROM, 1918) y, luego, con el Partido Laborista Mexicano (1922), brazo político de aquélla.

Hecha a imagen y semejanza de la American Federation of Labor (AFL) de Samuel Gompers[99] (1850-1924), con

[99] Principal sindicalista norteamericano desde 1880 hasta los años 20. Fundador de la AFL. Nacido en Londres de una familia judía, emigró a Estados Unidos en 1863. Trabajó en la industria del tabaco, afiliándose al sindicato tabacalero en 1864. Si bien, influido por sus lecturas de Karl Marx, no fue nunca un marxista propiamente. Su pensamiento sindical se centraba en la obtención de mejoras económicas para los trabajadores, tales como salarios más altos, beneficios y seguridad en el trabajo. En 1886 funda y preside la AFL, que con el tiempo llegaría a ser la central sindical más importante de los Estados Unidos. No estuvo exento de prejuicios, como revela su incesante activismo contra el «peligro amarillo» representado, según él, por la emigración china.

quien Morones había colaborado, la nueva central sindical buscó, a través de tácticas parecidas a las de aquella organización, promover el movimiento obrero mexicano así como la carrera política de Morones y otros notables agremiados. La meta de Morones era «perseguir menos ideales y más organización». En 1923 el líder se vanagloriaba de contar con más de 50.000 afiliados[100].

Se adoptó el nombre de Confederación Regional Obrera Mexicana (CROM), pues los anarquistas y socialistas en su interior propugnaban el título de regional de México, pensando que podrían ser sección de una central internacional. En cambio los reformistas propugnaban la supresión del título de regional y agregar el de mexicana, significando este último término que era una organización nacional desvinculada de las demás. Su divisa era: salud y revolución social, lema anarquista.

Por otra parte, los ecos de la Revolución bolchevique obligaron a Obregón a adoptar un lenguaje radical y unos desplantes populistas que difícilmente se correspondían con la realidad del país. Los líderes y agitadores proclamaban odio eterno contra la burguesía, encarnada en el empresario explotador, el codicioso casero y el comerciante voraz; opresores, todos, del obrero, del inquilino y del agricultor. Para la década de los 20 el vocabulario público mexicano aparecía altamente sobrecalentado con expresiones tales como: «proletariado», «huelga», «lucha de clases», «explotación», «arado», «fusil», «canana» y «puños cerrados».

Morones, un antiguo trabajador de la industria tipográfica de temprana filiación anarquista, simpatizante de Flores Magón, admirador del programa del Partido Liberal, defensor de los obreros de Cananea y miembro de la Casa del Obrero Mundial, Luis Napoleón Morones (1890-1964), fue el encargado de operar la alianza entre Calles y la clase obrera, al presidir la recién fundada CROM. Bajo la égida de los caudillos revolucionarios la organización evitó de forma deliberada el menor atisbo de confrontación sindical, y adoptó, por el contrario, una actitud conciliadora y dócil hacia el gobierno, a cambio de generosas dádivas y prebendas por parte del gobierno.

Pese a su flagrante corrupción, la CROM, que habría de dominar por espacio de once años la escena sindical mexicana, fue un factor importante en el carácter social y constitucional del movimiento revolucionario mexicano. Morones exhibía un creciente conservadurismo al tiempo que alardeaba con ostentosos anillos de diamante y autos lujosos. A partir de 1925, Morones fungiría como ministro de Industria, Comercio y Trabajo, cargo que conservó hasta el asesinato de Obregón.

La gran novedad del periodo presidencial de Calles fue la adopción de un fuerte intervencionismo estatal en la economía con un alto sentido social. A falta de una burguesía nacional que tirara al país hacia el progreso material, el Estado tuvo que asumir la iniciativa, fundando bancos, construyendo carreteras, presas, escuelas, hospitales, y creando leyes e instituciones para el beneficio de la sociedad.

Se establecieron relaciones diplomáticas con la Unión Soviética, primeras de un gobierno del hemisferio occidental. Alexandra Kollontai (1872-1952), antigua bolchevique, feminista y promotora del amor libre, sería designada por Stalin como la primera embajadora mujer en el mundo. La postura de la Revolución bolchevique, primero y

---

[100] Barry Carr, *El movimiento obrero y la política en México, 1910-1929*. Tomo I. México, Editorial Era, 1982, pp. 192-194.

soviética después, fue ambigua y contradictoria. De esta manera el gobierno revolucionario mexicano podía ser calificado alternativamente por Moscú como «burgués» o «revolucionario», pero nunca estuvo claro si se trataba de un enemigo o un aliado. La Komintern podía, a veces, ordenar al débil Partido Comunista Mexicano (PCM) que destruyera el dominio sobre el movimiento obrero de la oficialista Confederación Regional Obrera Mexicana (CROM). En tales circunstancias, los comunistas formaban sindicatos «rojos». Pero cuando los sindicatos «rojos» estaban formados, radicalizados y adoctrinados, cuando habían logrado dividir a los sindicatos oficiales, cuando, en fin, «la línea» había sido seguida con éxito, venía la contraorden desde Moscú. La disciplina internacionalista del PCM exigía entonces que éste promoviera lo contrario que antes: la alianza de sus sindicatos «rojos» con la CROM.

La Guerra Cristera (1926-1929)

Como se ha visto, bajo la dictadura de Díaz (1876-1910), el conflicto entre Iglesia y Estado se distendió de manera notable. Bajo ese *modus vivendi* entre Estado e Iglesia, el clero mexicano aprovechó para llevar a cabo en México una «segunda evangelización», desarrollando numerosos movimientos de acción cívica y social que respondían a las enseñanzas de la encíclica *Rerum Novarum*, predicada por el Papa León XIII (1810-1903), que se enfocaba en los derechos y deberes del capital y del trabajo, introducía la noción de subsidiaridad y pretendía renovar la Iglesia católica ante el cambio de siglo que se avecinaba.

Durante la Revolución, el apoyo de los católicos a Huerta causaría un choque frontal entre los católicos mexicanos y las distintas facciones revolucionarias, ya que establecía una política de intolerancia religiosa y privó a la Iglesia de toda perso-nalidad jurídica, entre sus puntos están: la prohibición de los votos religiosos, la prohibición a la Iglesia para poseer bienes raíces.

Pero la nueva Constitución fue todavía más lejos: se prohibió el culto público fuera de las dependencias eclesiásticas, a la vez que el Estado decidiría el número de iglesias y de sacerdotes que habría; se negó al clero el derecho de votar, a la prensa religiosa se le prohibió tocar temas relacionados con asuntos públicos, se señaló la educación primaria como laica y secular, y las corporaciones religiosas y los ministros de cultos estarían impedidos para establecer o dirigir escuelas primarias.

Bajo el gobierno del Obregón (1920-1924), las relaciones entre la Iglesia y el nuevo Estado revolucionario estuvieron marcadas por una creciente tensión y la imposibilidad de llegar a un acuerdo sobre las reformas constitucionales que afectaban a la Iglesia y al culto religioso. Al margen de la CROM, operaban varios sindicatos católicos, auspiciados por la jerarquía católica, lo que provocó el resentimiento de Morones contra la Iglesia. Los choques entre los miembros de la CROM, fuerte organización sindical apoyada por el Gobierno, y miembros de la Acción Católica de la Juventud Mexicana (ACJM) se convirtieron en protagonistas recurrentes de las primeras planas de los periódicos nacionales.

Cuando el gobierno quiso aplicar con todo rigor las leyes contra la Iglesia, contenidas en la Constitución, se desató una auténtica guerra civil entre el Estado revolucionario y los católicos mexicanos, que tendría consecuencias devastadoras para el país.

Fue hacia enero de 1923 cuando el delegado apostólico del Vaticano, monseñor Ernesto Filipi, acudió a bendecir el Cerro del Cubilete (en Silao, Guanajuato), donde habría de colocarse la primera piedra del monumento a Cristo

Rey. El gobierno del general Obregón interpretó tal acto como un abierto desafío a la autoridad y un ataque a la Constitución, y acordó que se aplicara a Filipi la sanción del artículo 33[101] de la Constitución de 1917, obligándosele a abandonar el país.

Después de la toma de la Presidencia por parte del general Plutarco Elías Calles, las relaciones entre el gobierno y los católicos fueron todavía peores, ya que Calles pensaba que un católico no podía ser un buen ciudadano en tanto que su primera lealtad era con Roma y no con su propio país. Calles proponía un nacionalismo nuevo, en el cual los ciudadanos no deberían lealtad a nadie más que al propio Estado.

El gobierno de Calles intentaba crear una Iglesia nacional. El 21 de febrero de 1925, se crea, con apoyo de la CROM, la Iglesia Católica Apostólica Mexicana (ICAM), encabezada por el sacerdote renegado José Joaquín Pérez. Tal decisión buscaba crear un cisma dentro del catolicismo mexicano, en la medida en que la ICAM proponía seguir la misma doctrina católica pero sin relación alguna con el Papa, por lo que quedaba como líder el mismo Pérez en calidad de Patriarca. Este grupo se apoderó del templo de la Soledad para establecerse allí esperando que la gente los apoyara; pero en este intento fallaron, ya que la parroquia fue recuperada el día 23 por los fieles. La pretensión gubernamental de dividir por la fuerza a la Iglesia hizo que un gran número de católicos se movilizaran para defender los templos católicos.

Así aumentaron las represiones en varias partes del país, por ejemplo en Tabasco, donde el gobernador Tomás Garrido Canabal[102] (1891-1943) puso en vigor un decreto que obligaba a los sacerdotes a casarse, a fin de poder oficiar, y en Tamaulipas se prohibió oficiar a los sacerdotes extranjeros.

El obispo de Huejutla, Hidalgo, Manríquez y Zárate, escribió una carta en la que expresaba su repulsa por tales hechos, por lo que fue apresado.

Frente a tales excesos, varias agrupaciones católicas decidieron unirse para formar la Liga Nacional para la Defensa de la Libertad Religiosa en marzo de 1925, la cual fue dirigida por Miguel Palomar y Vizcarra. La Liga emprendió un boicot, buscando crear una crisis económica: los católicos debían reducir al mínimo sus consumos, abstenerse de asistir a teatros, bailes y espectáculos, así como de adquirir diarios cercanos al gobierno. El boicot estaba convocado para el 31 de julio de 1926 y debía concluir sólo cuando Calles derogara las disposiciones anticlericales de la Constitución. Los católicos buscaban conseguir la libertad religiosa por medios «constitucionales» y pacíficos. Este grupo rápidamente se extendió por el país; sin embargo, fue declarado ilegal, por lo que tuvieron que trabajar clandestinamente. Paralelamente, se formó un Comité Episcopal a fin de tratar de llegar a un acuerdo

---

[101] La Revolución Mexicana se destacó, entre otras cosas, por su carácter fuertemente nacionalista. Esto quedó reflejado en la Constitución de 1917, que buscó combatir los privilegios concedidos a los extranjeros bajo el porfiriato. No obstante, la exaltación nacionalista daría lugar, igualmente, a excesos xenófobos, como el antedicho apartado constitucional, que todavía sigue en vigor en México, y que declara textualmente: «Son extranjeros los que no posean las calidades determinadas en el artículo 30. Tienen derecho a las garantías que otorga el capítulo I, título primero, de la presente Constitución; pero el Ejecutivo de la Unión tendrá la facultad exclusiva de hacer abandonar el territorio nacional, inmediatamente y sin necesidad de juicio previo, a todo extranjero cuya permanencia juzgue inconveniente. Los extranjeros no podrán de ninguna manera inmiscuirse en los asuntos políticos del país.»

[102] Caudillo mexicano, que aterrorizó a los católicos mexicanos mediante sus políticas rabiosamente jacobinas y anticlericales.

con el gobierno. En los años 1925 y 1926 se intensificó el conflicto, ya que en octubre en Tabasco se prohibió el culto católico, y en Chiapas, Hidalgo, Jalisco y Colima se practicaban castigos a quienes practicaran la religión en público. En marzo de 1925, el gobernador de Tabasco llegó al extremo de imponer a la fuerza el matrimonio para los sacerdotes católicos.

El 31 de julio de 1926 se suspendieron los servicios religiosos en todo el país y estalló la insurrección cristera al grito de «¡Viva Cristo Rey!».

Entre agosto y diciembre de 1926 se produjeron sesenta y cuatro levantamientos armados, espontáneos, aislados, la mayor parte en Jalisco, Guanajuato, Guerrero, Michoacán y Zacatecas, que habrían de durar hasta 1929, cuando por medio de un tratado se ignoró la ley de 1926 y se restableció el culto público. Al frente del movimiento, para darle unidad de plan y de acción, se puso la Liga Nacional Defensora de la Libertad Religiosa, fundada en marzo de 1925, y que se había extendido en poco tiempo por toda la república.

El historiador franco-mexicano Jean Meyer, en el volumen I de su obra ya clásica, *La Cristiada* (3 volúmenes)[103], describe con todo lujo de detalles las vicisitudes que corrió al paso de los años la guerra de los cristeros, que él divide en estas fases: incubación, de julio a diciembre de 1926; explosión del alzamiento armado, desde enero de 1927; consolidación de las posiciones, de julio 1927 a julio de 1928, es decir, desde que el general Gorostieta asume el mando de los cristeros hasta la muerte de Obregón; prolongación del conflicto, de agosto 1928 a febrero de 1929, tiempo en que el gobierno comienza a cobrar conciencia de que no podrá vencer militarmente

a los cristeros; apogeo del movimiento cristero, de marzo a junio de 1929; licenciamiento de los cristeros, en junio 1929, cuando tuvieron lugar los llamados «Arreglos» entre la Iglesia y el Estado.

Se multiplicaron los alzamientos: primero en Jalisco, Zacatecas, Guanajuato y Michoacán; luego se sumó casi la totalidad del centro del país.

La gente al mando de la Liga mandó preguntar al Comité Episcopal si era lícito la toma de armas en defensa de sus derechos, a lo que les contestaron afirmativamente, en virtud de las circunstancias prevalecientes en el país. Con la bendición de los obispos, se extendió la lucha por todo el país, pero ninguno de los bandos llegó a obtener la victoria, ya que se dice que las plazas tomadas por unos eran rescatadas por los otros.

Los principales generales del Ejército Federal en esta guerra fueron Eulogio Ortiz, Espiridión Rodríguez, Saturnino Cedillo (principal movilizador de los agraristas y cacique de San Luis Potosí), Lázaro Cárdenas, Miguel y Maximino Ávila Camacho y Genovevo de la O. A estos dos últimos correspondió la organización militar de Aguascalientes y sus alrededores.

Por parte de los cristeros sobresalieron hombres como Pedro Quintanar y Aurelio Acevedo en el norte de Jalisco y al sudoeste de Zacatecas; José Velasco en el municipio de Calvillo en Aguascalientes; Carlos Díez de Sollano en el norte de Guanajuato; Luis Navarro Origel y Jesús Degollado Guízar en Michoacán y sur de Jalisco, respectivamente, y Victoriano Ramírez «El Catorce» en Los Altos.

A mediados de 1928 los cristeros, unos 25.000 hombres en armas, «no podían ya ser vencidos, dice Meyer, lo cual constituía una gran victoria; pero el

---

[103] Jean Meyer, *La Cristiada*. México, Editorial Clío, 1997. Para una visión literaria y de primera

mano sobre la guerra cristera, véase: Graham Greene, *El poder y la gloria*.

gobierno, sostenido por la fuerza norteamericana, no parecía a punto de caer» (I, 248). En realidad, la posición de los cristeros era a mediados de 1929 mejor que la de los federales, pues, combatiendo por una causa absoluta, tenían mejor moral y disciplina, y operando en pequeños grupos que golpeaban y huían —piquihuye— sufrían muchas menos bajas que los soldados callistas.

Se calcula que el gobierno gastaba más de la mitad de su presupuesto en financiar un ejército elevado a 75.000 efectivos para hacer frente a la rebelión. A mediados de 1928 las bandas cristeras agrupaban alrededor de 20.000 hombres que controlaban buena parte de las comarcas incomunicadas del centro del país. Después de tres años de guerra, se calcula que en ella murieron 25.000 o 30.000 cristeros, por 60.000 soldados federales.

En enero de 1929, el embajador norteamericano Morrow —que insistía al gobierno y a la prensa para que no hablasen de cristeros sino de «bandidos» (I.301)— estimaba improbable pacificar el Estado «antes de que se solucione la cuestión religiosa». En febrero los mismos políticos veían el panorama muy oscuro, y un senador decía en un discurso a sus colegas: «¿Es que nuestros soldados no saben combatir rancheros, o no se quiere que se acabe la rebelión?»

A mediados de 1929 se veía ya claramente que, al menos a corto plazo, ni unos ni otros podían vencer. Sin embargo, en este empate había una gran diferencia: en tanto que los cristeros estaban dispuestos a seguir luchando el tiempo que fuera necesario hasta obtener la derogación de las leyes que perseguían a la Iglesia, el gobierno, viéndose en bancarrota tanto en economía como en prestigio ante las naciones, tenía extremada urgencia de terminar el conflicto cuanto antes. Eran, pues, éstas unas favorables condiciones para negociar el reconocimiento de los derechos de la Iglesia.

Los arreglos entre el Estado mexicano y la jerarquía católica serían alcanzados en junio de 1929, tras largas deliberaciones y con mediación norteamericana. Morrow observó que podía poner en juego a favor de la mediación diversos factores: el clero católico norteamericano ejercía a la sazón una notable influencia sobre el mexicano, por lo que consiguió designar como mediador en el conflicto a un astuto jesuita norteamericano, el padre John J. Burke.

Monseñor Leopoldo Ruiz y Flores (1865-1941), arzobispo de Michoacán y delegado apostólico *ad referéndum*, escogió como secretario para negociar a monseñor Pascual Díaz y Barreto, el «único obispo que había mostrado decidido empeño en lograr una transacción con los callistas» según sus apologistas, o bien, un «oportunista complaciente y maleable» según sus detractores (Lpz. Beltrán 499).

Ambos religiosos fueron llevados de los Estados Unidos a México, viajando incomunicados en un vagón de tren, por el embajador norteamericano Dwight Whitney Morrow, banquero y diplomático. Una vez en la Ciudad de México continuaron incomunicados en la lujosa residencia del banquero Agustín Legorreta. No recibieron ni a los obispos mexicanos ni a un enviado de la Liga. Tampoco quisieron recibir al obispo Miguel de la Mora, secretario del subcomité episcopal, que mandó aviso a Ruiz y Flores de que «tenía grandes y urgentes cosas que comunicarle, y que no fuera a pactar nada sin antes oírle». Las puertas de aquella casa, en esos días, sólo estuvieron abiertas «para Morrow, para los sacerdotes extranjeros Wilfrid y Parsons y Edmundo Walsh, S. J. [experto en política internacional de la Universidad de Georgetown]; para Cruchaga Tocornal, el embajador de Chile, y para otros extranjeros. Para los extraños. No para los mexicanos» (Lpz. Beltrán 516).

«El obispo Díaz y yo hemos tenido varias conferencias con el presidente de la República. Me satisface manifestar que todas las conversaciones se han significado por un espíritu de mutua buena voluntad y respeto. Como consecuencia de dichas declaraciones hechas por el presidente, el clero mexicano reanudará los servicios religiosos de acuerdo con las leyes vigentes. Yo abrigo la esperanza de que la reanudación de los servicios religiosos pueda conducir al pueblo mexicano, animado por un espíritu de buena voluntad, a cooperar en todos los esfuerzos morales que se hagan para beneficio de todos los de la tierra de nuestros mayores. México, D. F. Junio 21 de 1929. Leopoldo Ruiz, arzobispo de Morelia y Delegado Apostólico» (Lpz. Beltrán 527).

Uno de los principales frentes de acción de la presidencia callista fue el financiero y fiscal. Encabezaba la Secretaría de Hacienda Alberto J. Pani, secundado por Manuel Gómez Morín (1897-1972)[104], quien había fungido como agente financiero del gobierno mexicano en Nueva York. Con la inauguración del Banco de México, único de emisión, en septiembre de 1925, Calles llevó a buen término las disposiciones constitucionales que reservaban al Estado el derecho de emitir billetes y moneda, al tiempo que se creaba una banca central. Gómez Morín, presidente del Consejo de Administración, siguió una política cauta y conservadora, al emitir cantidades muy reducidas de circulante, con lo que se avanzó en su plena consolidación.

Otro de los logros del gobierno callista fue el programa de construcción de carreteras. En septiembre de 1925 se crea la Comisión Nacional de Caminos, que emprende la construcción de la carretera México-Puebla, de 135 kilómetros; la México-Pachuca y la que unía a la capital mexicana con el puerto de Acapulco, en el Pacífico, de 462. En total, se completaron cerca de setecientos kilómetros en cuatro años, sin mayor coste para el erario público, pues la construcción de caminos se financiaba con cargo al impuesto sobre la gasolina.

Por otra parte, se llevaron a cabo importantes obras de irrigación. En enero de 1926 Calles promulga la Ley Federal de Irrigación, que no sólo buscaba aumentar la superficie irrigada, sino favorecer también la colonización y la pequeña propiedad agrícola. Para tales fines se establece la Comisión Nacional de Irrigación y se invita a agricultores de Italia, Hungría y Polonia para que colonizaran tierras hasta entonces baldías. En 1928 el gobierno había destinado cerca de 30 millones de pesos en la construcción de presas y pantanos.

Entre 1924 y 1928, durante la presidencia de Calles, Obregón se mantuvo políticamente inactivo, dedicado a las labores del campo en su hacienda. En 1928, Obregón buscó la reelección, prohibida expresamente por la Constitución de 1917. Para ello presionó al gobierno de Calles para que enmendara el precepto constitucional que la vedaba.1918-1928: México elige a Álvaro Obregón, líder de la rebelión del Norte, como presidente. En un burdo intento por congraciarse con

---

[104] Político mexicano, nacido en Batopilas, Chihuahua. Fundó el Banco de México, el cual él presidió (1925-1929). Obtuvo el título de abogado en 1918 a la edad de veintiún años, fue titular de las clases de Derecho Político y de Derecho Constitucional, materias que empezó a impartir antes de titularse. Formó parte del grupo intelectual de los Siete Sabios, miembros de la Sociedad de Confe-rencias y Conciertos, fundada para el fomento de la cultura en el ámbito universitario mexicano, y fue también un importante legislador en temas de política monetaria. Rector de la UNAM (1933-1934) y fundador del Partido Acción Nacional al que también presidió (1939-1949). Entre sus obras cabe destacar: *España Fiel* (1928), ilustrada por Gabriel García Maroto.

el caudillo y despejarle el camino a la presidencia, en octubre de 1926, la Cámara de Diputados y el Senado de la República copados por el obregonismo, votaron a favor de la abrogación del artículo 83 de la Constitución de 1917, que prohibía la reelección.

En mayo de 1927, Obregón inicia su campaña presidencial, apoyado por buena parte del ejército y del Partido Nacional Agrarista, pero con el repudio de la poderosa CROM y de un sector de la opinión pública. Finalmente, habría de imponer su voluntad, doblegando a la CROM y pasando por encima de la opinión pública, pero antes de poder lograr su objetivo enteramente necesitaba deshacerse de sus contrincantes. El primero en caer sería el general Francisco Serrano, quien, junto con los generales Eugenio Martínez y Arnulfo R. Gómez, había planeado apresar a Obregón, Amaro y Calles, el 1 de octubre, en una ceremonia militar en los Llanos de Balbuena. A última hora, Martínez delató la conjura y Serrano debió salir apresuradamente de la capital con rumbo hacia Cuernavaca.

Sin embargo, la oposición a los designios reeleccionistas de Obregón no provino exclusivamente de sus antiguos correligionarios. Los católicos mexicanos en general contemplaron con auténtico terror la perspectiva de que el antiguo comecuras del movimiento armado volviese a la presidencia.

En noviembre de 1927, un ingeniero católico, Luis Segura Vilchis, atentó contra la vida de Obregón, arrojándole una bomba a su automóvil. El general, que resultó ileso, ni siquiera se inmutó y, sonriendo, habría de acudir horas después a una corrida de toros, «para que no crean que lograron intimidarme», su pasatiempo preferido.

Días más tarde, Segura Vilchis moriría fusilado, sin siquiera ser sometido a juicio, junto con los hermanos Roberto y Miguel Agustín Pro —del segundo de ellos un sacerdote de quien se sabía que celebraba misas a escondidas—, quienes, supuestamente, habían participado en el complot. El padre Pro fue beatificado en 1988 por el Papa Juan Pablo II, y hecho santo nueve años después.

Lejos de intimidar a los católicos, la muerte de Pro aumentó su indignación, por lo que se sucedieron nuevos ataques terroristas. De este modo, el 23 de mayo de 1928, varias bombas estallaron en la Cámara de Diputados, aumentando con ello la tensión existente.

Los católicos mexicanos desconocían el hecho de que Obregón había cobrado a esas alturas plena conciencia de la esterilidad del anticlericalismo a ultranza y de que había dado repetidas seguridades de que tan pronto asumiera la presidencia habría de promover una reconciliación entre el Estado y la Iglesia. De tal actitud dan muestra las palabras que dijera a un grupo de campesinos que durante su campaña electoral le habían pedido que reestableciera la paz religiosa en México:

«No coman ansias, esperen a que se largue "El Turco" (Calles) y yo les dejaré repicar las campanas de sus iglesias hasta que se queden sordos»[105].

Tras ser reformada la Constitución, que lo impedía, Obregón fue reelegido presidente en 1928; no obstante, antes de poder tomar posesión del cargo al que aspiraba, murió asesinado.

Un día después de su reelección, Obregón caería asesinado mediante un golpe maestro en el restaurante de «La Bombilla», al sur de Ciudad de México,

[105] Armando Ayala Anguiano, *La epopeya de México. Tomo II, De Juárez al PRI*. México, Fondo de Cultura Económica, 2006. Algunas personas le atribuían origen musulmán. Por eso en Sonora le llamaban «El Turco».

donde se celebraba un banquete en honor con sus partidarios para festejar su victoria; el autor fue un fanático católico, José de León Toral (1900-1929), el cual, por la espalda, le disparó seis balazos, aparentemente enviado por la Liga Nacional Defensora de la Libertad Religiosa. Toral había estado dibujando caricaturas de los comensales, cuando se acercó al general y caudillo para ofrecer hacerle su caricatura. El caudillo accedió, momento que Toral aprovechó para dispararle. La cabeza de Obregón cayó inanimada sobre el plato.

Nadie creía que Toral hubiera actuado solo; todos lo consideraban un títere al servicio de Morones o de Calles. Las autoridades acusaron a la monja Concepción Acevedo de la Llata, superiora de Convento de Monjas Capuchinas Sacramentarias, mejor conocida como la *Madre Conchita*, a quien Toral supuestamente había incriminado como autora intelectual del crimen. Bajo la dura e inquisitorial mirada del propio presidente Plutarco Elías Calles, acompañado por el general Joaquín Amaro, secretario de la Guerra, ambos fueron interrogados en la comisaría de policía de la Villa de San Ángel, donde José de León Toral confesaría:

«Yo soy el único responsable; maté al general Obregón porque quiero que reine Cristo Rey, pero no a medias sino por completo»[106].

La mañana del 9 de febrero de 1929 se agotaría el plazo fatal y Toral se encaminó a recibir la descarga fatal del pelotón momentos después de dar el último beso a sus tres pequeños hijos, su esposa, padres y hermanos. Antes de caer herido por los disparos, las balas

le cortarían un grito de guerra: «¡Viva Cristo Rey!» La ejecución de Toral fue la última pena de muerte llevada a cabo en México.

El asesinato de Álvaro Obregón alteró radicalmente el curso de la política mexicana. Con Obregón desaparecía la principal figura de la *troika* sonorense. Por primera vez Calles estaba sólo y retenía la presidencia en condiciones extremadamente difíciles. Políticos y funcionarios de filiación obregonista lo acusaban sin rebozo del asesinato, mientras varios jefes militares hablaban de volver a sus cuarteles y alzarse en armas.

El obregonismo no había muerto con su caudillo. Diversos grupos de campesinos y de trabajadores que habían respaldado a Obregón, acusaron el 20 de julio a Morones y su Partido Laborista de responsabilidad por el asesinato. Durante la campaña presidencial de Morones había atacado abiertamente a Obregón en un discurso pronunciado en Orizaba, sin que el presidente hubiera hecho nada para refrenar al líder sindical, tal vez con el objetivo de recalcar que su gobierno no era favorable a la imposición del caudillo.

Los obregonistas afirmaban que Morones y algunos de sus hombres, además de haberse opuesto a Obregón, habían sentenciado que el candidato a la reelección «nunca asumiría el poder». El alcalde de la ciudad de México y connotado obregonista, Aarón Sáenz[107] (1891-1983), consiguió atenuar la presión de los obregonistas, al pedirles «prudencia y serenidad», recordándoles que no se podía poner en entredicho «la integridad de Calles y la pureza de sus principios».

---

[106] *Excélsior*, México, D. F. 18 de julio de 1928.

[107] Fue un comandante en la Revolución, posteriormente se convirtió en político y diplomático de México y pasó a ser un importante empresario en la industria de los ingenios azucareros del norte del país. Véase James C. Hefley, *Aarón Sáenz; Mexico's revolutionary capitalist*. Waco, Texas, Word Books, 1970.

Calles, por su parte, manejó la situación con gran habilidad, al despedir al inspector general de Policía en funciones, general Roberto Cruz, entregando la cartera a un rabioso obregonista, el general Daniel Ríos Zertuche. Su designación alivió la tensión sin llegar a disiparla del todo. Los obregonistas, dueños en gran medida del aparato estatal, no se resignaban a la pérdida de su influencia y por tanto seguían amenazantes conspirando o pronunciando encendidos discursos contra el presidente y los principales dirigentes del laborismo en las cámaras.

No obstante, pese a los violentos embates del obregonismo contra Calles, la única consecuencia de importancia que acarreó la presión fue la renuncia de algunos altos funcionarios de la Administración callista que estaban ligados al moronismo, entre ellos la renuncia del propio Morones como secretario de Industria, Comercio y Trabajo. Calles y sus sucesores retiraron el patrocinio estatal a Morones y a la CROM, y ésta comenzó su declive hasta la virtual extinción.

La crisis de la CROM, en 1928, marcó el fin del periodo formativo del sindicalismo mexicano, pues, durante este lapso de tiempo se ensayaron las modalidades de organización cuyos rasgos esenciales marcarían el desarrollo posterior de dicho sindicalismo, y es cuando se establecen los primeros eslabones de la cadena que acabó por ligar definitivamente los sindicatos con el Estado.

Es importante señalar la actitud que asumió el clero respecto al asesinato; desde luego, desligándose y condenando los hechos, tal como había hecho con la rebelión cristera. Tal actitud es comprensible, en la medida en que el mayor anhelo tanto de la jerarquía católica del país como de la Santa Sede era llegar a un pronto arreglo con el Estado mexicano, y no exacerbar y escalar el conflicto, como pretendían algunos sectores ultramontanos de la catolicidad mexicana.

Fue mucha la presión del comité obregonista contra Calles, para que se fuera a fondo en las investigaciones y se castigara a los culpables.

Para Calles, había llegado el momento decisivo de su vida[108]. El primero de septiembre de 1928, durante la ceremonia de su último informe presidencial, fue leído y publicado el célebre testamento político de Calles, en el que daba por concluida la era de los caudillos y declaraba inaugurada la era de las instituciones, documento cuya repercusión directa fue la creación del Partido Nacional Revolucionario (PNR), antecesor directo del actual Partido Revolucionario Institucional (PRI). La oposición al PNR fue sólo permitida como facciones en competencia dentro del propio partido oficial. La introducción de un periodo de seis años presidencial, a partir de entonces, generó un modelo de sucesión política más ordenada y estable.

Calles no engañaba ya a nadie. La resolución de «nunca más ocuparé la presidencia en el futuro» era terminante e irrevocable, pero se dejó la puerta entreabierta al afirmar también que no se retiraría de la lucha revolucionaria, bien en el ejército, en la política o, bien, en la administración, un matiz de importancia que pasó inadvertido en aquellos momentos.

La patria era la ley y no el caudillo. Sin embargo, el patetismo de tan solemnes e inesperadas promesas radica en que

[108] Fernando Benítez, *Lázaro Cárdenas y la Revolución Mexicana*. México, Fondo de Cultura Económica, 1977.

Calles, según lo habían de probar a lo largo de los seis años venideros, seguía sintiéndose el hombre necesario, el irreemplazable, al recobrar su mitad perdida que había encarnado el general difunto. Ya no ocuparía la presidencia una personalidad como la de Obregón, sino que, por el contrario, lo haría un hombre flexible, capaz de plegarse a las nuevas reglas. Calles no se hizo el haraquiri.

Capítulo 3

HISTORIA DE GÉNERO.
MUJERES EN LA REVOLUCIÓN MEXICANA

La mujer mexicana antes de la Revolución había vivido a la sombra de su contraparte masculina, limitada al entorno de su vida familiar, el matrimonio y la iglesia. En 1884, el régimen porfirista había aprobado el código civil que restringía de forma considerable los derechos de la mujer en los ámbitos familiar y laboral, colocándola bajo la tutela de su padre, marido, hermano o patrón. Una especialista norteamericana afirma que la reglamentación de la época «sostenía una desigualdad casi increíble entre las condiciones del marido y de la esposa, al restringir de una manera exagerada y arbitraria los derechos debidos a la mujer, y al borrar y anular de forma radical su personalidad jurídica»[109].

El código era apenas una entre las muchas de las desigualdades que las mujeres, junto con otras minorías étnicas, económicas, políticas o religiosas, debieron de padecer bajo el régimen de Porfirio Díaz. El estallido de la Revolución Mexicana de 1910-1920 ofreció a las mujeres la oportunidad de buscar un nuevo lugar en la sociedad mexicana y controlar su propio destino. Tal ocasión llegó al sumarse muchas de ellas a las filas de los ejércitos revolucionarios, donde pasaron a ser conocidas como *soldaderas*. Muchas soldaderas, adquirirían proporciones míticas. Conocemos sus nombres o motes por los corridos revolucionarios. De este modo, *Adelita, Valentina* y *La Rielera* iban a la guerra cargando a sus hijos en la espalda, mientras empuñaban el fusil.

Entre los zapatistas, destacó un batallón formado exclusivamente por mujeres de Puente de Ixtla, las cuales «al mando de una fornida guerrillera llamada "La China" llevaron a cabo salvajes incursiones por el distrito de Tetecala, vengando la muerte de sus hombres. Pronto llegaron a ser conocidas como "Las amazonas de Ixtla"»[110].

En otro episodio, que tuvo lugar durante la expedición «punitiva» de Pershing, una mujer de Chihuahua habría de tener un protagonismo destacado al azuzar a la población en contra de los invasores. Los norteamericanos, barbudos y desastrados, parecían más una partida de apaches que la orgullosa fuerza que invadiera México. Pidieron alimentos y alojamiento, y como respuesta, poco a poco, los fue rodeando una multitud. Los ánimos, ya caldeados, estallaron cuando Elisa Griense, señorita perteneciente a una de las mejores familias de Parral, arengó de este modo a sus vecinos: «¡Oigan, *fregados*! ¿Les dieron pantalones o no más se los prestaron? ¡A sacar los rifles y a correr a esta partida de *gringos*!»

Pronto se desató la balacera.

Conforme el proceso revolucionario fue generalizándose y cobrando un carácter más virulento, las mujeres, para quienes hasta entonces los cánones sociales habían dictado mantenerse al margen de la política, comenzaron a expresar su opinión y a participar directamente en la política y la guerra.

---

[109] Shirlene Soto, *Emergence of Modern Mexican Woman: Her Participation in Revolution and Struggle for Equality, 1910-1940*. Denver, Colorado: Ardern Press, Inc., 1990. 31-66.

[110] John Womack, *ob. cit.*, p.170.

Valentina Ramírez, soldadera carrancista a las órdenes del general Ramón Iturbe, septiembre 1913.

ceso de industrialización iniciado en esta época abre las puertas a fábricas, talleres, comercio y oficinas públicas al trabajo femenino, pero es en el magisterio en donde la mayoría de las mujeres encontrará mayores oportunidades de profesionalización, llegando a constituir para finales de la primera década del siglo XX cerca del 80 por ciento de las normalistas[111].

En esta etapa, la prensa constituyó un importante espacio para las mujeres. Periódicos y revistas femeninas como *La Mujer, La Mujer Mexicana, El Álbum de la Mujer, El Correo de las Señoras* y *Violetas del Anáhuac,* entre muchos otros, servirán de foro para que profesoras, profesionales y escritoras expresen la necesidad de redefinir su función social, cuestionar la desigualdad entre géneros y luchar por su emancipación a través del estudio y el trabajo remunerado.

En ocasiones las mujeres exteriorizaron su opinión sobre los conflictos de la vida pública o analizaron la situación del momento. Tal fue el caso de Juana Belén Gutiérrez de Mendoza y Elisa Acuña y Rosetti en el semanario guanajuatense *Vesper* en 1903, en donde la primera era editora; acusaban a Porfirio Díaz por el excesivo endeudamiento en que se había sumido al país y por despilfarrar el dinero público en altos sueldos a burócratas, al tiempo que se incrementaba la miseria popular[112]. En Chihuahua, la profesora magonista Silvina Rembao también escribía encendidas diatribas en los periódicos locales en contra del dictador.

Unos cuanto años antes, en las postrimerías del porfiriato, la presencia de las mujeres en el ámbito político se había ampliado como consecuencia de un mayor acceso de éstas a los planteles educativos y al mercado laboral, y por la influencia que los movimientos feministas europeos y sufragistas de los Estados Unidos que ejercieron sobre los sectores ilustrados del país y algunos sectores gubernamentales imbuidos de una mentalidad progresista e innovadora. El pro-

En estos primeros años del siglo XX comienzan a surgir organizaciones de trabajadoras integradas por obreras del

[111] Daniel Cosio Villegas, *Historia Moderna de México, El Porfiriato. Vida Social,* 5.ª edición. Ed. Hermes, México, 1990. p. 657.

[112] Citado en Carmen Ramos Escandón, «Metiéndose en la bola: mujeres y política en la Revolución Mexicana o del esfuerzo por tener voz ciudadana», en *Sólo Historia,* Instituto Nacional de Estudios Históricos de la Revolución Mexicana, número 8, abril-junio 2000, pp. 5-6.

sector textil y maestras normalistas principalmente, vinculadas con el Partido Liberal Mexicano. A causa de su intensa labor política en contra del régimen de Díaz, algunas de sus integrantes fueron perseguidas y encarceladas.

Las referidas Juana Belén Gutiérrez y Elisa Acuña, y Dolores Jiménez y Muro (1848-1925), periodista y firmante esta ultima del Plan político-social de la Sierra de Guerrero, antecedente del Plan de Ayala, en cuya elaboración esta última también participó, fundaron en la cárcel la sociedad de «Hijas de Cuauhtémoc».

Una segunda asociación ligada al Partido Liberal Mexicano, llamada «Hijas del Anáhuac», sería fundada en Ciudad de México en 1907 por obreras de la industria textil. Además de luchar por los principios del magonismo, lo hacían a favor del mejoramiento de la mujer proletaria. Sus correligionarias Margarita Ortega y su hija Rosaura Gortari combatieron por esta causa en los estados de Baja California y Sonora. Tras un breve exilio en los Estados Unidos y la muerte de su hija, Margarita se reincorpora a la filas del PLM. Junto con Natividad Cortés, reorganiza el movimiento en Sonoyta, Sonora.

En ese lugar, tras un enfrentamiento contra fuerzas carrancistas, muere Cortés, mientras que Margarita Ortega huye hacia Mexicali, en donde es capturada por tropas huertistas el 20 de noviembre de 1913, encarcelada, torturada y finalmente fusilada cuatro días después. El anarco-sindicalismo magonista, con sus ideales de emancipación femenina, atrajo en la época previa al conflicto armado a un buen número de mujeres hacia sus filas. Todas ellas se distinguieron por su alto compromiso político con el movimiento.

Algunas perecieron por estos ideales, muchas fueron encarceladas y otras vivieron el resto de sus vidas en el exilio[113]. Las que quedaron hallarían en el movimiento antirreeleccionista un nuevo canal donde encauzar sus aspiraciones.

La mayoría de las simpatizantes de Francisco I. Madero se organizaron en ligas antirreeleccionistas, cuyo propósito era difundir el ideal democrático. En 1910 se constituye la Liga Femenil de Propaganda Política, por Teresa Arteaga, María Luisa Urbina, Joaquina Negrete, María Aguilar, Adela Treviño y Carmen Serdán. Otras asociaciones femeninas destacadas fueron la Liga Feminista Antirreeleccionista Josefa Ortiz de Domínguez, el Club Sara Pérez de Madero y el Consejo Nacional de Mujeres Mexicanas.

La forma de organización que adopta el maderismo femenino puede explicarse como una estrategia de las mujeres para, a través de su identidad colectiva, hacer oír su posición, dar mayor peso a sus argumentos y justificar su participación política en un movimiento político con ideas más tradicionales sobre la función social y política de la mujer que la que había tenido el magonismo. Lo anterior no limitó la participación política de estas mujeres, quienes en ocasiones incluso empuñaron las armas por mejorar esta causa.

Tal fue el caso de Carmen Serdán, quien, junto con sus hermanos, Máximo y Aquiles, los primeros mártires de la Revolución, luchó en la campaña antirreeleccionista a favor de Madero. Entre las actividades secretas en las que participó bajo el seudónimo de «Marcos Serratos» destaca su entrevista con Madero en octubre de 1910 en la ciudad de San Antonio, Texas, para informarle sobre los progresos organizativos de la rebe-

---

[113] La represión del régimen porfirista y luego del huertismo contra los magonistas fue tan virulenta, que la primera organización feminista que se conformó en México en 1904 fue la Sociedad Protectora de la Mujer, encabezada por María Sandoval de Zarco, primera abogada graduada en el país; dedicó gran parte de su labor a la defensa de las mujeres perseguidas y presas políticas.

Grupo de soldaderas durante la Revolución Mexicana.

lión y solicitar fondos para continuar la lucha.

El 18 de noviembre de 1910, a escasos dos días para que estallara la Revolución, la casa de los Serdán, en la ciudad de Puebla, convertida en un arsenal del maderismo, fue espiada por elementos de la policía estatal. Carmen, con carabina en mano, se unió a sus hermanos en contra de los militares; luego desde la azotea gritó «¡Viva la no reelección!», momento en el que fue herida de gravedad. Prisionera junto con su madre y su cuñada Filomena del Valle, esposa de Aquiles, fue conducida a la cárcel de La Merced y después al hospital municipal de San Pedro. Al término de la dictadura de Victoriano Huerta, el 1 de noviembre, Carmen Serdán reanudó su actividad política como miembro de la Junta Revolucionaria de Puebla. Durante la lucha constitucionalista colaboró como enfermera voluntaria de la Segunda División del Cuerpo de Ejército de Oriente.

Las trabajadoras de Ciudad de México habrían de conseguir un espacio importante dentro de la Casa del Obrero Mundial, organización constituida en mayo de 1913 para aglutinar a las diversas asociaciones de trabajadores y artesanos. En 1914, las cigarreras de la Compañía mexicana fundan un sindicato; igualmente lo harían las costureras de los grandes almacenes de El Palacio de Hierro. A los pocos días estallaría la huelga de estas últimas, exigiendo un aumento salarial del 25 por ciento. Las huelguistas recibieron apoyo, no sólo moral sino económico también, de la Casa del Obrero Mundial.

A punto de bajar del vagón de ferrocarril, la soldadera de amplias faldas manchadas y con roturas se detiene y recorre el andén con la mirada. Fija la vista hacia la izquierda en el instante mismo en que el obturador capta y crea una de las imágenes más paradigmáticas de la Revolución Mexicana. A esta representación visual correspondería, por tener lugar en un tren, el corrido lírico de *La Rielera*, aquella que fuera compañera de «su Juan», si bien en la imaginación colectiva ha perdurado como arquetipo otra mujer, desconocida también, aunque sepamos de ella que *Adelita* fue su nombre de pila y que, a diferencia de la ferrocarrilera, logró ser el objeto de deseo de un sargento y obtener el respeto nada menos que de un coronel.

La mayor parte de las mujeres que participaron en la Revolución Mexicana lo hicieron acompañando a sus hombres como *soldaderas*[114] en el trajín de este proceso militar, en el que no sólo trabajaron arduamente, sino que además padecieron la violencia de los tiempos de guerra. Se incorporan a los distintos ejércitos, incluido el federal, de acuerdo a su lugar de origen, como compañía del padre, esposo o hermano, por voluntad propia o forzadas a ello. A menudo, además de lavar la ropa, debían cuidar a los hijos y brindar compañía sexual a sus hombres; las soldaderas curaban a los heridos, hacían las veces de correo y espías, y llevaban alimentos y municiones a sus «juanes» en medio de la batalla. Si éstos morían, continuaban ejerciendo este mismo duro papel como compañera de otro soldado.

Las soldaderas, enfundadas en cananas, con el niño sobre la espalda, cargando el canasto de trastos o con el fusil en la mano, rompieron con los esquemas tradicionales de espacios y tareas asignados para cada género: el hogar como lo femenino y la guerra como el espacio de la masculinidad. La violencia de la guerra ayudaría aún más a trastocar estos límites en tanto que guerrear significaba «adoptar una conducta viril». En efecto, las mujeres-soldado que combatieron en los ejércitos obtuvieron ascensos en los ejércitos revolucionarios, en la medida en que se fueron masculinizando. Este proceso se iniciaba con la manera de vestir hasta llegar a un cambio en su forma de comportamiento. La subteniente María Encarnación Mares de Cárdenas, conocida como la «Chenita», contaba que al saber los deseos de su esposo, Isidro Cárdenas, de integrarse a la Revolución, ella le manifestó que también quería empuñar las armas y no seguirlo como soldadera.

Afamada por su valentía, combatió en numerosas batallas, vestía pantalones, se cortó el cabello y engrosaba la voz al hablar. La adopción de una imagen masculina por parte de algunas soldaderas respondía, no sólo a una forma de rebeldía, sino a una forma de defensa frente a la violencia masculina que se agudizó en los tiempos de guerra. Este mimetismo permitió a algunas perderse como combatientes en la tropa, pero a otras, como a Rosa Bobadilla, viuda de Casas; Carmen Parra, viuda de Alanís; Margarita Neri, Ramona Flores y Clara Rocha, entre otras muchas, ocupar cargos jerárquicos como coronelas y generalas al mando de las tropas revolucionarias.

Otro caso importante que debe destacarse fue el de Mariana Gómez Gutiérrez, maestra normalista, que tras el asesinato de Madero se unió al ejército de Francisco Villa. Conocida como «la profesora» entre la tropa, se distinguió en la toma de Ojinaga, Chihuahua,

---

[114] La mujer no se incorporó a «la bola» (el tumulto revolucionario) por primera vez en la Revolución, sino desde los conflictos armados a lo largo del siglo XIX como compañera del soldado federal de quien por extensión habían recibido el mote de soldaderas. Incluso existen investigaciones que señalan el origen del corrido arquetípico de la Revolución, «La Adelita», anterior en algunos años al estallido del conflicto armado.

contra los orozquistas a finales de 1913 por ponerse al frente de la desfallecida caballería que atacó por el flanco oeste, para infundirles ánimo, acto que le valió que Villa la nombrara pagadora de la División del Norte[115]. A pesar de la importante participación militar de muchas mujeres, pocas fueron las que recibieron el reconocimiento de los gobiernos posteriores a la guerra civil como Veteranas de la Revolución.

Cabe señalar que la labor de las mujeres durante la fase de la lucha armada no se circunscribió a participar en la lucha armada en calidad de soldaderas, sino que participaron también de manera importante como telegrafistas, enfermeras, empleadas de oficina, etc. Dentro de la facción constitucionalista, la presencia de mujeres en estas áreas fue numerosa y destacada.

De particular importancia para la historia del feminismo mexicano fue la labor realizada por Hermila Galindo (1896-?), secretaria privada de Venustiano Carranza y directora del semanario ilustrado *La Mujer Moderna*. Desde este foro Galindo llevaría a cabo una intensa labor propagandística en favor de la mujer, adoptando posiciones avanzadas para su época en temas varios como el divorcio, la sexualidad, la prostitución y el divorcio. Su perspectiva se distingue de las reivindicaciones feministas del periodo porfiriano en que entiende que la transformación del papel social de las mujeres se vincula de manera indisoluble con la transformación política del país; es decir; integra su compromiso con el constitucionalismo y con el feminismo en una misma acción política.

De manera paralela, Galindo trabajó en la creación de sociedades feministas en diversos lugares de la Republica Mexicana, como en México, Toluca, Campeche, Veracruz, San Luis Potosí, etc. Su influencia fue decisiva también en la decisión que tomó el gobernador del estado de Yucatán, Salvador Alvarado, de realizar en Mérida el Primer Congreso Feminista en 1916.

---

[115] Martha Eva, Rocha Islas, «Presencia de las Mujeres en la Revolución Mexicana: Soldaderas y Revolucionarias», en *Memoria del Congreso Internacional sobre la Revolución Mexicana*, México, Gobierno del estado de San Luis Potosí, Instituto Nacional de Estudios Históricos de la Revolución Mexicana, Secretaría de Gobernación, 1991.

Capítulo 4

EL CONGRESO FEMINISTA DE 1916

En enero de 1916 tuvo lugar el Primer Congreso Feminista de Yucatán, convocado por el gobernador y comandante militar del estado, general Salvador Alvarado, encuentro que tuvo lugar en el teatro Peón Contreras de Mérida, Yucatán. Al Parlamento acudirían delegadas de todo el estado «que posean cuando menos la educación primaria», convocadas para subsanar el «error social de educar a la mujer para una sociedad que ya no existe, habituándola a que, como en la antigüedad, permanezca recluida en el hogar», otorgar a la mujer «un estado jurídico que la enaltezca, una educación que la permita vivir con independencia, buscando en las artes subsistencia honesta» y, en suma, para «libertar y educar a la mujer», a fin de que «ella misma concurra con todas sus energías e iniciativas a reclamar sus derechos, y a pedir su injerencia en el estado, para que ella misma se proteja».

Este Congreso contó con la asistencia de alrededor de 700 congresistas, particularmente profesoras que se reunieron para analizar y discutir en torno a cuatro temas: los medios adecuados para lograr la desfanatización de la mujer y su mejoramiento social; la educación femenina; las funciones públicas que puede y debe desempeñar la mujer y el derecho al sufragio.

En el informe del Congreso, presentado por la presidenta, Adolfina Valencia, y la secretaria, Consuelo Ruiz Morales, destacan conclusiones tan sofisticadas y avanzadas como las siguientes:

II. Gestionar ante el gobierno la modificación de la legislación civil vigente, otorgando a la mujer más libertad y más derechos para que pueda con ésta libertad escalar la cumbre de nuevas aspiraciones.

IX. Que la mujer tenga una profesión, un oficio que le permita ganarse el sustento en caso necesario.

X. Que se eduque a la mujer intelectualmente para que puedan complementarse en cualquier dificultad y el hombre encuentre siempre en la mujer a un ser igual a él[116].

Otras conclusiones recomendaban que se abrieran a las mujeres «las puertas de todos los campos de acción en que el hombre libra a diario la lucha por la vida» y que la mujer pudiera desempeñar «cualquier cargo público que no exija vigorosa constitución física, pues, no habiendo diferencia alguna entre su estado intelectual y el del hombre, es tan capaz como éste de ser elemento dirigente de la sociedad».

Un segundo Congreso se llevó a cabo nuevamente en Mérida, en diciembre de ese mismo año. Como resultado de esta reunión las yucatecas ganaron el derecho a la administración de bienes, la tutela de hijas e hijos, y salario igual a trabajo igual.

Algunas de las demandas de las mujeres revolucionarias fueron incorporadas a las nuevas disposiciones legales o llevadas a la práctica por los distintos grupos revolucionarios. Éste fue el caso de la ley del divorcio con disolución de vínculo que expidió en diciembre de 1914 Venustiano Carranza; la Ley Sobre Relaciones Familiares, también constitucionalista, expedida en 1917, y la Ley del

---

[116] Jesús Silva Herzog, *ob. cit.*, tomo II, pp. 280-283.

Matrimonio, que decretó Emiliano Zapata en 1915. Esta última, además de consignar también el derecho de divorcio, concedía la posibilidad a los cónyuges de contraer de nuevo matrimonio, elevaba la edad mínima requerida para casarse de doce años para las mujeres y catorce para los hombres a catorce y dieciséis años, respectivamente, al tiempo que normaba los derechos y obligaciones de los consortes.

Muchas de las demandas laborales de las mujeres fueron recogidas en el artículo 123 de la nueva carta magna. En ella se fijaba el salario mínimo para las mujeres en condiciones de igualdad con el hombre, se les concedía licencia por concepto de maternidad y se prohibía terminantemente el trabajo insalubre y peligroso a mujeres y menores.

Las iniciativas que se presentaron al Congreso Constituyente de 1916 para imponer la pena de muerte por el delito de violación y para conceder el voto a las mujeres fueron negadas, no después de intensos debates. En el caso del sufragio femenino, propuesta presentada por Hermila Galindo pero que la organización sufragista «Admiradoras de Juárez» había planteado ya en 1906, fue denegado por el constituyente bajo los argumentos de que si bien existían mujeres excepcionales capaces de ejercer satisfactoriamente los derechos políticos, esto no podía ser base para concedérselo a «las mujeres como clase».

Además, concluía que en el caso de México no había llegado aún «a romperse la unidad de la familia, como llega a suceder con el avance de la civilización: las mujeres no sienten pues la necesidad de participar en los asuntos políticos, como lo demuestra la falta de todo movimiento colectivo en este sentido». El Congreso negaría, paradójicamente, el derecho a voto a las mujeres hasta 1954, desconociendo con ello su participación activa en la Revolución Mexicana.

Capítulo 5

EL LEGADO CULTURAL Y ARTÍSTICO DE LA REVOLUCIÓN MEXICANA

El corrido mexicano

Durante el movimiento armado, una nueva expresión de cultura popular habría de surgir. Heredero de una tradición secular, pero imbuido de peculiaridades novedosas, el corrido mexicano debe de considerarse una de las aportaciones culturales más trascendentes de la Revolución Mexicana. No hubo por aquellos días acontecimiento trascendente para el mismo pueblo que no fuera relatado, descrito, comentado o entonado en verso, escuchado con intensa atención en las plazas públicas, siendo en verdad la prensa popular, ni diaria, ni periódica, sino eventual, según el curso y desarrollo de la vida en México.

El corrido es un género épico-literario-narrativo, que deriva del romance castellano y de la jácara, en cuartetas de ritmo variable ya asonante o consonante en los versos pares, forma literaria sobre la que se apoya una frase musical[117].

Del romance conserva su carácter narrativo, y de la jácara, el énfasis exagerado del machismo, la jactancia y engreimiento propio de fanfarrones y valentones. Abarca igualmente relatos sentimentales del tipo amoroso y los de aquellos sucesos que sobresalen en la vida local, regional o nacional. La función principal del corrido mexicano en sus orígenes fue la de divulgar noticias frescas sobre los acontecimientos importantes.

Esto último revistió particular importancia en México hasta antes del establecimiento de los modernos medios masivos de comunicación, cuando los corridos circulaban, entre el pueblo, impresos en hojas sueltas que eran vendidas por quienes los interpretaban en plazas públicas y mercados, desempeñando, en parte, el papel de difusores de noticias.

El corrido comenzó a cantarse, como expresión popular, a finales del siglo XIX, haciendo el relato cantado de las hazañas de quienes se rebelaban contra el gobierno porfirista. Según el investigador Vicente T. Mendoza, el primer corrido del que se tiene noticia es el de Macario Romero. Data de 1898, procede de Durango y es el primero que señala dentro de la letra un año preciso: 1810. El corrido alcanzó su máximo desarrollo durante la época comprendida entre el inicio de la revolución maderista (1910) y la liquidación del movimiento cristero (1929).

A partir de entonces, el corrido tiende a volverse artificioso, sin espontaneidad; pues con un criterio muchas veces mediocre, o con afán lucrativo, se componían corridos casi con el único objeto de reseñar la victoria efímera de algún deportista o, lo que es peor, para elogiar desmedidamente a determinado candidato —desde el nivel municipal hasta el nacional— en su campaña política. Sin embargo, esta decadencia no quiere decir que hayan desaparecido por completo los verdaderos corridistas, quienes con su fantasía creadora, y ante los acontecimientos que más conmueven a la sociedad, siguen cultivando este importante género de la música vernácula mexicana.

---

[117] Vicente T. Mendoza. *El corrido mexicano*, México, Fondo de Cultura Económica, 1954. Carolina Figueroa Torres, *Señores, vengo a contarles... La Revolución Mexicana a través de sus corridos*. Secretaría de Gobernación e Instituto Nacional de Estudios Históricos de la Revolución Mexicana. 1.ª ed. 1995.

El corrido mexicano muestra una estructura clásica que comprende los siguientes aspectos, aunque no necesariamente en el mismo orden:

a) Solicitud de permiso para iniciar el canto.
b) Ubicación en lugar y fecha.
c) Presentación del, o los, personajes. O en su caso, el motivo del corrido.
d) Desarrollo.
e) Desenlace.
f) Moraleja.
g) Despedida.

Hay casos como el del corrido de «Rosita Alvírez», en que el desenlace se plantea junto con la fecha en el primer verso:

Año de 1900,
presente lo tengo yo,
en un barrio de Saltillo,
Rosita Alvírez murió.

En el que puede apreciarse la manera inteligente en la que el autor despierta el interés por saber de qué murió Rosita. Es costumbre que el tema melódico sea igual para todas las estrofas, con breves interludios, durante los que descansan los cantadores. Según el asunto que aborde, el corrido puede también denominarse: historia, narración, relato, ejemplo, tragedia, mañanas o mañanitas, recuerdos, versos o coplas.

Capítulo 6

LA NOVELA Y EL CINE DE LA REVOLUCIÓN MEXICANA

La novela

Ya desde el inicio mismo del conflicto, se empezó a crear una determinada imagen popular de la Revolución. La novela más célebre de la Revolución Mexicana, de la cual nacería todo un género literario, es, sin duda, *Los de abajo*, de Mariano Azuela (1873-1952), que se publicó en 1915. El movimiento tumultuoso y sangriento contra Victoriano Huerta y la forma espontánea en que los campesinos engrosaron las filas revolucionarias son situaciones históricas en que la novela se basa para su desarrollo, iniciando una abundante literatura narrativa sobre las luchas revolucionarias del México moderno.

A muy grandes rasgos, la novela cuenta la historia de un ranchero llamado Demetrio Macías cuya vida toma un giro dramático cuando el cacique local ordena incendiar su hogar. Con ningún lugar adonde ir, Demetrio se une a las fuerzas revolucionarias y es nombrado oficial durante un ataque contra los federales. A continuación entra en escena Luis Cervantes, un hombre educado de clase media que desertó del ejército federal, con la intención de unirse a Demetrio por tener «sus mismos ideales», pero en el momento que lo conoció y dijo dicha cosa se quedó sorprendido debido a que los supuestos revolucionarios tenían poca idea del porqué de su lucha.

Cuando una herida en batalla lo pone bajo los cuidados de Camila y de Curro (un estudiante de medicina), se enamora de Camila, sólo para darse cuenta de que ella ama a Curro. Una vez recuperado, Demetrio se une a las fuerzas de Villa, se convierte en un héroe de la guerra y busca venganza contra el hombre que destruyó su hogar.

Durante los años 20 y 30 se publicaron muchas novelas ambientadas en los años de la guerra, con sus grandes figuras como personajes dentro de la ficción.

Entre las más memorables cabe destacar *El águila y la serpiente* (1928), de Martín Luis Guzmán; *Vámonos con Pancho Villa* (1931), de Rafael F. Muñoz (1899-1972), y *Tierra* (1932) y *Mi General* (1934), de Gregorio López y Fuentes (1895-1966). Las novelas de Guzmán, *La sombra del caudillo* (1929) y *El águila y la serpiente* (1928), describen la Revolución Mexicana y sus consecuencias políticas, temas ambos con los que el autor estaba más que familiarizado, al haber sido testigo y partícipe directo tanto de las agitaciones revolucionarias como de la formación del nuevo gobierno revolucionario.

Durante varios meses, en 1914, Guzmán estuvo bajo las órdenes directas de Villa. Años más tarde escribiría una biografía de cinco volúmenes sobre Villa, titulada *Memorias de Pancho Villa* (1936-1951). Las memorias se basan en su primera parte, en lo que Villa mismo pudo y quiso decir de sí y le dictó a su secretario particular, Manuel Bauche Alcalde, documento que Martín Luis Guzmán reescribió, completó y noveló. Por lo demás, siempre ha quedado la incógnita de por qué no abordó Guzmán al Villa guerrillero de los años de 1915 en adelante. Guzmán murió en 1976 en Ciudad de México.

Hay, además, las otras novelas del propio Azuela, quien hizo de la Revolución el gran tema de su obra, como *La Luciérnaga* (1932), *El Desquite* (1925) o *Nueva Burguesía* (1944).

La muerte de Artemio Cruz (1962), de Carlos Fuentes, viene a ser, entre muchas otras cosas, la última novela de la Revolución Mexicana, la que da fin y remate a la serie de obras ficticias que tratan de recrear aquel suceso doloroso. La novela relata acontecimientos importantes en la vida de Artemio Cruz, mientras éste agoniza después de haber sufrido un infarto. En su delirio, Artemio recuerda la historia de su vida y un pasado que le atormenta. Su relato entremezcla el pasado, el presente y el futuro a través del uso de los pronombres él, yo y tú, respectivamente. El uso de estos tiempos también explica lo que pasó antes, durante y después de la Revolución Mexicana.

A través de la narración de la vida y muerte de Artemio, se observa cómo éste va perdiendo su inocencia hasta convertirse en un ser completamente corrupto, lo cual también sirve para describir el fracaso de la Revolución. Artemio se convierte en un nuevo cacique de la sociedad mexicana. Cruz reemplaza a la vieja elite usando su apariencia de revolucionario. Todo esto muestra cómo la situación social del país no cambió mucho al finalizar la Revolución. La reforma agraria no se consumó ni tampoco se distribuyó la riqueza. En realidad, todo pasó de las manos de unos cuantos a las manos de otro pequeño grupo que utilizó la retórica de la Revolución para justificar su existencia y perpetuarse en el poder.

Así, la historia de la vida de Artemio Cruz representaría las etapas por las que la historia mexicana transitó durante las primeras décadas del siglo XX. Durante esos años, un selecto grupo de líderes advenedizos y sin escrúpulos habría reemplazado, según Fuentes, a la elite porfiriana. Fuentes pretende mostrar cómo una parte de aquellos que participaron en la Revolución decidieron sacar provecho del caos político que siguió al conflicto armado. De esta forma, Artemio Cruz simbolizaría el fracaso de la Revolución Mexicana.

En su conjunto, estos libros presentan los años 1910-1920 como una época de confusión y violencia, durante la cual fue extremadamente difícil actuar de una manera moralmente consistente. Predomina el cinismo y el oportunismo y la corrupción personal; parecen querer explicarnos así el incumplimiento de los ideales revolucionarios.

Los de Abajo, 1915, desde la perspectiva del autor, como testigo directo y literato, Mariano Azuela, médico y escritor (1873-1952). La novela aparecería publicada por entregas en un diario del Paso, Texas. (Demetrio Macías): «¿Pos cuál causa defendemos nosotros?» Alberto Solís responde: «Me preguntará por qué sigo entonces en la Revolución. La revolución es el huracán, y el hombre que se entrega a ella ya no es el hombre, es la miserable hoja seca arrebatada por el vendaval.»

Mención aparte merece el artista y grabador José Guadalupe Posada (1851-1913). Nacido en Aguascalientes, puede considerarse, sin exageración, una suerte de Honoré Daumier mexicano, no sólo por la mordacidad de sus invectivas, sino también por su gran calidad técnica y artística. La tipografía de Posada ha alcanzado celebridad mundial por sus dibujos y grabados sobre la muerte; hacía trabajos de imprenta, trabajos publicitarios y comerciales, ilustró libros e imprimió carteles, hacía retratos de personajes históricos e imágenes religiosas.

La caricatura política era su pasión, registraba los sucesos extraordinarios y de la vida cotidiana, a los que agregaba notas humorísticas; sus caricaturas eran adornadas con viñetas con arabescos y ornamentos vegetales. Precedido de su fama con la litografía y el grabado, Posada fundó y trabajó en periódicos de gran fama en su época, caracterizados por una producción nacionalista y popular.

Sus altas dotes imaginativas y su habilidad para manejar el grabado le llevaron a desarrollar nuevas técnicas de impresión, con lo cual le fue posible ampliar su notable obra, que puede calcularse en cerca de 20.000 grabados. Lo mismo ocurrió con sus ediciones de corridos, oraciones y juegos; tirajes de cuando menos cinco millones de ejemplares, que llegaron hasta los rincones más apartados de la república.

Posada ayudó en la consolidación de la fiesta del Día de Muertos, pues fue el artista que mejor interpretó la vida y las actitudes sociales del pueblo mexicano, representándola en sus grabados con calaveras vestidas de gala, calaveras en fiestas de barrios, en calles citadinas, en las casas de los ricos. Dibujaba calaveras montadas en caballos, en bicicletas, recreadas en humorístico festín macabro —histriónico y satírico—. Por medio de ellas señalaba las lacras, las miserias y los errores políticos, y a los políticos tiranos y ambiciosos, lo que le valió muchas veces estar en la cárcel.

Posada murió pobre, igual que había nacido. Fue sepultado en una fosa de sexta clase en el Panteón de Dolores, en la Ciudad de México. Sus restos, que nadie reclamó, fueron arrojados siete años después a una fosa común, «en compañía de otras calaveras anónimas».

No obstante este hecho, su obra influyó en artistas posteriores, como José Clemente Orozco (1883-1949), Diego Rivera (1886-1957), Francisco Díaz de León, Leopoldo Méndez, etc. Posada es considerado precursor del movimiento nacionalista en las artes plásticas y de su obra se han hecho exposiciones nacionales e internacionales, además de que muchos de sus grabados aún son reproducidos.

El cine

La visión cinematográfica de la Revolución ha tenido también mucho impacto en la imaginación popular. En 1930, el cineasta ruso Sergei Eisenstein[118] (1898-1948), llegó a México para realizar una película sobre la vida, la cultura y la historia mexicanas. Por motivos políticos y comerciales la película nunca llegó a terminarse, pero las imágenes de su obra publicadas en revistas o como fragmentos dentro de otras producciones fílmicas influyeron fuertemente en la manera de representar el paisaje y la gente de México en la generación siguiente de cinematógrafos, sobre todo en el estilo distintivo del más grande de todos los cinematógrafos mexicanos, Gabriel Figueroa. Fernando de Fuentes, el primer gran cineasta mexicano, hizo varias películas relacionadas con la Revolución, siendo las dos más célebres *El compadre Mendoza* (1933) y *Vámonos con Pancho Villa* (1935), una adaptación de la novela de Rafael Muñoz. Fuentes presenta una visión semejante a la interpretación pesimista que predomina en las novelas.

Durante la Segunda Guerra Mundial, para contrarrestar a las industrias cinematográficas argentina y española, que eran consideradas abiertamente pro Eje, los estudios de Hollywood y el Departamento de Estado norteamericano subvencionaron al cine mexicano, dando lugar al gran florecimiento que se considera su «edad dorada»[119].

Con estrellas como Dolores del Río, Pedro Armendáriz, María Félix y Jorge Negrete, y cineastas como Juan Bustillo

---

[118] Cineasta y teórico ruso, célebre por sus clásicas películas mudas: *El acorazado Potemkin, Octubre, Alexander Nevski* y *¡Huelga!* A finales de 1930 viajó a México para producir lo que iba ser un gran fresco mural sobre la Revolución de este país. Al no poder completar la película en el plazo señalado por su contrato, la productora norteamericana que había financiado su proyecto le confiscó

el material que llevaba filmado y lo vendió a retazos para *westerns* y otras producciones menores. Fue en 1979 cuando se reeditaron los distintos materiales dispersos y pudo ser estrenada su película *¡Que Viva México!*

[119] Alberto Elena, *Tierra en trance. El cine latinoamericano en 100 películas.* Madrid, Alianza Editorial, 1999.

Oro (1904-1988), Emilio «El Indio» Fernández (1903-1986), Fernando de Fuentes (1894-1958), Alejandro Galindo y Roberto Gavaldón, se producía un cine distintivo, que propagaba una nueva identidad mexicana. Central para el desarrollo de esta imagen era la cinematografía romántica de Gabriel Figueroa.

Mención aparte merece Mario Moreno, *Cantinflas*, que reivindicó y proyectó internacionalmente la imagen del *pelado*, síntesis de pícaro y vagabundo, dotado de una verborrea ininteligible y una vestimenta notoriamente estrafalaria, como certifica su fama, virtualmente universal en el mundo de lengua española.

En esta época se hicieron muchas películas que trataban los sucesos de la Revolución directamente, con otras muchas que ejemplificaban la ideología revolucionaria que legitimaba el poder del PRI. Las películas de Fernández y Figueroa, sobre todo, especialmente *Flor Silvestre* y *María Candelaria*, ambas de 1943, presentaban de una manera romántica el triunfo de la inocencia de la gente humilde sobre el maquiavelismo de los ricos malvados.

Capítulo 7

EL MURALISMO MEXICANO: UNA REVOLUCIÓN ARTÍSTICA, UN ARTE PARA LA REVOLUCIÓN

Quizá una de las ideas más determinantes en el desarrollo del siglo XX, especialmente en la construcción de su ideología, haya sido el impacto del marxismo, que ya desde el siglo pasado se había pronunciado y esperaba su momento de identificarse con él, incluso el arte, que debía ir de la mano con la construcción revolucionaria. Aunque los teóricos del marxismo poco se ocuparon de la cuestión estética, esto no impidió que se prefiguraran una idea en torno al «deber ser» del arte. Desde este punto de vista, el arte se planteaba como un reflejo de la realidad. Esto se derivó en que el arte se vislumbrara como un «medio» propagandístico en favor de la Revolución. Se pensaba en un arte «comprometido», solidario e inspirado en la realidad de los individuos, un arte de «realismo social», un arte capaz en suma de incidir sobre esa «realidad» y cuyo destinatario era, por tanto, «las masas».

Tanto la experiencia de la Revolución Mexicana, como la difusión de los ideales de la revolución bolchevique en 1917, fungieron como inspiradores, en un primer momento, de esta «revolución estética», porque «la tierra es de quien la trabaja» y porque «ya basta de academicismos», ya basta de mirar a Europa. Los muralistas mexicanos se volvieron hacia sí mismos, hacia su propia tierra, aun cuando algunos de ellos se formaron también en las escuelas europeas.

Fue a partir de la Revolución Mexicana de 1910, en contra del régimen de Porfirio Díaz, cuando el movimiento plástico del país azteca comienza a despertar del letargo academicista en que se hallaba sumido, demandando una nueva escuela de arte.

Más tarde, el régimen liberal de Madero omitió librar a la escuela mexicana de pintura de estas rutinas conservadoras. En forma por demás paradójica, la libertad artística tuvo que esperar hasta que se inició la dictadura militar de Victoriano Huerta, cuando el pintor Alfredo Ramos Martínez fue nombrado director de la Academia de San Carlos en septiembre de 1913.

El nuevo director abrió de par en par las puertas para la reforma que llegó fuerte como un cálido viento revolucionario que barrió con el pasado, cambiando la academia que Rivera y Orozco habían conocido cuando estudiantes. El sucesor de Ramos, designado por Carranza, fue Gerardo Murillo, mejor conocido como *Doctor Atl* (1875-1964), pintor, agitador y vulcanólogo, y un buen amigo de los estudiantes revolucionarios.

El doctor Atl se impregnó de arte en sus estancias en Francia, España e Italia, mientras Rivera aún estaba en su etapa formativa, y en donde Orozco estudió agricultura. De regreso a México, el futuro director de la Academia acostumbraba reunirse con los jóvenes estudiantes de San Carlos. El doctor Atl no se conformó únicamente con alimentar la imaginación de los estudiantes, de manera que quiso transformar el academicismo asfixiante del arte mexicano por una técnica y una maestría auténticas y revolucionarias.

Cuando el general Álvaro Obregón se convirtió en presidente a finales de 1920, José Vasconcelos fue nombrado secretario de Educación. Vasconcelos inició un vasto programa de educación popular, incluyendo la pintura de murales en edificios públicos, que actualmente hablan de la historia revolucionaria.

El programa de pintura mural de Vasconcelos comenzó invitando a los pintores Roberto Montenegro, Xavier Guerrero, Gabriel Fernández Ledesma y al doctor Atl, para que decoraran la antigua iglesia jesuita de San Pedro y San Pablo. Cuando Vasconcelos pensó acerca de la incorporación de otros pintores al proyecto, éstos eran Rivera y Siqueiros. Rivera estaba entonces en Europa y Siqueiros estaba en busca de él, bajo el apoyo de Vasconcelos.

Ambos pintores viajaron a través de España e Italia donde, al tiempo que aprendieron las técnicas de los períodos prerrenacentista y renacentista, publicaron una proclama política para los pintores de América. Después de esto, regresaron a México para empezar el importante programa de pintura mural.

En 1922, Rivera inició el mural «La creación» en el anfiteatro Bolívar en la Escuela Nacional Preparatoria. En esta labor titánica fue ayudado por Carlos Mérida (1891-1984), Jean Charlot, Amado de la Cueva y, Xavier Guerrero. Al mismo tiempo Orozco, Siqueiros y Rufino Tamayo pintaron los corredores y las paredes de la escalera de la misma escuela.

A finales de 1922, Rivera se afilió al Partido Comunista. Casi inmediatamente se convirtió en líder de los artistas revolucionarios mexicanos, especialmente de aquellos dedicados al muralismo.

El activista David Alfaro Siqueiros convenció a Rivera para crear una organización política entre los artistas muralistas e invitó a Carlos Mérida, Amado de la Cueva, Ramón Alva Guadarrama, Xavier Guerrero, Fernando Leal, José Revueltas y Germán Cueto, a fin de crear la Unión de Trabajadores Técnicos, Pintores y Escultores, con el apoyo de José

Clemente Orozco. Su manifiesto proclamaba como fundamental principio político lo siguiente: «Repudiamos la llamada pintura de caballete y todo el arte de los círculos ultraintelectuales, porque es aristocrático y glorificamos la expresión de arte monumental, porque es de dominio público». Los panfletos pintados y distribuidos por la Unión se transformaron en el periódico El Machete, el cual llegó a ser eventualmente el órgano oficial del Partido Comunista Mexicano.

Como secretario de Educación Pública, Vasconcelos contrató a la mayor parte de aquellos pintores para realizar los murales en las paredes de su nuevo edificio; en ellos plasmaron las «fiestas» tradicionales de México y Rivera pintó la nueva ideología del movimiento revolucionario, especialmente la relacionada con Emiliano Zapata y la lucha por la tierra y los trabajadores con su pelea por mejores condiciones de trabajo.

El siguiente presidente, Plutarco Elías Calles, no estuvo de acuerdo con este arte revolucionario y detuvo el trabajo. Para entonces, Rivera y Siqueiros eran ya miembros activos del Partido Comunista; sin embargo, sus relaciones con éste fueron muy difíciles, ya que sus ideas y la indisciplina para realizar el trabajo les causaron problemas con miembros que no estuvieron de acuerdo con la idea de mezclar arte y política. Rivera fue más radical en su defensa del arte y abandonó el partido por primera vez en 1926.

Algunos meses después, Rivera se reintegró al Partido Comunista y al mismo tiempo continuó con su equipo en la realización de los murales de la Escuela de Agricultura en Chapingo. El mural fue llamado «La lucha por la tierra» y representa una oda a las fuerzas de la Naturaleza y un símbolo de la lucha por la tierra.

Para ese entonces, la Unión de Trabajadores Técnicos, Pintores y Escritores había desaparecido y los artistas que

Diego Rivera: Emiliano Zapata, *1931. Fresco 238 x 188 cm. Museo de Arte Moderno. Nueva York.*

querían luchar dentro del Partido Comunista debían hacerlo individualmente.

Por su parte, José Clemente Orozco aceptó un contrato particular para pintar el mural «Omnisciencia» en la Casa de los Azulejos, en la Ciudad de México. Siqueiros y Amado de la Cueva se trasladaron a Guadalajara a pintar murales. El mural que ambos pintaron en 1925 fue: «El trabajo y los ideales agrarios de la Revolución de 1910».

En aquellos años, Rivera se involucraría en innumerables actividades políticas. De esta manera, fue miembro de la Liga Nacional Campesina, presidente del Bloque Obrero-Campesino, en cuyo programa de acción participó como principal autor. En 1927 viajó a Moscú, como miembro de la delegación mexicana invitada a participar en el décimo aniversario de la Revolución de Octubre. Una vez en la URSS, fue propuesto por el director de arte ruso para que pintara un mural en el Palacio del Ejército Real; sin embargo, sus conocidos vínculos con el grupo de artistas trotskistas pusieron fin a ese proyecto.

Al regresar a México, el Partido Comunista Mexicano le nombró responsable de la campaña presidencial de Pedro Rodríguez Triana, el comunista opositor del candidato oficial, Pascual Ortiz Rubio. No obstante, no fue hasta la dictadura de Victoriano Huerta cuando comienza a despertarse este proceso de cambio en la plástica mexicana con el nombramiento del pintor Alfredo Ramos Martínez como director de la Escuela de Nacional de Artes Plásticas en 1913, quien dio impulso a la reforma. Posteriormente, fue Gerardo Murillo (1875-1964) —mejor conocido como doctor Atl— quien, al suceder a Ramos Martínez en el cargo, inculcó en los nuevos artistas una manera distinta de entender el proceso de creación artística: «El doctor Atl no estuvo contento únicamente con alimentar la imaginación de los estudiantes, así que quiso transformar el academicismo del arte mexicano por uno real y revolucionario»[120].

Así, el movimiento pictórico mexicano estuvo poderosamente influenciado por los valores que el doctor Atl impartiera al negarse a continuar con la tradición plástica europea, siendo él, justamente, quien retomara los temas relativos a la mexicanidad.

El muralismo mexicano fue promovido por José Vasconcelos, ministro de Educación Pública durante el mandato de Álvaro Obregón finalizando la década de 1920, y fue éste (Vasconcelos) quien puso a la disposición de los artistas el espacio mural de los edificios públicos, como parte de una política de educación popular con miras a reforzar el conocimiento de la historia revolucionaria.

De la mano de Diego Rivera, José Clemente Orozco y David Alfaro Siqueiros principalmente, los murales fueron la reafirmación de lo que significaba «llegar a las masas», el espacio del que nadie podía ser dueño, y que, por tanto, pertenecía todos: el muralismo quiso hacer accesible el arte a través, justamente, de los murales. La pintura de caballete apenas se circunscribía a los salones de arte, círculos elitistas por excelencia y, por tanto, alejados completamente de la experiencia popular. Así, David Alfaro Siqueiros, verdadero activista, junto con Rivera, Orozco y otros artitas de esta tendencia, organizados políticamente en la Unión de Trabajadores Técnicos,

---

[120] Instituto Nacional de Estudios Históricos de la Revolución Mexicana, *El muralismo de la Revolución Mexicana.* México, 1995.

Pintores y Escultores, declararían en un manifiesto publicado en el órgano divulgativo *El Machete*: «Repudiamos la llamada pintura de caballete y todo el arte de los círculos ultra-intelectuales porque es aristocrático, y glorificamos la expresión de arte monumental porque es de dominio público»[121].

Ésta fue la primera bandera estética del movimiento. Su principal soporte plástico fue también materialización de su ideología. La monumentalidad sería inevitable, pues tenían como objetivo y meta exaltar y engrandecer la Revolución y el pasado histórico del país: su pasado precolombino, su identidad nacional como «provocadora» y «contenedora» de la conciencia social. El muralismo mexicano como expresión de la monumentalidad es una de las últimas evidencias de la integración de todas las artes en el siglo XX, es también una forma de conciencia plástica: «La pintura llamada de caballete debe tener medios, intenciones y aspectos opuestos a los de una pared. La pintura de un cuadro es absoluta; es decir, no tiene relación alguna con arquitectura o medio material determinado. La pintura mural es subordinada, es decir, tiene que ser complementaria de la arquitectura, siguiendo las proporciones modulares de la misma»[122].

Quizá una de las cosas que más llama la atención es que este movimiento artístico, si bien supeditado en gran parte a la propaganda política, haya sido capaz de crear un código estético propio, aun cuando haya sido influenciado por la estética europea. Se trató de un arte comprometido con la realidad social sin duda, pero también comprometido con los altos valores de la plástica. Sus temas se centraron en la vida del mexicano común, sus valores, costumbres y, claro está, en la lucha social. Los temas que tanto motivaron a los artistas europeos dejaron de ser inspiración para los aztecas, porque el muralismo fue también una propuesta ontológica. En los *Escritos sobre Arte Mexicano*, al referirse a los pintores más destacados del muralismo, se dice:

«[Siqueiros] encontró la esencia de la que tantos se habían olvidado: la utilidad y la finalidad del arte, pues en un país donde se lee poco, como en México, la pintura conserva su antigua función de propagar ideas... Pensó que una pintura, como una frase, era buena si expresaba clara y sobriamente una idea... Es pintura bella de seria simplicidad, bella de humildad voluntaria, fuerte de la sana disciplina que se puso el pintor que quiso ser hombre antes que ser hombre ilustre.»

De Orozco se diría: «El hombre es aparentemente el único asunto de su obra; lo rodean sus complementarios, su arquitectura, sus instrumentos de trabajo... Empero, su obsesión por el hombre, lejos de ser una exaltación, nace del interés que suscita en él lo incompleto, lo débil del tema»[123].

Pero de aquellos hombres, el trabajo de Rivera alcanzaría un total compromiso revolucionario: «Rivera pintó la nueva ideología del movimiento revolucionario, especialmente la relacionada con Emiliano Zapata y la lucha por la tierra y los trabajadores con su pelea por mejores condiciones de trabajo» (Rivera Marín: 1997).

---

[121] Conferencia presentada por la doctora Guadalupe Rivera Marín, historiadora, directora del Centro de Estudios de la Revolución Mexicana, investigadora sobre el muralismo mexicano, escritora e hija del muralista Diego Rivera, en la Universidad Simón Fraser de Vancouver, BC, 1997.

[122] Jean Charlot, *El renacimiento del muralismo mexicano, 1920-1925*. México, Domés, 1985.

[123] Ibíd.

No obstante, la obra de estos artistas no contó siempre con la buena voluntad de los gobiernos mexicanos. El arte muralista no sólo se planteó intervenir la realidad a través de sus ideas y propuestas, sino que su poder era tal que en más de una oportunidad sus trabajos fueron censurados por los propios «revolucionarios», por sus temas «comunistas y sacrílegos». No fue una tarea fácil. Sus ideas políticas y sus aspiraciones para con la sociedad de México se encontraron más de una vez en oposición con los intereses de los distintos gobiernos y de otros sectores poderosos de la sociedad, tanto en este país, como fuera de él, especialmente en el caso de Diego Rivera, echando por tierra la afirmación de «arte burgués». Estos hombres, además de artistas, fueron auténticos militantes de una causa: la revolución social.

Pero la disputa no fue sólo por la causa del «pueblo», en el sentido estricto de la palabra. Fue también la querella por la libertad de expresión y de creación, contienda por la práctica pública, abierta y clara, de los valores en los que estos artistas depositaron su fe. El «Manifiesto por la libertad de un arte revolucionario», proclamado por Bretón, Trotski y Rivera, así lo demostraría. Pero sin duda en algo fue absolutamente único este movimiento: el muralismo mexicano pudo ser, al fin, la vía de la independencia estética de México con respecto a Europa, la sublimación de un pensamiento en el cual cada latinoamericano se observa a sí mismo. Más allá de las posiciones políticas de los artistas —o quizá a causa de ellas—, el muralismo mexicano fue la voz de América Latina, la materialización de un sueño común: el de la verdadera libertad.

José Clemente Orozco, David Alfaro Siqueiros y Diego Rivera en 1921 fueron comisionados por el secretario de Educación Pública, José Vasconcelos, para plasmar obras didácticas a gran escala en los muros de los edificios públicos.

José Vasconcelos mandó editar y distribuir gratuitamente dos millones de libros de autores clásicos, y creó unas misiones culturales que viajaban a los sitios más remotos y apartados para reducir el analfabetismo.

Capítulo 8

LA ARQUITECTURA DE LA REVOLUCIÓN MEXICANA

La «reconstrucción nacional», auspiciada por la facción sonorense victoriosa, implicó un nuevo contrato social, nuevos asentamientos, los gustos de una clase política emergente y, en suma, un modelo distinto de urbanismo. La modificación de los símbolos fue entonces un fiel reflejo de los nuevos valores de los grupos en ascenso sobre las ruinas dejadas por el movimiento armado. Los mercados públicos, las escuelas, los edificios destinados a los servicios municipales y los centros recreativos construidos por la Revolución habrían de ser los espacios privilegiados donde quedaría plasmada esa nueva estética.

En los años de 1922 y 1923 hubo una búsqueda de parte de los arquitectos de la nueva generación de un «retorno a las raíces», de suerte tal que no es de extrañar que haya prevalecido una tendencia a la que se denominó arquitectura «neocolonial», que, como su nombre indica, buscaba recrear los estilos arquitectónicos legados por la época colonial española. A tales impulsos, pronto se opondría una corriente «neo-indígena» que exaltaba el pasado prehispánico como fuente privilegiada de la «mexicanidad».

De esa época, sobresale la obra de los arquitectos Obregón Santacilia y Francisco Serrano, entre muchos otros, para evolucionar después, a través del nacionalismo y el geometricismo *déco,* hacia el modernismo racionalista impulsado por José Villagrán García (1901-1982) y sus alumnos Enrique del Moral, Juan Legarreta, Juan O'Gorman, Augusto Pérez Palacios, Enrique Yáñez y Antonio Muñoz. Villagrán destaca por la influencia, no solamente de su obra, sino de su ideología, sobre muchas generaciones de arquitectos posteriores a los ya mencionados. Desde joven y recién salido de la escuela de arquitectura compartió su ejercicio profesional con la docencia, lo que le mantuvo cerca de la investigación y constantemente actualizado.

Villagrán fue de los primeros arquitectos mexicanos en cobrar conciencia sobre los cambios que comenzaron a producirse y las ideas que los animaban en la arquitectura europea al término de la Primera Guerra Mundial. En sus primeras obras racionalistas se perciben fuertes influencias de Le Corbusier, Gropius y otros; reinterpretándolas con acentos propios.

Después de un breve periodo de asociación con el arquitecto Carlos Obregón Santacilia, Villagrán proyectó varios edificios para la salud, como el Instituto de Higiene y Granja Sanitaria, en Popotla (1925), y el Hospital para Tuberculosos en Huipulco (1929). La propuesta de una Revolución Mexicana institucionalizada como un elemento de promoción cultural, política y social, tanto al interior como al exterior del país, manifestada en el movimiento del muralismo y en la pintura y escultura nacionalistas, e integrada desde el principio al nuevo quehacer arquitectónico por Obregón Santacilia y Villagrán García, desembocó en un movimiento de integración plástica que dotó al racionalismo nacional de una fuerte influencia que pervivió incluso al surgimiento del funcionalismo en el país.

Muy pronto se sentiría el influjo de las corrientes artísticas mundiales, por entonces en boga. No obstante, lejos de buscar imitarlas, los arquitectos mexicanos intentaron fundirlas con sus diversas interpretaciones de la mexicanidad, dando lugar a síntesis por demás originales y novedosas.

Expresiones notables de esta renovación estética serían el edificio de la Secretaría (Ministerio) de Salud Pública, con fuertes influencias del *art déco,* construido entre 1925 y 1929 por el arquitecto Carlos Obregón Santacilia (1896-1961), quien diseñó dentro de la misma corriente el Monumento a la Revolución. Otros exponentes de este nuevo estilo son la sede del Banco de México y los edificios Guardiola, La Nacional, San Martín y Ermita.

Las nuevas leyes dan pie a políticas de vivienda, educación y salud que exigen de modo apremiante la construcción de obras públicas. Al realismo nacionalista lo complementan las esculturas de magnificencia pétrea, marmórea o metálica, las efigies de héroes o mártires (concebidos como pilares de la historia)[124]. Por otra parte, el régimen habría de destacarse por el patrocinio de una arquitectura bastante similar al realismo socialista o a la grandilocuencia del fascismo italiano.

---

[124] Eloy Méndez Sainz, «Arquitectura de la Revolución. Simbolismo de las ciudades y obra pública», en *Región y Sociedad,* Vol. XIV, n.º 24, El Colegio de Sonora, 2002.

Capítulo 9

MESTIZAJE, INDIGENISMO Y NACIONALISMO

Bajo la égida de la Revolución institucionalizada cobraría una boyante industria del indigenismo. Indigenismo: doctrina que preconizaba la defensa de la cultura autóctona (Manuel Gamio, Alfonso Caso, José Vasconcelos, Gonzalo Aguirre Beltrán, Moisés Sáenz). Se trataba en todos los casos de intelectuales urbanos, no indígenas. En ese sentido el indigenismo no era un movimiento «nativo». Buscaba proteger a los indios de los abusos y vejaciones de los que habían sido objeto. Desde esa contradicción fundamental apoyó opiniones paternalistas, homogeneizantes, e incluso racistas, acerca de los indios mexicanos. Su meta prioritaria era la asimilación y la integración.

Así, el mestizaje pasó a ser glorificado como la nueva «síntesis racial» («mestizofilia»). Los mestizos eran considerados «mejores» que las «razas puras» (Vasconcelos «La raza cósmica»), México como una nación «mestiza»; y al mestizaje como el portador de la cultura nacional del futuro. Bajo tal prisma, la nación mexicana mestiza era vista por tanto como producto y consecuencia de la Revolución.

Los gobernantes asumieron un nuevo estilo populista de gobernar. Era necesario y hasta aconsejable codearse con la gente común, vestir de manera informal y ostentar algo de sencilla camaradería[125]. De este modo se generalizó entre la nueva elite una clara manipulación de los símbolos populares. Cambiaron también las costumbres sexuales y amorosas, como ocurre de manera habitual en toda gran transformación revolucionaria. Se generalizaron raptos, fugas, adulterios, separaciones y uniones libres.

Revolución e indigenismo

Todas las grandes revoluciones contemporáneas han ambicionado «construir» naciones, crear instituciones modernas, integrar poblaciones dispares y forjar culturas nacionales homogéneas y participativas; para ello, a menudo han invocado la supuesta grandeza del pasado nacional, volviendo atrás hacia una supuesta «edad de oro» pretérita , mediante la glorificación de viejos héroes y épocas distantes, en la tierra nativa, como modelos para revigorizar a la comunidad y darle un sentido y una dirección.

México ha sido siempre un país caracterizado por su diversidad étnica y cultural. El país posee una de las más grandes poblaciones indígenas del continente, estimada en torno a 10,9 millones de personas que equivalen aproximadamente al 12,3 por ciento de la población total del país. La mayor parte de dicha población se encuentra regionalmente aislada en los estados meridionales de Guerrero, Oaxaca, Chiapas y Yucatán.

Dicho multiculturalismo ha sido enfrentado frecuentemente desde arriba, al percibírsele más como una amenaza al nacionalismo mexicano y a la idea de patria que como un beneficio para el país. El indigenismo creado por la Revolución Mexicana para su uso en la política posrevolucionaria buscó incorporar a los indígenas a la política nacional y transmitirles un sentido de patriotismo nacional, más allá de sus identidades particulares. Se trataba, en suma, de una asimilación

---

[125] Alan Knight, *op. cit.,* Vol. II, p. 1070.

a una entidad colectiva en la que todos los ciudadanos compartieran ideales y costumbres similares. Para otros, el nacionalismo seguía significando, al igual que en el porfiriato, unidad a través de la homogeneización «racial». En consecuencia, las políticas indigenistas de la época perseguían como fin último la conversión de los indios mexicanos.

Prevaleció, no obstante, la tendencia a descartar ese nativismo arcaizante como poco más que una retórica *narodnik*[126] y se eligió a cambio recorrer el doloroso camino hacia un modernismo occidental más accesible a la gran masa de la población[127].

El ejemplo de México confirma el vínculo entre el retorno a un antiguo pasado étnico y a la cultura y estilo de vida «folclórico» rural en un periodo de modernización y comercialización incipiente. Así es que en México, a finales del siglo XVIII y comienzos del XIX, encontramos varios escritores y algunos políticos reivindicando la herencia azteca como la antigüedad de la moderna nación criolla de México.

De igual modo, el jesuita Francisco Clavijero (1731-1787), precursor intelectual de la independencia de México, hizo suyo el pensamiento neo-aztequista implícito en la *Monarquía Indiana* (1615), obra de Juan de Torquemada (1388-1468) y la utilizó discursivamente en contra de los españoles en nombre de los indios contemporáneos, descendientes de los aztecas, en diatribas en las que atribuía la lamentable condición de los indios contemporáneos a los efectos de la conquista española. Según Clavijero, lo que se necesitaba era una mayor fusión de las razas que diera lugar a la creación de un México mestizo.

Fueron sus sucesores Servando Teresa de Mier[128] (1765-1827) y Carlos María de Bustamante[129] (1774-1849), así como José María Morelos, quienes habrían de sentar las bases de la noción política de la nación mexicana como una identidad separada y diferente que demandaba unidad y autonomía por medio de su declaración de independencia de España.

De esta manera, el neoaztequismo, junto con el culto a la Virgen india de Guadalupe, a quien el padre Hidalgo había proclamado santa patrona del movimiento de independencia en 1810, sirvieron al doble propósito de proveer un antiguo pasado étnico y al mismo tiempo una cultura vernácula para los criollos en busca de una identidad nacional viable.

En realidad, este doble retorno al pasado azteca y a la cultura india fue sofocado en 1821 y no sería resucitado sino hasta 1910, con la Revolución Mexicana, cuya violencia y desorden volverían a plantear en forma por demás acuciante la espinosa cuestión de la identidad nacional.

De este modo, en 1920, cuando el nuevo presidente Obregón nombró al filósofo José Vasconcelos como su ministro de Educación, dio inicio una nueva era cultural en México y, a través de su influencia revolucionaria, en toda América Latina.

Con su teoría del tercer eslabón, estético, de la evolución humana, Vasconcelos puso las artes visuales al servicio de la Revolución, alentando al sindicato de pintores y al movimiento muralista de los años 20.

El arte mural, que gozaba de larga tradición en México desde antes de la

---

[126] Populistas rusos. Nombre que adoptaron los revolucionarios rusos de la década de 1860 a los 1870. El término deriva de una expresión rusa que significa literalmente «ir hacia el pueblo».

[127] Véase Anthony D. Smith, *Nacionalismo e indigenismo: la búsqueda de un pasado auténtico*. London School of Economics. s/f.

[128] Eclesiástico, escritor y político mexicano.

[129] Escritor, publicista y editor mexicano.

Conquista, se convirtió en el medio a través del cual habrían de explorarse y reivindicarse la historia e identidad antigua y reciente de México, mientras se reexaminaban y reconsideraban la cuestión indígena, el problema de los pueblos autóctonos y sus culturas vernáculas.

Para los muralistas, las tradiciones indias se convirtieron en el modelo para sus ideales socialistas de arte libre, abierto y público. La Declaración del Sindicato de Trabajadores Técnicos, Pintores y Escultores de 1922 rechazó la larga dependencia del arte mexicano:

«El noble trabajo de nuestra raza... es nativo (e indio) en origen. Con su admirable y extraordinario talento para crear belleza, peculiar a él mismo, el arte del pueblo mexicano es la más sana expresión espiritual en el mundo, y esta tradición es nuestro mayor tesoro. Grandioso, porque pertenece exclusivamente al pueblo y es por esto que nuestro objetivo estético fundamental tiene que ser socializar la expresión artística y suprimir el individuo burgués»[130].

Tales ideas debían mucho a los escritos e investigaciones del antropólogo mexicano, y director de la Escuela Internacional de Arqueología y Etnología Americana y del Instituto Indigenista Interamericano, Manuel Gamio (1883-1960), quien había indagado acerca de la composición etnográfica y la arqueología del valle y ciudad de Teotihuacán, durante la preconquista.

En el año 1916 Gamio publicaría *Forjando Patria*, ensayo en el que atribuía la miseria de los indios coetáneos a la concentración de tierras cultivables en manos de una pequeñísima elite de terratenientes y a la supresión de la vida y cultura indias después de la Conquista, pero especialmente después de las reformas de los años 50 del siglo XIX.

Tiempo después, Gamio habría de abogar por la asimilación inducida de los indios a la «civilización contemporánea de ideas avanzadas y modernas». Si bien reconocía la belleza y el valor de la artesanía y las artes folclóricas indias, al mismo tiempo las condenaba como expresiones de atraso social: aunque su vida arcaica, que oscila del artificio a la ilusión y superstición, es curiosa, atractiva y original»[131].

Fue precisamente esta originalidad la que estimuló la imaginación de los muralistas indigenistas mexicanos. En 1921, Diego Rivera, recientemente venido de Europa y de su recorrido por los ciclos de frescos italianos, acompañó al grupo de artistas y escritores encabezado por Vasconcelos a Chichén Itzá y Uxmal en Yucatán, antes de ser cautivado por la vida y cultura india en Tehuantepec. Si bien fue precedido por las imágenes mayas de Carlos Mérida, Rivera, junto con Jean Charlot, fue el primero en ennoblecer e idealizar el pasado precolombino y sus civilizaciones mexicanas.

Rivera no solamente coleccionó un gran número de artefactos precolombinos, sino que también estudió la monumental escultura tolteca y azteca, y, más aún, las copias de manuscritos pictográficos aztecas del temprano período colonial, ejecutadas por pintores nativos para españoles interesados, como el fraile franciscano Bernardino de Sahagún, a mediados del siglo XVI.

No obstante, sería su viaje al istmo de Tehuantepec, en Oaxaca, el que habría de darle el estímulo más vigoroso a su

---

[130] Art In Latin America (1989): *Art in Latin America: The Modern Era, 1820-1980*, ed. by Dawn Ades. Londres, South Bank Centre (Hayw ard Gallery).

[131] Guillermo Bonfil Batalla, 1996. *Mexico Profundo*: *Reclaiming a Civilization*. Austin: University Press of Texas. p. 117.

recreación del pasado mundo precolombino. Había quedado fuertemente impresionado por las mujeres de la región, con sus largos vestidos cayendo en pliegues rígidos y sus peinados trenzados; ellas parecían figuras del arte antiguo griego o romano. Este contacto con la vida autóctona tuvo un profundo efecto, no solamente en su estilo artístico, sino también en su visión de México.

Tales perspectivas se alineaban con el nacionalismo cultural oficial del gobierno mexicano, el cual procuraba elevar, incorporando dentro de una visión de una nación étnicamente compuesta, tanto a los indios contemporáneos como al legado indio precolombino. Un nuevo mito étnico-nacional se encontraba en vías de formación, y los muralistas eran, de hecho, sus más efectivos creadores y representantes. Siqueiros, Orozco, Leal, doctor Atl, pero muy especialmente Rivera, promovieron, a través de su arte mural, una vigorosa búsqueda del pasado indígena en sus aspectos más específicos:

— La historia y civilización de los aztecas, toltecas, mixtecos, mayas, etc.
— El arte, la arquitectura y la cultura precolombinos.
— La religión, ciencia, tradiciones y mitos de las civilizaciones precolombinas.
— El «indio auténtico» y su forma de vida.
— Una imagen idealizada de la comunidad precolombina como «edad de oro» perdida.

Son estos dos últimos elementos los que particularmente nos atañen aquí,

pues era precisamente ese anhelo por recrear un México «auténtico», representado por su época primigenia —fuente de su individualidad y base de su desarrollo—, en el que el indigenismo cultural oficial aspiraba cimentar una nueva identidad mexicana.

Dicha identidad, de acuerdo con la teoría de Vasconcelos, estaba basada en una fusión de razas, encarnada por la población mestiza, la misma que Clavijero había elogiado más de un siglo antes y que ahora representaba la mayoría en la heterogénea composición de México. Estas opiniones se deben en gran medida a los análisis de uno de los críticos más agudos de Díaz, Andrés Molina Enríquez[132] (1868-1940), el cual planteaba que el mestizo constituía la única base concebible para una identidad nacional genuinamente mexicana. Al mismo tiempo, esta solución política ignoraba la dimensión cultural del país en toda su profundidad.

En México, como en otros nuevos estados multiétnicos, el desafío de una identidad nacional común que sirva no solamente como factor aglutinante sociopolítico, sino también como lazo afectivo e inspiración colectiva, no deja de ser una preocupación constante. Junto a los problemas inmediatos de desarrollo económico y justicia social, el problema de identidad colectiva, de «quién somos y adónde vamos», es particularmente urgente e inquietante en sociedades étnicamente heterogéneas. El retorno al pasado, cuyo valor residía en su aparente autenticidad, su capacidad de decir quiénes eran realmente los mexicanos, el único que podía inspirar a la acción

---

[132] Abogado y legislador mexicano, nacido en Jilotepec, estado de México. En 1909 apareció su obra más importante, *Los grandes problemas nacionales*, publicación que impactó la escena social más que cualquier otra obra de la época. Molina Enríquez consideraba que las sociedades humanas son, ante todo, organismos agrarios; para él, la producción agrícola era la base fundamental de la existencia de todas las sociedades humanas. Cuando el Congreso Constituyente se reunió en Querétaro, el ingeniero Pastor Rouaix, diputado de ese Congreso, encargó a Molina Enríquez formular el artículo 27 constitucional.

colectiva, pareció ofrecer una solución «natural» y armónica a una identidad cultural precaria, insegura o fracturada.

Fue precisamente esta armonía y certeza, este confiado sentido de identidad cultural que se extendía atrás hacia la antigüedad precolombina, los que Diego Rivera y los demás muralistas plasmaron en sus estudios de campesinos enraizados en sus ambientes idílicos y en sus panoramas de historia mexicana y de civilizaciones antiguas.

Habrían de ser los propios artistas y escritores indigenistas quienes crearan el mito de la mexicanidad «auténtica» basada en la antigua herencia india; no obstante, resultaron convincentes para un sector más amplio de la población, hasta el extremo de reunir conjuntamente la visión histórica con la dimensión «folclórica» vernácula, invistiendo la figura del indio con un simbolismo nacional.

El indigenismo mexicano fue, por tanto, uno de los primeros ejemplos de la modalidad en que un retorno a un pasado étnico legendario y a una cultura antigua auténtica pareció proporcionar una solución «natural» y armónica al urgente problema de identidad colectiva en estados de reciente creación y sociedades divididas en la secuela de un cambio social revolucionario[133].

Tal búsqueda en pos de una identidad nacional auténtica y única está firmemente entrelazada tanto con los procesos modernos de comunicación y de socialización en una cultura civil, como con las demandas y constricciones del sistema de estados competidores en el orden político y económico global. Esto es, tanto presiones internas de aculturación masiva como fuerzas externas de dominación tienden a ubicar la búsqueda de una identidad colectiva al frente de las preocupaciones culturales y políticas contemporáneas. Al mismo tiempo, estos afanes surgen igualmente del encuentro entre estas presiones modernas y los lazos y sentimientos étnicos y sociales preexistentes.

La vuelta a los «valores autóctonos» y a la «historia nativa» de los «tiempos heroicos» debe ser entendida, no como una reacción contra las fuerzas de cambio social, ni tampoco como una restauración del *statu quo* anterior, sino como una reconstrucción de la etnohistoria por parte de la intelectualidad y de otras esferas sociales, de acuerdo con sus intereses y necesidades; una reconstrucción del pasado antiguo por una generación actual, que necesitaba de ese pasado a fin de crearse a sí misma como comunidad y de guiar y transformar su destino colectivo.

A tales necesidades, urgentes e inmediatas, de la comunidad en un mundo de naciones-estado, debe agregarse la aspiración, encubierta, pero no por ello menos eficaz, a la inmortalidad terrestre; escapar al olvido y a la futilidad de la muerte mediante la inmersión del ser en la comunidad y a través de la marca que se deja impresa en sus logros para la posteridad. El formar parte de una «comunidad de historia y destino» se ha convertido en la consecuencia natural de la participación en el mundo moderno de naciones-estado.

Pero la invocación a un tipo de comunidad cultural histórica semejante no está exenta de las limitaciones de la especificidad histórica; es decir, los símbolos, mitos, memorias, tradiciones, etc., que, solos, pueden proporcionar un dejo popular y un sentido de pertenencia y de identificación colectiva.

---

[133] Benedict Anderson, *Imagined communities: reflections on the origin and spread of nationalism.* Londres: Verso: NLB, 1983.

Resultaba necesario, por tanto, percatarse de y respetar tales límites, trabajar dentro de ellos, desentrañar la «herencia» recibida y, al mismo tiempo, ir recreando y reproduciendo esa misma herencia para la generación presente, de acuerdo con sus necesidades. Si se percibe el pasado en términos del presente, el presente está igualmente determinado por la herencia y las memorias del pasado comunal. De esta manera, en una era de nacionalismo, la antigua percepción religiosa cobra un nuevo sentido: el olvido de los orígenes conduce necesariamente al exilio de uno mismo mientras que el recuerdo es el secreto de la redención.

De este modo, la Revolución Mexicana en su fase institucional promovió activamente la redención del indígena y le daría un impulso que no tendría paralelo ni siquiera en aquellos países con una mayor proporción de población autóctona en sus territorios o de presencia viva de las culturas prehispánicas en su entorno actual, como es el caso del Perú, Bolivia o Guatemala.

A MODO DE CONCLUSIÓN

A pesar de su enorme simbolismo, idealismo y congruencia, Zapata nunca llegaría a ser una fuerza determinante en el movimiento revolucionario, al menos en el terreno de la hegemonía política; el hecho fundamental de que las armas vinieran del norte del país dificultaría enormemente el despegue del movimiento agrarista del sur, más allá de una fuerza eminentemente local.

Por su parte, la facción del nordeste nunca logró despegar del todo; las guardias blancas de Tampico, fuerza subsidiaria del ejército del general González, habría de desgastarse en un sordo esfuerzo contra la División del Norte, perdiendo con ello toda posibilidad de constituirse en una fuerza política trascendente a nivel nacional. En el ámbito militar el ejército del noroeste se impuso claramente a todas las demás facciones por medio de las armas sin apelación alguna; triunfo que habría de reflejarse en el hecho incontrovertible de que el nuevo Estado que habría de emerger de las cenizas de diez años de lucha armada fuese modelado a su imagen y semejanza.

En el terreno de las ideas, igualmente, Obregón tendría la enorme habilidad de recuperar, y apropiarse, del ideario de las organizaciones obreras, pero, sobre todo, del discurso agrarista y reivindicativo de Zapata. Con ello ganó una legitimidad incontestable que, a la postre, habría de darle la supremacía política ecesaria para instaurar un régimen duradero.

Visto de lejos, parece que lo menos importantes es si fue Obregón un cínico o un pragmático. Lo que prevalece histó-ricamente es que haya suministrado pautas a seguir. Es archisabido que Obregón permitió que se repartiera la mayor parte de las tierras de producción agrícola en Morelos mientras instauraba el culto nacional a Zapata. Pero esto mismo le permitiría hacerse con el poder, único dato incontrovertible, más allá de juicios o valoraciones moralizantes, para propósitos de la historia que nos ocupa.

Al asumir el poder en 1920, el general Obregón impulsó la aplicación de la Ley Agraria del 6 de enero de 1915 y enalteció la figura de Emiliano Zapata, al tiempo que se apoderaba de grandes extensiones de tierra en Sonora y Sinaloa en contra de los intereses de los indígenas. La Constitución de 1917 incorporó ideas de contenido social, entre las que se colaron muchas de las reivindicaciones sociales de Zapata y de Villa.

El cambio social informal que tuvo lugar en México sin legislación ni plan, durante el periodo estudiado, fue, sin lugar a dudas, mucho más importante, profundo y duradero que el formal, discutido, reglamentado y puesto en práctica varias veces, a través de leyes, planes y documentos de diversa índole[134]. Considerables sectores de población, antaño marginados de la vida económica, política y social del país, se vieron de súbito integrados a la dinámica general de la nación, como consecuencia de la Revolución, a contracorriente de los acontecimientos o, incluso, a pesar de ella[135].

El movimiento social mexicano transformó el país radicalmente. Así, recreó en cierto sentido a la nación, al incorporar a clases y grupos sociales,

---

[134] Alan Knight, *op. cit.*, tomo II.
[135] José Iturriaga, *La estructura social y cultural de México.* México, Instituto Nacional de Estu-dios Históricos de la Revolución Mexicana, 2003.

antaño marginados, a la comunidad nacional. Al igual que todas las revoluciones modernas, se propuso y consiguió liquidar el régimen feudal y transformar el país a través de la industria y la técnica, suprimir la dependencia económica y política e instaurar una auténtica democracia social. En suma, hacer de México una nación moderna.

A su vera, gradualmente surgirían una nueva clase obrera y una burguesía nacional. Por un largo tiempo ambas vivirían a la sombra del Estado y únicamente hasta hace muy poco han comenzado a cobrar una vida independiente. La tutela gubernamental de la clase obrera tuvo su origen como una alianza popular entre el proletariado y el Estado revolucionario: la clase obrera apoyó a Carranza, Obregón, Calles y Cárdenas, a cambio de políticas sociales de avanzada. Más tarde, los sucesivos gobiernos de la Revolución habrían de cooptar a las organizaciones sindicales mientras acosaban a los sindicatos que no se alineaban a sus designios.

Los empresarios y la burguesía mexicana, en general, pronto olvidaron que habían sido creados de algún modo por el régimen revolucionario y que habían prosperado al amparo de éste, transformándose eventualmente en fuertes impugnadores y opositores de sus políticas estatistas y «socializantes».

El desarrollo industrial y comercial del país, junto con el crecimiento de las administraciones públicas permitió también el surgimiento y ascenso de una numerosa clase media mexicana que también habría de alzar su voz y autonomía frente al Estado mexicano, de manera señalada en el movimiento estudiantil de 1968.

La Revolución hizo del nuevo Estado el principal agente de transformación social. Se propuso del mismo modo la recuperación de las riquezas nacionales. Así, los gobiernos revolucionarios decretaron la nacionalización del petróleo, de los ferrocarriles, las minas y otras industrias. Dichas políticas enfrentarían al Estado mexicano con el imperialismo.

Más aún, los gobiernos emanados de la Revolución Mexicana no se limitaron a expropiar bienes privados; a través de una red de bancos e instituciones de crédito público crearon e impulsaron nuevas industrias estatales, subvencionaron otras y, en general, intentaron orientar de forma racional y con fines de utilidad pública el desarrollo económico de la nación.

Como crítica a los regímenes de ella emanados, debe decirse que, aunque el nuevo Estado abrió caminos en el importante ámbito de la movilización e institucionalización, sus objetivos más amplios fueron de marcado carácter neoporfirista, en el sentido de que privilegiaron el desarrollo económico capitalista y la construcción de un Estado fuertemente centralizado por encima de cualquier otra consideración. En esa misma línea se alentaría el crecimiento de la agricultura comunal, la industria, las exportaciones y las grandes obras de infraestructura, al tiempo que se concentraba el poder político con inusitada avidez.

Después de la independencia de México, la vida de la nación había sido durante varias décadas un prototipo de inestabilidad política. Los gobiernos iban y venían, desalojados a menudo por fuerza de las armas, amenazando incluso la integridad territorial de la nueva nación, como demostró en forma palmaria la guerra mexicano-norteamericana de 1846-1847 y la sucesiva mutilación del territorio mexicano a la mitad como producto de la pérdida de los actuales estados norteamericanos de Texas, California, Nuevo México, Utah y parte de Colorado. Después de la Revolución mexicana pudo establecerse por fin un sistema político que produjo, al menos desde los años 30, una estabilidad política sin parangón en la América Latina.

En un balance final, puede afirmarse que los gobiernos de la Revolución, pese a sus muchos defectos y limitaciones, fueron capaces de aportar una estabilidad y una institucionalidad netamente benéficas para el país, ya bien por medio de la fuerza, la coacción y la represión, o bien por la inclusión o cooptación de sus enemigos; equilibrio político, en todo caso, con muy pocos precedentes o paralelos, por lo menos en su entorno cultural y geográfico más inmediatos.

CRONOLOGÍA DE LA REVOLUCIÓN MEXICANA

1910   Francisco I. Madero prosigue sus giras políticas antirreeleccionistas en el norte del país; en algunas partes son reprimidas.
En la Ciudad de México se clausura la oficina de *El Diario del Hogar* y es apresado Filomeno Mata.
Llega a México Henry Lane Wilson, nuevo embajador estadounidense.
Comienzan a circular monedas de un peso, acuñadas para conmemorar el Centenario de la Independencia.
Decreto que por causa de utilidad pública establece la Cruz Roja mexicana.
Se termina el acueducto de Xochimilco a la Ciudad de México.
Huelga de los obreros de la fábrica de hilados y tejidos de la fábrica de La Esperanza, en Puebla.
Es visible el cometa *Halley*, causando gran ansiedad entre la población.
Inauguración de la carretera Iguala-Chilpancingo.
Convención Nacional Independiente de los Partidos Antirreeleccionista y Nacionalista Democrático, en la Ciudad de México; Francisco I. Madero y Francisco Vázquez Gómez son elegidos candidatos a la presidencia y vicepresidencia, respectivamente. Madero inicia su campaña, visita varios estados de la República.
Levantamiento antirreeleccionista en Tlaxcala encabezado por Juan Cuamatzi, Marcos Hernández Jalcotzi y Antonio Hidalgo.
Aumenta la producción de petróleo en el país.
Se reprimen las revueltas campesinas en Cabrero de Inzunza, Sinaloa y Valladolid, Yucatán.
Madero es detenido y encarcelado en Monterrey; se traslada, junto con Roque Estrada, a San Luis Potosí.
Se realizan elecciones primarias en la capital; a partir de entonces se llevan a cabo en todo el país.
En la Ciudad de México se inaugura el servicio eléctrico de tranvías a las poblaciones de Tizapán y Xochimilco.
Huelga de trabajadores de la Fundición de Ávalos, Chihuahua.
Elecciones federales para senadores y diputados.
Se inaugura la carretera Chilpancingo-México.
Madero y Roque Estrada obtienen la libertad bajo caución; permanecen vigilados en San Luis Potosí.
Ricardo Flores Magón, Antonio I. Villarreal y Librado Rivera salen de la prisión de Arizona.
Filomeno Mata es puesto en libertad, reaparece *El Diario del Hogar*.
Huelga de los obreros de Veta Colorada Mining Smelter Co., en Parral, Chihuahua.
Festejos conmemorativos del Centenario de la Independencia, donde se inauguran monumentos, edificios públicos, exposiciones; desfiles y congresos.
Es reprimida una manifestación maderista en la Ciudad de México, efectuada para sumarse a los festejos del Centenario.
Se reedita el periódico *Regeneración*, en Los Ángeles, California.
Revuelta del PLM cerca de Acayucan, Veracruz.
Se promulga el bando que declara presidente a Porfirio Díaz y vicepresidente a Ramón Corral, para el periodo 1910-1916.
Madero escapa a los Estados Unidos y lanza en San Antonio, Texas, el Plan de San Luis, con fecha 5 de octubre, último día que permanece en territorio nacional; en él declara nulas las elecciones y llama a la insurrección para el 20 de

noviembre. Antes de la fecha señalada, se levantan en armas Toribio Ortega, en Cuchillo Parado, Chihuahua; Francisco Villa, en San Andrés, Chihuahua; en Puebla, los hermanos Máximo y Aquiles Serdán son asesinados por atentar contra el gobierno.

Estalla la revolución en Chihuahua, Coahuila, Durango, Sinaloa, Puebla, San Luis Potosí, Zacatecas, Jalisco, Oaxaca, Guanajuato y Tlaxcala.

Porfirio Díaz inicia su octavo periodo presidencial.

Primeros hechos de armas en Sonora. En Janos, Chihuahua, muere en un enfrentamiento el magonista Práxedes Guerrero.

1911   Incursión magonista en Baja California, ocupación de Mexicali, procedente de los Estados Unidos.

Madero entra en territorio nacional a través de Chihuahua.

Se inicia en Morelos el movimiento revolucionario de Emiliano Zapata.

Plan Político-Social, proclamado por los estados de Guerrero, Michoacán, Tlaxcala, Campeche, Puebla y Distrito Federal, que reconoce a Madero como presidente provisional de la República y propone medidas agrarias y laborales.

La Cámara de Diputados aprueba la reforma a los artículos constitucionales relativos a la no reelección del vicepresidente y gobernadores de los es-tados.

Se firman los Tratados de Ciudad Juárez, mediante los cuales se resuelven las renuncias de Porfirio Díaz y Ramón Corral, y la presidencia interina del secretario de Relaciones, Francisco León de la Barra; se acuerda también el licenciamiento de las tropas revolucionarias.

Díaz sale exiliado a Francia. Se funda el primer sindicato nacional: la Unión de Obreros Tipográficos de México.

Entrada triunfal de Madero en la Ciudad de México.

Ricardo Flores Magón, Librado Rivera y Anselmo L. Figueroa son encarcelados en Los Ángeles, California.

Madero disuelve el Partido Antirreeleccionista y crea en su lugar el Constitucional Progresista.

Emiliano Zapata se opone al licenciamiento de sus tropas y declara que las mantendrá armadas mientras no se restituyan a los pueblos sus tierras.

Andrés Molina Enríquez proclama el Plan de Texcoco, el cual desconoce el gobierno interino de Francisco I. Madero y Pino Suárez, para la presidencia y la vicepresidencia.

Ricardo Flores Magón lanza en Los Ángeles, California, un manifiesto a la clase trabajadora para que se apropien de la tierra y la maquinaria de producción.

Se celebran elecciones para presidente y vicepresidente; triunfan Madero y Pino Suárez.

Se proclama el Plan de Tacubaya que declara nulas las elecciones y propone a Emiliano Vázquez Gómez para la presidencia.

Madero y Pino Suárez asumen sus cargos.

Emiliano Zapata promulga el Plan de Ayala, desconociendo a Madero por no resolver las demandas agrarias.

Aparece la primera novela sobre la revolución: *Andrés Pérez, maderista*, de Mariano Azuela.

Levantamiento fallido de Bernardo Reyes, quien se rinde en Linares, Nuevo León, y es trasladado a la prisión militar de Santiago Tlatelolco en la Ciudad de México.

Se crea el departamento de Trabajo, adscrito a la Secretaría de Fomento.

1912   Obreros textiles del Distrito Federal, Tlaxcala, Puebla y Veracruz se declaran en huelga; demandan aumento de salarios y disminución de horas de trabajo. Madero promueve una reunión entre industriales y representantes de los trabajadores.

Se crea la Confederación de Círculos Obreros Católicos.

En Chihuahua, Pascual Orozco se pronuncia contra Madero, firma el Pacto de la Empacadora, desconociendo al presidente y planteando reformas socioeconómicas relativas al problema obrero y agrario.

Se crea la Comisión Agraria Ejecutiva.

Madero rinde su primer informe de gobierno ante la XXV Legislatura. Victoriano Huerta se dirige al norte para combatir a los rebeldes orozquistas, recuperando la plaza de Chihuahua.

Se expide el primer decreto que establece un impuesto sobre el petróleo crudo de producción nacional.

Se efectúan elecciones federales para la renovación total de la Cámara de Diputados y parcial de la de Senadores y de la Suprema Corte de Justicia. Convención de Industriales y Obreros textiles.

Entra en ejercicio la XXVI Legislatura.

Madero rinde su segundo informe de gobierno.

Se funda la Casa del Obrero, a la que se integran varios sindicatos.

El general Félix Díaz se subleva, desconociendo a Madero y apoderándose de la Plaza de Veracruz; tropas del gobierno someten a los rebeldes y Díaz es llevado a la penitenciaría del Distrito Federal.

Se crea la Escuela Libre de Derecho. Luis Cabrera presenta ante la Cámara de Diputados su iniciativa de ley sobre la reconstitución de los ejidos de los pueblos.

1913   Muere José Guadalupe Posada en la Ciudad de México.

Madero nombra a Victoriano Huerta comandante militar de la plaza y general en jefe de las fuerzas del gobierno. Se inicia la Decena Trágica en la Ciudad de México: el general Manuel Mondragón se subleva contra el gobierno de Madero; libera a Félix Díaz y a Bernardo Reyes, quien muere frente al Palacio Nacional. Mondragón y Díaz se apoderan de la Ciudadela, Félix Díaz y Huerta firman el Pacto de la Embajada, apoyados por el embajador de los Estados Unidos, Henry Lane Wilson; se desconoce a Madero como presidente. Madero y Pino Suárez son aprehendidos en el Palacio Nacional y renuncian a sus cargos; la Cámara de Diputados acepta las renuncias y nombra presidente interino a Pedro Lascuráin, ministro de Relaciones, quien cede el poder a Huerta.

La Legislatura de Coahuila desconoce a éste como jefe del Ejecutivo y concede facultades extraordinarias al gobernador Venustiano Carranza para armar fuerzas que preserven el orden constitucional; el movimiento antihuertista es secundado en Sonora, Chihuahua, Michoacán y Morelos.

Huerta designa su gabinete de acuerdo con el Pacto de la Embajada.

Madero y Pino Suárez son asesinados.

Abrahán González, gobernador maderista en Chihuahua, es hecho prisionero y más tarde asesinado.

Encabezan la revolución en Chihuahua: Manuel Chao, Tomás Urbina y Francisco Villa. Woodrow Wilson asume la presidencia de los Estados Unidos de América.

En Sonora, el gobernador interino, Ignacio L. Pesqueira, desconoce al gobierno huertista y Plutarco Elías Calles se levanta en armas.

Pascual Orozco reconoce a Huerta y se integra en el ejército federal.

Álvaro Obregón controla gran parte del estado de Sonora; sus fuerzas atacan y toman Cananea.

Carranza lanza el Plan de Guadalupe, a fin de derrocar al gobierno huertista, con el apoyo de Sonora y Chihuahua.

Se abren las sesiones ordinarias de la XXVI Legislatura; Huerta rinde su informe presidencial.

Se establece el Comité Central de los Clubes Obreros Independientes del D. F., que apoyan la fórmula Félix Díaz-De la Barra; el primero da a conocer su programa de gobierno a la junta directiva del Club Central del Partido Nacional Felicista.

Es descubierto un complot de estudiantes contra el gobierno de Huerta; son aprehendidos Jorge Prieto Laurens, Arturo Zubieta, Andrés Ibarra, etcétera.

Gigantesca manifestación del Día del Trabajo organizada por la Casa del Obrero, con la consigna de conseguir la jornada de ocho horas y el descanso dominical; la Casa acuerda añadir la palabra Mundial a su nombre.

Se estrena la zarzuela *El país de la Metralla* en el Teatro Lírico.

Carranza emite un decreto que reconoce el derecho de todos los nacionales y extranjeros a reclamar el pago por daños sufridos durante la lucha; además pone en vigor la Ley del 25 de enero de 1862 para juzgar como traidores a Huerta y a sus partidarios.

Serapio Rendón pronuncia un discurso en contra del gobierno huertista, que le costará la vida.

Emiliano Zapata expide un manifiesto para reformar el Plan de Ayala, a fin de desconocer a Huerta y a Orozco.

Decreto que suprime la Escuela Militar de Aspirantes y divide el Colegio Militar en tres instituciones: Escuela Militar Preparatoria, Profesional y Colegio Militar Superior. Carranza decreta la organización del ejército en siete cuerpos: Nordeste, Noroeste, Centro, Este, Occidente, Sur y Sudeste.

Félix Díaz sale del país para ocupar su nuevo cargo de embajador en Japón.

El presidente Wilson acuerda suspender los permisos de exportación de armas al gobierno de Huerta y prohibir la acumulación de armamento en los establecimientos comerciales de la frontera; envía a John Lind como agente confidencial para sondear la situación política del país.

Decreto que militariza la Escuela Nacional Preparatoria.

Se entrega a campesinos tamaulipecos los títulos de propiedad de la Hacienda de los Borregos.

Belisario Domínguez presenta en la Cámara de Diputados un escrito donde impugna al gobierno huertista, días antes de ser asesinado.

Discurso del primer jefe en Hermosillo, Sonora, donde presenta su plan de gobierno y establece los principios de igualdad social y justicia. Villa es designado jefe de la División del Norte.

Toma de Torreón.

Victoriano Huerta disuelve el Congreso y encarcela a varios diputados; en su apoyo, la Cámara de Senadores acuerda disolverse.

Queda constituida la nueva legislatura del Congreso de la Unión, ante la cual Huerta lee su informe presidencial.

Tropas federales son derrotadas en Tierra Blanca, Chihuahua, por soldados al mando de Villa, quien ocupa Ciudad Juárez.

Aparece el primer número de *El Constitucionalista*, órgano oficial de Carranza, bajo la dirección de Salvador Martínez Alomía.

Villa entra victorioso en Chihuahua y es nombrado gobernador.

Se constituye el Comité Femenil Pacificador, a fin de trabajar por la paz y mediar para que la lucha termine.

1914   Woodrow Wilson revoca el embargo de armas decretado en 1912.

Triunfos villistas en Torreón y Zacatecas. Los revolucionarios ocupan Monterrey y Tampico.

Incidentes en Tampico con marinos estadounidenses.

Invasión estadounidense en Veracruz.

Ruptura de relaciones entre México y Estados Unidos; para mediar en el conflicto se celebraron las conferencias del Niagara Falls, con intervención de Argentina, Brasil y Chile (ABC).

Pacto de Torreón, entre los representantes del Ejército del Noroeste y la División del Norte para zanjar diferencias con el primer jefe.

Huerta renuncia a la presidencia; asume el cargo interinamente Francisco Carvajal. Mediante los Tratados de Teoloyucan se disuelve el Ejército Federal.

El Ejército del Noroeste entra en la Ciudad de México.

Venustiano Carranza se encarga del Poder Ejecutivo.

Enviados de Carranza se entrevistan en Cuernavaca con Emiliano Zapata, quien propone adherirse al constitucionalismo a condición de que se reconozca el Plan de Ayala y Carranza se retire del poder.

Francisco Villa y José María Maytorena, gobernador de Sonora, desconocen a Carranza como presidente y como primer jefe del Ejército Constitucionalista.

En la Ciudad de México se inicia la Convención de jefes revolucionarios: se confirma a Carranza como primer jefe encargado del Poder Ejecutivo.

La Convención acuerda trasladarse a Aguascalientes para continuar sus labores; solicita a Zapata y Maytorena el envío de delegados.

Villa se presenta ante la Convención. Ésta pide a Carranza su asistencia a las reuniones; la invitación no es aceptada.

Los representantes zapatistas Gildardo Magaña, Alfredo Serratos, Paulino Martínez y Antonio Díaz Soto y Gama, entre otros, se incorporan a la Convención, la cual acuerda el cese de Carranza como primer jefe del Ejército Constitucionalista y de Villa como jefe de la División del Norte; se nombra a Eulalio Gutiérrez presidente provisional.

Carranza manifiesta que de abandonar la primera jefatura y el Ejecutivo se pondría en grave peligro al país.

La Convención suspende labores en Aguascalientes para continuarlas en la capital de la República.

Francisco Villa es nombrado jefe del Ejército Convencionista. Álvaro Obregón asume el mando militar del Distrito Federal y declara que luchará, con el Ejército del Noroeste, por la legalidad al lado de Carranza.

Ante el avance del Ejército Convencionista, las fuerzas carrancistas abandonan la Ciudad de México.

Carranza establece su gobierno en Veracruz.

Las tropas estadounidenses evacuan Veracruz, que es entregado a Cándido Aguilar, representante de Carranza.

Eulalio Gutiérrez establece su gobierno provisional en la ciudad de Querétaro.

Pacto de Xochimilco entre Villa y Zapata, estableciendo una alianza militar entre la División del Norte y el Ejército Libertador del Sur.

Fuerzas convencionistas, encabezadas por Villa y Zapata, hacen su entrada triunfal en la capital. Se incorpora al Plan de Guadalupe un gran contenido social. Se establece el Sindicato Mexicano de Electricistas.

Las fuerzas carrancistas que defienden Puebla se retiran ante el ataque de los zapatistas. Carranza dicta un decreto para que los estados tengan como organización política el municipio libre.

1915   Carranza expide su Ley Agraria.
En El Ébano, San Luis Potosí, fuerzas carrancistas combaten a los villistas.
Eulalio Gutiérrez destituye de sus mandos a Villa y Zapata, y desconoce a Carranza como primer jefe.
La Convención depone a Eulalio Gutiérrez y nombra sustituto a Roque González Garza; establece además el parlamentarismo.
El gobierno convencionista se establece en Cuernavaca.
Entran las fuerzas de Obregón en la Ciudad de México. En San Felipe Torres Mochas, Guanajuato, las fuerzas villistas derrotan a los carrancistas.
Decreto que prohíbe a los extranjeros la explotación del petróleo.
Dirigentes de la Casa del Obrero Mundial firman un pacto de adhesión al carrancismo; se crean los Batallones Rojos.
Dificultades en la Ciudad de México a causa de la escasez de víveres y del asedio de los zapatistas; la Convención se reúne en este lugar.
Las fuerzas de Obregón abandonan la capital.
Dificultades entre Roque González Garza y los zapatistas, ya que éstos quieren controlar el gobierno.
Se recrudecen los problemas entre las facciones del norte y del sur.
Fuerzas villistas, al mando de Tomás Urbina, son derrotadas en El Ébano, San Luis Potosí. Combates entre los ejércitos convencionistas y constitucionalistas en Guanajuato; en Celaya, Obregón derrota a la División del Norte.
En León, Guanajuato, Villa expide su Ley Agraria.
Los zapatistas destituyen a Roque González Garza y se nombra en su lugar a Francisco Lagos Cházaro.
Abolición de las tiendas de raya.
Carranza, mediante un decreto, crea el territorio de Quintana Roo.
En Nuevo México, Victoriano Huerta y Pascual Orozco son apresados y enviados a Fort Bliss, Texas.
La Convención integra el Comité de Salud Pública.
Lagos Cházaro establece su gobierno en Toluca, la Convención acuerda disolverse. Carranza es reconocido como presidente por los gobiernos de Argentina, Brasil, Guatemala, Colombia, Uruguay y Bolivia. Estados Unidos lo reconoce como gobierno *de facto* y permite el paso de soldados mexicanos por su territorio para reforzar la plaza de Agua Prieta.
Combate en Agua Prieta; derrota de las tropas villistas.
Manifiesto de Villa expedido en Naco, Sonora; acusa a Carranza de haber establecido un gravoso pacto con el gobierno de los Estados Unidos, comprometiendo la soberanía nacional a cambio de ser reconocido.
Derrota de Villa en Hermosillo. El general Jacinto B. Treviño ocupa Chihuahua.

1916   Concluye la invasión villista en Sonora. El general villista Pablo López detiene un tren cerca de la estación de Santa Isabel y fusila a diecisiete mineros estadounidenses.
Se crea la Comisión Nacional Agraria.
Tiene lugar el Primer Congreso Feminista en Yucatán, a instancias de Salvador Alvarado.

Se da por terminada la colaboración de la Casa del Obrero Mundial con el constitucionalismo, mediante la disolución formal de los Batallones Rojos.
Carranza declara fuera de la ley a Francisco Villa, Pablo López y Rafael Castro.
Se crea la Confederación del Trabajo de la Región Mexicana.
Carranza nombra a Querétaro como capital provisional de la República.
A través de la Federación de Sindicatos del Distrito Federal se convoca una junta preparatoria del Congreso Nacional Obrero.
Fuerzas villistas toman por asalto la población estadounidense de Columbus, Nuevo México. El general John Pershing cruza la frontera al mando de la Expedición Punitiva.
Los sindicatos de Tampico declaran una huelga general contra los bajos salarios de la industria petrolera; por órdenes de Carranza el ejército dispersa a los huelguistas.
Se publica el Programa de Reformas Político-Sociales de la Convención.
Se funda en Mérida, Yucatán, el Partido Socialista del Sudeste y se nombra presidente a Carlos Castro Morales.
Una partida de rebeldes mexicanos ataca la guarnición de Glenn Springs, Texas.
Carranza exige la salida inmediata de la Expedición Punitiva.
Se organiza la Comisión Refaccionaria de La Laguna, con sede en Torreón, para fomentar el cultivo del algodón y del maíz. Se expide la convocatoria para elecciones municipales.
Se decreta la ley de divorcio por mutuo y libre consentimiento, después de un año de celebrado el matrimonio, o en cualquier tiempo por causas que hagan indebida o imposible la consumación del mismo.
Batalla de El Carrizal entre fuerzas estadounidenses y mexicanas.
Manifestación estudiantil en apoyo de Carranza y contra la invasión estadounidense. Carranza propone llegar a un arreglo para la salida de las tropas extranjeras del país.
La Comisión Nacional Agraria decreta la prohibición de dotar de ejidos a las ciudades.
La Comisión Reguladora de los Precios Comerciales libera los precios de artículos controlados.
La Federación de Sindicatos Obreros del Distrito Federal —integrante de la Casa del Obrero Mundial— promueve una huelga general en el Distrito Federal en demanda del pago en oro de los salarios.
Huelga general de trabajadores en la Ciudad de México; Carranza decreta la pena de muerte para aquellos que promuevan o realicen huelgas, retomando la Ley del 25 de enero de 1862.
En Atlantic City, Nueva Jersey, se inician conferencias entre mexicanos y estadounidenses.
Carranza decreta el pago de los salarios en metálico (oro).
Villa lanza el manifiesto de San Andrés, en el que convoca a la lucha contra los invasores estadounidenses, haciendo ver la necesidad de nacionalizar las empresas mineras y ferroviarias; propone prohibir que extranjeros con menos de veinticinco años de residencia en México adquieran propiedades.
Se forma el Partido Liberal Constitucionalista.
Se inaugura en Querétaro el Congreso Constituyente.
El llamado grupo de «Los Siete Sabios», Antonio Castro Leal, Alberto Vázquez del Mercado, Vicente Lombardo Toledano, Teófilo Olea Leyva, Alfonso Caso, Manuel Gómez Morín y Jesús Moreno Baca, fundan la Sociedad de Conferen-

cias y Conciertos con la que pretenden difundir el pensamiento contemporáneo.

Carranza presenta ante el Congreso su Proyecto de Reformas a la Constitución de 1857. Carranza decreta reformas a la ley del 6 de enero y suspende el reparto provisional de tierras.

1917   Devaluación de la moneda nacional frente al dólar, de 1,80 $ a 1,95 $ oro.
Concluye sin éxito la conferencia de Atlantic City.
El 5 de febrero se promulga en Querétaro la Constitución General de la República.
Salen por el pueblo de Palomas, Chihuahua, los últimos soldados de la Expedición Punitiva.
Se expide la convocatoria para elecciones de diputados y senadores del XXVII Congreso de la Unión y para presidente de la República.
Los zapatistas controlan sólo las pequeñas poblaciones de Morelos.
En la ciudad de Guadalajara, Carranza recibe a Henry P. Fletcher, nuevo embajador de los Estados Unidos.
Se celebran en casi todo el país las elecciones para diputados y presidente.
Tras una ausencia de cuatro meses, Venustiano Carranza llega a la Ciudad de México.
Más de 2.000 ferrocarrileros desfilan en honor de Carranza.
Se crea el Ministerio de la Industria y Comercio.
Se obliga a retirarse a los estadounidenses que ocupan Parral, Chihuahua.
Se inaugura el periodo de sesiones del Congreso de la Unión.
Carranza rinde protesta como presidente constitucional de la República Mexicana.
Álvaro Obregón renuncia a la Secretaría de Guerra y Marina; Carranza asume el control militar en todo el país.
Se inicia la reorganización del Ejército: se reduce el número de efectivos y se crea la Legión de Honor.
El Congreso autoriza la incorporación de los amnistiados a las filas del ejército.
Petroleros huelguistas de Minatitlán, Veracruz, son reprimidos.
Se establecen juntas de conciliación y arbitraje.
Se faculta a los gobernadores de los estados a disponer de las tierras no cultivadas y arrendarlas a los campesinos mexicanos que trabajan en Estados Unidos.
Persisten luchas regionales contra Carranza: Manuel Peláez en la Huasteca, Félix Díaz en Veracruz, Villa en Chihuahua, José Inés Chávez García en Michoacán y Emiliano Zapata en Morelos continúan las hostilidades.

1919   Cae en una emboscada y muere asesinado Emiliano Zapata.
Muere fusilado por un consejo de guerra sumarísimo el general Felipe Ángeles.

1920   Los sonorenses proclaman el Plan de Agua Prieta que desconoce a Carranza como presidente. Éste intenta huir a Veracruz, pero es asesinado en una emboscada en la aldea de Tlaxcalaltongo, Puebla.
Adolfo de la Huerta asume como presidente provisional.
Villa es amnistiado y depone las armas
Se celebran elecciones presidenciales: Álvaro Obregón gana los comicios.
Presidencia constitucional de Obregón.
Se inicia la reconstrucción nacional.

BIBLIGRAFÍA

ADES. Dawn *Art in Latin America: The Modern Era, 1820-1980*. Londres, South Bank Centre Hayward Gallery, 1989.

AGUILAR CAMÍN, HÉCTOR. *La frontera nómada. Sonora y la Revolución Mexicana*. México, Siglo XXI, 1977.

AGUILAR CAMÍN, HÉCTOR; ADOLFO GILLY Y ARNALDO CÓRDOVA. *Interpretaciones de la Revolución Mexicana*. México, UNAM & Nueva Imagen.

ANDERSON, BENEDICT. *Imagined communities: reflections on the origin and spread of nationalism*. Londres: Verso: NLB, 1983.

AYALA ANGUIANO, ARMANDO. *La epopeya de México. Tomo II. De Juárez al PRI*. México, Fondo de Cultura Económica, 2006.

BARTRA, ARMANDO. *Regeneración, 1900-1918. La corriente más radical de la Revolución Mexicana de 1910*. México, Editorial Era, 1978.

BENÍTEZ, FERNANDO. *Lázaro Cárdenas y la Revolución Mexicana*. 3 tomos. México, Fondo de Cultura Económica 1977.

BETHELL, LESLIE. *Historia de América Latina, Vol.13. México y el Caribe desde 1930*. Barcelona, Crítica, 1998.

BLASCO IBÁÑEZ, VICENTE. *El militarismo mejicano. Estudios publicados en los principales diarios de los Estados Unidos*. Valencia, Sociedad Editorial Prometeo, 1920.

BONFIL BATALLA, GUILLERMO. *México Profundo: Reclaiming a Civilization*. Austin: Texas University Press, 1996.

CALZADÍAZ BARRERA, ALBERTO. *Hechos Reales de la Revolución*. Chihuahua, Editorial Occidental, 1959.

CAMP, RODERIC AI. *Mexican Political Biographies 1935-1993*. Austin, University of Texas Press, 1995.

CÁRDENAS, LÁZARO. *Obras. I Apuntes 1913-1940*. México, UNAM, 1972.

CARR, BARRY. *El movimiento obrero y la política en México 1910-1929*. México, Editorial Era, 1982.

CHRISTIANSEN, OLAF. *El conflicto entre Gran Bretaña y México por la expropiación petrolera: documentos del Foreign Office, 1938-1942*. México, Editorial ASBE, 1997.

COCKCROFT, JAMES, D. *Intellectual Precursors of the Mexican Revolution. 1900-1913*. Austin, Texas, University of Texas Press, 1969. Hay traducción al español: *Precursores intelectuales de la Revolución Mexicana (1900-1913)*. México, Secretaría de Educación Pública, 1985.

CÓRDOVA, ARNALDO. *La política de masas del cardenismo*. Era, México D. F., 1980.

— *La ideología de la Revolución Mexicana*. Era, México D. F., 1999, 22ª edición.

— *La formación del poder político en México*. Era, México, D. F., 2001, 24ª edición.

COSIO VILLEGAS, DANIEL. *Historia Moderna de México, El Porfiriato. Vida Social*, 5ª edición. Editorial Hermes, México 1990.

CUMBERLAND, CHARLES. *La Revolución Mexicana. Los años constituciona-*

listas. México, Fondo de Cultura Económica, 1975.

DE LOS REYES, AURELIO. *Con Villa en México: testimonios sobre camarógrafos norteamericanos en la revolución, 1911-1916*. México, UNAM/ Instituto de Investigaciones Estéticas, 1985.

DÍAZ CÁRDENAS, LEÓN. *Cananea: primer brote de sindicalismo en México*. México, Secretaría del Trabajo y Previsión Social, 1989.

DULLES, JOHN, W. F. *Yesterday in Mexico. A Chronicle of the Revolution 1919-1936*. Austin, Texas, Texas University Press, 1961. Hay traducción al español: *Ayer en México: una crónica de la revolución: 1919-1936*. Traducción de Julio Zapata, México, Fondo de Cultura Económica, 1977.

FAGEN, PATRICIA W. *Exiles and citizens: Spanish Republicans in Mexico*. Austin, Texas, University of Texas, 1973. Hay traducción al castellano: *Transterrados y ciudadanos: los republicanos españoles en México*. Traducción de Ana Zagury. México, Fondo de Cultura Económica, 1975.

FRIEDRICH E. SCHULER. *Mexico between Hitler and Roosevelt: Mexican foreign relations in the age of Lázaro Cárdenas*. Albuquerque: University of New Mexico Press, 1998

GARCÍA, GENARO. *Crónica oficial de las fiestas del primer centenario de la Independencia de México*. México, Museo Nacional, 1911.

GILLY, ADOLFO. *Interpretaciones de la Revolución Mexicana*. México, 1980.

— *La revolución interrumpida*, México, Ediciones El Caballito, 1980.

GONZÁLEZ RAMÍREZ, MANUEL (editor). *Manifiestos Políticos 1892-1912*. México, Fondo de Cultura Económica, 1957.

GUERRA, FRANÇOIS-XAVIER. *México: del Antiguo Régimen a la Revolución*. México, Fondo de Cultura Económica, 1988.

HALE, CHARLES A. *La transformación del liberalismo en México a finales del siglo XIX*. México, Editorial Vuelta, 1991.

HAMNETT, BRIAN, A. *Concise History of Mexico*. Cambridge, University Press, Hay traducción al español: *Historia de México*. Cambridge University Press, 2001.

HOBSBAWM, ERIC. *Historia del Siglo XX*. Barcelona, Crítica, 1995.

INSTITUTO NACIONAL DE ESTUDIOS HISTÓRICOS DE LA REVOLUCIÓN MEXICANA. *El muralismo de la Revolución Mexicana*. México, 1995.

ITURRIAGA, JOSÉ. *La estructura social y cultural de México*. Fondo de Cultura Económica, México, D. F., 1951; México, Instituto Nacional de Estudios Históricos de la Revolución Mexicana, 2003.

KAHN, DAVID. *The Codebreakers: The Story of Secret Writing*. Londres, Weidenfeld and Nicolson, 1966.

KATZ, FRIEDRICH. *The life and times of Pancho Villa*. Stanford, Stanford University Press, 1998. Hay traducción al castellano: *Pancho Villa*; traducción de Paloma Villegas. México, Editorial Era, 1998.

— *Secret War in Mexico, Europe, the United States and the Mexican Revolution*. Chicago, Chicago University Press, 1981. Hay traducción al español: *La Guerra secreta en México.* México, Editorial Era, 1999.

KENNETH TURNER, JOHN. *Barbarous México.* Austin, Texas, University of Texas Press, 1969. Hay traducción al español: *México Bárbaro: Ensayo sociopolítico.* México, Editorial Nueva Generación, 1999.

KNIGHT, ALLAN. *The Mexican Revolution.* Cambridge, University Press. Hay traducción al español: *La Revolución Mexicana.* México, Grijalbo, 1996.

KRAUZE, ENRIQUE. *Biografía del Poder.* Fondo de Cultura Económica/Secretaría de Agricultura y Recursos Hidráulicos, 1986.

MACÍAS, ANNA. «Women in the Mexican Revolution, 1910-1920», en *Americas*, XXVII, 1980, pp. 53-82.

MADERO, FRANCISCO I. *La sucesión presidencial de 1910.* México, Instituto Nacional de Estudios Históricos de la Revolución Mexicana, 1986.

MÁRQUEZ STERLING, MANUEL. *Los últimos días del presidente Madero.* México, Instituto Nacional de Estudios Históricos de la Revolución Mexicana, 1985.

MATUTE, ÁLVARO. *La carrera del caudillo, Historia de la Revolución Mexicana, 1917-1924.* El México, Colegio de México, 1980.

— Las dificultades del nuevo estado, *Historia de la Revolución Mexicana, 1917-1924.* El México, Colegio de México, 1980.

MEYER, JEAN. *La cristiada.* 4 vols. México, Editorial Clío, 1997.

— *La revolution mexicaine.* París, 1973. Hay traducción al español: *La Revolución Mexicana.* México, D. F., Editorial Jus, 1998.

MEYER, MICHAEL, C. Mexican Rebel. *Pascual Orozco and the Mexican Revolution. 1910-1915.* Lincoln, University of Nebraska Press, 1967.

OBREGÓN ÁLVARO. *Ocho mil kilómetros de campaña.* México, Fondo de Cultura Económica, 1959.

PAZ, OCTAVIO. *El laberinto de la soledad.* México, Cuadernos Americanos, 1950.

PUIG CASAURANC, JOSÉ MANUEL. *Galatea rebelde a varios pigmaliones: de Obregón a Cárdenas. Antecedentes del fenómeno mexicano actual.* México, Instituto Nacional de Estudios Históricos de la Revolución Mexicana, 2003.

REED, JOHN. *Insurgent Mexico.* Berlín, Seven Seas, 1978. Hay traducción al español: *México Insurgente.* Barcelona, Ariel, 1977.

REYNOLDS, CLARK WINTON. *The Mexican Economy: Twentieth-Century Structure and Growth.* New Haven, Yale University Press, 1970.

RIVERA MARÍN, GUADALUPE, *Conferencia presentada en la Universidad Simon Fraser de Vancouver.* British Columbia, 1997.

ROSS, STANLEY. *Francisco I. Madero, apóstol de la democracia mexicana.* México, Editorial Grijalbo, 1977.

— *¿Ha muerto la Revolución Mexicana?* México, Editorial Premiá, 1981.

RUIZ, RAMÓN E. *The Great Rebellion: Mexico, 1905-1924.* Nueva York: W. W. Norton, 1980.

SHULGOVSKI, ANATOLI. *México en la encrucijada de su historia.* México, Ediciones de Cultura Popular, 1980.

SILVA HERZOG, JESÚS. *Breve Historia de la Revolución Mexicana*. 2 tomos. México, Fondo de Cultura Económica, 1961. Segunda edición revisada, 1972.

SMITH, ANTHONY D. *Nacionalismo e indigenismo: la búsqueda de un pasado auténtico*. London School of Economics, s/f.

SOTO, SHIRLENE. *Emergence of Modern Mexican Woman: Her Participation in Revolution and Struggle for Equality, 1910-1940*. Denver, Colorado: Ardern Press, Inc., 1990.

TIBOL, RAQUEL. *Orozco, Rivera, Siqueiros, Tamayo*. México, Fondo de Cultura Económica, 1974.

TUCHMAN, BARBARA WERTHEIM. *The Zimmermann Telegram*. Nueva York, Dell, 1965.

ULLOA, BERTA. *La revolución intervenida. Relaciones diplomáticas entre México y Estados Unidos, 1910-1914*. México, El Colegio de México, 1976.

VALADÉS, JOSÉ C. *Historia de la Revolución Mexicana*. México, Editorial Gernika, 1985.

VILLORO, LUIS. *Los grandes momentos del indigenismo en México*. México, El Colegio de México, 1950.

WOMACK, JOHN. *Zapata and the Mexican Revolution*. Cambridge, Vintage Books, 1967. Hay traducción al español: *Zapata y la Revolución Mexicana*. México, Siglo XXI Editores, 1969.

ZEA, LEOPOLDO. *Apogeo y decadencia del positivismo en México*. México, El Colegio de México, 1949.